GEOGRAFIA Bíblica

A geografia da Terra Santa é uma das maneiras mais emocionantes de se entender a história sagrada.

Claudionor de Andrade

38ª impressão

CPAD
Rio de Janeiro
2025

Todos os direitos reservados. Copyright © 2001 para a língua portuguesa da Casa Publicadora das Assembleias de Deus. Aprovado pelo Conselho de Doutrina.

É proibida a duplicação ou reprodução deste volume, no todo ou em parte, sob quaisquer formas ou meios (eletrônico, mecânico, gravação, fotocópia, distribuição na web e outros), sem permissão expressa da Editora.

Revisão: Patrícia Oliveira
Capa e projeto gráfico: Daniel Bonates
Editoração eletrônica: Oséas Felicio Maciel

CDD: 900 - Geografia e história
ISBN: 978-85-263-1696-6

As citações bíblicas foram extraídas da versão Almeida Revista e Corrigida, edição de 2009, da Sociedade Bíblica do Brasil, salvo indicação em contrário.

Para maiores informações sobre livros, revistas, periódicos e os últimos lançamentos da CPAD, visite nosso site: https//www.cpad.com.br

SAC - Serviço de Atendimento ao Cliente: 0800-021-7373

Casa Publicadora das Assembleias de Deus
Av. Brasil, 34.401 - Bangu, Rio de Janeiro - RJ
CEP: 21.852-002

38ª impressão: 2025
Impresso no Brasil
Tiragem: 1.000

Sumário

Em poucas palavras 5
Introdução 7
1. A Cosmogonia Bíblica 15
2. Os Impérios Humanos e a Soberania Divina 21
3. O Império Egípcio 23
4. O Império Assírio 37
5. O Império Babilônico 45
6. O Império Persa 55
7. O Império Grego 63
8. O Império Romano 77
9. Israel, a Terra Sagrada por Excelência 95
10. Israel, o Solo Sagrado por Excelência 99
11. As Planícies de Israel 105
12. Os Vales da Terra Santa 111
13. Os Montes da Terra Santa 121
14. Os Desertos da Terra Santa 137
15. A Hidrografia da Terra Santa 143
16. O Clima da Terra Santa 165
17. A Geografia Econômica da Terra Santa 169

18. A Geografia Humana da Terra Santa 175
19. A Geografia Política da Terra Santa 187
20. Jerusalém – a Capital Eterna e Indivisível de Israel 209
21. As Cidades e Estradas da Terra Santa 217
22. A Primeira Viagem Missionária 227
23. A Segunda Viagem Missionária 233
24. A Terceira Viagem Missionária 239
25. A Viagem de Paulo a Roma 245
26. A Geografia do Apocalipse 251
Pequeno Dicionário de Geografia Bíblica 255

Em poucas palavras

O que é o livro? É um filho de nossa alma. Por isso, não podemos deixá-lo à própria sorte. Ele demanda especiais cuidados, prescreve revisões periódicas, reclama espaço para ampliar-se e reivindica aqueles mimos que somente os pais sabem dar.

Exige o livro um vigilante acompanhamento.

Até que a obra venha a se firmar, o autor tem de agir como obstetra, pediatra e até como geriatra tem de agir. Ele tanto cuida de seu nascimento quanto de sua maturação. Chega, porém, a época em que temos de atuar como aquele geriatra solícito que tudo fará a fim de que seu paciente resista a ação do tempo. Cirurgia plástica? Filho de nosso espírito, tem o livro irresistíveis demandas estéticas.

Nesta **Geografia Bíblica**, vi-me obrigado a agir não propriamente como médico, mas como aquele pai que não poupará esforços para que seu filho alcance a madureza. Aprofundei pesquisas, conferi dados, acrescentei capítulos e até um pequeno dicionário de termos geográficos coloquei no final da obra. Tudo fiz para que este livro se adaptasse ao século XXI.

O que não se faz por um filho?!

Por se falar em filho, na revisão e ampliação desta obra, contei com a ajuda de meu filho, Gunnar Berg. Como estudante de história, muito me auxiliou com suas sugestões e conselhos. Ele ampliou vários capítulos e forneceu-me subsídios para aperfeiçoar outros. Sua participação foi inestimável.

Minha oração é que esta **Geografia Bíblica** leve o povo de Deus a palmilhar a terra onde foi nosso Senhor crucificado e de onde ressurgiu para assentar-se à destra do Todo-Poderoso. Jesus jamais escreveu uma geografia. Todavia, o que seriam daqueles acidentes da Terra Santa sem Ele? Meros incidentes num pedaço de mundo que nenhuma expressão teria. Contudo, palmilhados por Ele, aqueles acidentes revelaram o percurso do maravilhoso Plano de Salvação.

Que Deus nos abençoe!

Em Cristo,
Pr. Claudionor Corrêa de Andrade

Introdução

A IMPORTÂNCIA DA GEOGRAFIA BÍBLICA

SUMÁRIO: *Introdução; I. A importância da Geografia; II. O que é a Geografia?; III. A Geografia através da História; IV. A estruturação científica da Geografia; V. A Geografia Bíblica e a sua importância.*

INTRODUÇÃO

"Feliz da nação que não tem história". A afirmação nasceu da pena irrequieta e peregrina de Cesare Beccaria. Acredito, porém, que o ilustre italiano não estava suficientemente afeito à história de Israel. Pois os hebreus têm uma história que não é propriamente história: é um impressionante e singular relato dos grandes feitos de Deus.

E o que dizer de sua geografia?

Se a história hebréia é sobrenatural, a geografia da Terra Santa é prodigiosa. Mas onde está o seu prodígio? Onde o seu milagre? A possessão de Jacó não é um grande território; é um dos países mais exíguos do mundo. Na federação brasileira, seria menor que o menor de nossos estados. Sua pequenez, porém, não impede que seus montes e vales, planaltos e campinas, rios e lagos, estejam entre os mais conhecidos do mundo.

Em Israel, a geografia e a história encontram-se e se mesclam sacerdotal e profeticamente. Às vezes é difícil saber o que é história e o que é geografia. Basta um acidente geográfico para sermos remetidos, de imediato, aos episódios e fatos que fizeram a História Sagrada. Por conseguinte, no estudo da Palavra de Deus, a geografia é de suma importância.

I. A IMPORTÂNCIA DA GEOGRAFIA

Possuindo uma exigente concepção espacial, o homem está constantemente a indagar: Onde exatamente deu-se tal fato? Onde tudo começou? E onde será o término de tudo? A historiografia, por ser mais literária e limitar-se às crônicas, nem sempre pode responder-nos a tais questões com precisão.

Vemo-nos obrigados, então, a recorrer à Geografia.

Situando cada drama em seu respectivo palco, localizando cada sítio arqueológico e balizando as peregrinações de nossos avoengos, oferece-nos a Geografia uma idéia ampla e clara desse nosso *habitat*. Através dela, trilhamos os caminhos dos pais e antevemos as sendas dos filhos.

São profundas e orgânicas as afinidades entre a História e a Geografia. O admirável historiador brasileiro Afrânio Peixoto escreve mui acertadamente: "A Geografia será assim a ciência do presente, explicada pelo passado; a História, a ciência do passado, que explica o presente".

II. O QUE É A GEOGRAFIA?

Durante séculos, a Geografia limitou-se a descrever a Terra. A partir do século XIX, entretanto, assumiu um caráter mais científico. Hoje, não se limita a descrever; propõe-se também a explicar os fatos e suas diversas relações.

Vejamos, pois, como podemos definir a Geografia, e, a seguir, o que os mais ilustrados cultores disseram acerca dessa ciência.

1. **Definição.** Etimologicamente, a palavra geografia vem de dois vocábulos gregos: *geo,* terra e *graphein,* descrever. Por conseguinte, Geografia é a ciência que tem por objeto a descrição sistemática e ordenada da superfície da Terra. Detém-se ela no estudo dos seus acidentes físicos, solos, vegetações e climas. A Geografia detém-se ainda na pesquisa das relações entre o meio natural e os diversos grupamentos humanos.

Para o alemão Alfred Hettner, Geografia é "o ramo de estudos da diferenciação regional da superfície da Terra e das causas dessa diferenciação".

2. **O objetivo da Geografia.** Richard Hartshorne declara ser o objetivo da geografia "proporcionar a descrição e a interpretação, de maneira precisa, ordenada e racional, do caráter variável da superfície da Terra".

A Enciclopédia Mirador Internacional lembra: a missão da Geografia deve ir além da mera descrição da Terra: "Tomar como tal apenas a face exterior da camada sólida e líquida, iluminada pela luz do Sol, equivale a suprimir do campo de interesse geográfico as minas e a atmosfera. Nesta ocorrem os fenômenos meteorológicos e se configuram os tipos climáticos de profunda influência na vida de todos os seres e, particularmente, na atividade humana".

3. **Doutrinas geográficas.** Embora seja uma ciência essencialmente descritiva, possui a Geografia várias interpretações e doutrinas. Destas, estaremos a destacar duas.

a) Determinismo geográfico. No fim do século XVIII e princípios do XIX, surgiram várias doutrinas filosóficas buscando justificar a riqueza e a pobreza das nações. Uma dessas teorias defendia que o meio era capaz de determinar o modo de ser de uma sociedade. A este posicionamento deu-se o nome de determinismo geográfico. Segundo o historiador francês Michelet "...a história é desde cedo toda geográfica... diga-me dos ares, fale-me das águas, conte-me sobre o solo que eu vos direi quem mora lá, pois tal o ninho tal o pássaro, tal a pátria tal o homem". Apesar de sua falta de rigor científico, o determinismo alastrou-se, arrebatou inúmeros adeptos, ganhou força e acabou por enveredar-se pelo racismo.

Atualmente, a maioria dos autores nega o caráter determinista da Geografia.

b) Possibilismo geográfico. Ao contrário do determinismo, o possibilismo geográfico afirma ser o homem capaz de dominar o meio à medida que aperfeiçoa suas técnicas e descobre como melhor aproveitar as matérias-primas e os insumos que se acham à sua disposição.

III. A GEOGRAFIA ATRAVÉS DA HISTÓRIA

Vejamos, neste tópico, como a Geografia desenvolveu-se no transcorrer dos séculos.

1. Os egípcios. Embora seus conhecimentos geográficos não fossem além do Nordeste da África, da Ásia Ocidental e da Assíria, procuravam os egípcios descrever de maneira minuciosa o terreno por eles explorado. Sua Geografia achava-se mais voltada para o próprio solo.

2. Os fenícios. Foram estes mais longe. Estimulados por transações comerciais sempre lucrativas, vasculharam o Mar Mediterrâneo, fundaram Cartago, em 800 a.C., transpuseram o estreito de Gibraltar e chegaram às ilhas britânicas. Eles, afirmam alguns estudiosos, aportaram inclusive nas costas brasileiras, onde deixaram inscrições em vários monólitos. Os caracteres, nestes encontrados, assemelhavam-se muito à antiga escrita hebréia.

Um povo tão viajor como os fenícios possuía admiráveis geógrafos. Afinal, suas navegações dependiam de cartas e mapas precisos e detalhados.

3. Os gregos. Mais comedidos, limitaram-se os gregos à região do Mediterrâneo. Aí fundaram diversas cidades, entre as quais Massília (atual Marselha).

Alexandre Magno foi quem alargou os conhecimentos geográficos dos helenos em virtude de suas rápidas, fulminantes e dilatadas conquistas. Saindo da Macedônia, na Europa Oriental, alcançou ele a Índia, no Extremo Oriente.

Não foram poucos os pensadores gregos a se dedicarem à Geografia: Píteas, Heródoto, Hipócrates, Anaximandro, Tales, Aristóteles e Eratóstenes de Cirene. Destacou-se este por sua obra *Geographica;* foi a primeira vez que um autor empregou a palavra geografia. Foi ainda Eratóstenes quem, no século III a.C., calculou a circunferência da Terra com assombrosa exatidão. A partir das conquistas alexandrinas, o conhecimento geográfico dos gregos começou a alargar-se de maneira expressiva.

Grandes filósofos, como Pitágoras e Aristóteles, ao contrário de seus contemporâneos, já acreditavam ser a Terra redonda.

4. Os romanos. Não se limitaram estes ao mundo conhecido pelos gregos. Em virtude de suas vastíssimas conquistas, alargaram ainda mais os conhecimentos geográficos da época.

Durante as guerras expansionistas, seus generais elaboraram minuciosos relatórios acerca das novas possessões romanas. Júlio César, por exemplo, escreveu os *"Comentários sobre a guerra contra os gauleses",* obra riquíssima em informações geográficas.

Políbio e Estrabão deixaram importantes tratados geográficos. Os trabalhos de Estrabão mostraram-se de tal forma abalizados que, com justíssima razão, foi chamado de o pai da geografia. Sem os seus apontamentos, os geógrafos posteriores encontrariam muitas dificuldades para elaborar descrições mais acuradas da Terra.

Quando o Império Romano caiu, todo o conhecimento geográfico acumulado pelos greco-romanos ficou seriamente comprometido; a maioria dos mapas e tratados foi perdida. Como encontrar tão preciosos documentos? Esta tarefa caberia a um povo que assombraria o mundo com suas conquistas militares, científicas e culturais.

5. Os árabes. Foram os árabes que, durante os séculos XI e XII, encontraram, preservaram, revisaram e ampliaram todo o conhecimento geográfico que havia desaparecido com a queda de Roma. Suas correções e dissertações seriam, todavia, rechaçadas pelos estudiosos europeus que, durante as cruzadas, ao invés de avançarem, regrediram aos primeiros rudimentos da ciência.

Tal atitude levou à cristalinização de erros que haveriam de atravancar o progresso na Europa.

Não obstante, os árabes dilataram surpreendentemente os conhecimentos geográficos. Eles chegaram à China, embrenharam-se na Rússia e dominaram a África. Ibn Haw'qal deixou grandiosa obra, contendo descrições precisas das terras conquistadas pelos maometanos. A Geografia, para o Islã, era uma ciência agradável a Deus, por facilitar a peregrinação dos fiéis a Meca.

6. Na Idade Média. A Geografia não progrediu na Europa, durante a Idade Média. Detentor do monopólio cultural, o clero romano só transmitia ao povo as informações que, segundo seu critério, estivessem de conformidade com os textos sagrados e com as tradições católicas. Apesar das Cruzadas à Terra Santa, não houve avanço significativo nas informações geográficas nesse período.

Muitos conceitos bíblicos acabaram por ser deturpados pela Santa Sé. Os padres ensinavam, por exemplo, ser a Terra plana, numa despropositada alusão à mesa do Tabernáculo. Afirmavam também ser o Sol o centro do Universo, ao interpretar erroneamente o longo dia de Josué.

Os escritos de Marco Pólo, duramente censurados, em nada contribuíram para o desenvolvimento da Geografia. Os bárbaros, entretanto, livres dos tentáculos de Roma, apresentaram notáveis progressos nessa ciência. Haja vista os viquingues.

7. Portugal e Espanha. Com as descobertas de novos continentes, Portugal e Espanha deram inestimável contribuição à Geografia. Some-se a isso o capitalismo mercantilista dos séculos XV, XVI e XVII, que impulsionaria ambas as nações às mais remotas regiões do Globo. Finalmente, o homem redescobria uma verdade elementar que, séculos antes, fora proferida por um profeta hebreu: *a Terra é esférica* (Is 40.22). Galileu tinha razão. Se redonda era a Terra, a circunavegação tornava-se possível. Conseqüentemente, poderiam ser descobertos os mais impensados continentes.

8. Varenius. A partir dos feitos de Colombo, Vasco da Gama e Cabral, começaram a ser produzidas, com mais regularidade, obras geográficas especializadas. O jovem alemão Varenius, notável por sua genialidade, escreveu dois tratados: *Geografia generalis* e *Geografia Specialis*. O segundo trabalho, aliás, não pôde ser completado por causa da morte prematura do autor.

9. Kant. O filósofo Immanuel Kant empreendeu vários estudos geográficos, objetivando conhecer empiricamente o mundo. Em seu livro *Kritik der reinen Vernunft* (Crítica da razão pura), Kant demarca com sucesso o lugar da Geografia entre as diferentes disciplinas. Ele afirmou que a Geografia trata de fenômenos associados ao espaço, do mesmo modo como a História cuida dos fatos que se relacionam com o tempo.

IV. A ESTRUTURAÇÃO CIENTÍFICA DA GEOGRAFIA

Deve-se a dois sábios alemães a estruturação da Geografia como ciência. Ambos viveram na mesma época e, durante algumas décadas, em Berlim: Alexander von Humboldt (1769-1859) e Carl Ritter (1779-1859). Este último ocupou a primeira cátedra de Geografia criada numa universidade moderna. Influenciados por Varenius e Kant, traçaram novos métodos e rumos para a Geografia.

Não objetivavam eles contrariar os postulados de seus antecessores. Após seus estudos, porém, tornou-se possível fazer a correlação dos fenômenos característicos de uma região.

Em viagem às Américas Central e do Sul, em 1799 e 1804, Humboldt efetuou pela primeira vez uma análise sistemática e inter-relacionada dos vários acidentes geográficos dessas regiões. Desde então, a Geografia deixou de ser um mero acervo de comentários e descrições, usadas exclusivamente por militares e administradores, para tornar-se uma ciência autônoma. A Geografia avançou tanto que, hoje, é usada inclusive para comprovar a veracidade das Sagradas Escrituras.

V. A GEOGRAFIA BÍBLICA E A SUA IMPORTÂNCIA

Parte da Geografia Geral, tem a Geografia Bíblica, por objetivo, o conhecimento das diferentes áreas da Terra relacionadas com as Sagradas Escrituras. Descrevendo e delimitando os relatos sagrados, dá-lhes mais consistência e autenticidade, auxiliando-nos na interpretação e compreensão dos fatos bíblicos.

A Geografia Bíblica, definida por J. Mackee Adams como o "painel bíblico em que o Reino de Deus teve o seu início e onde experimentou seus triunfos", é indispensável a todos os estudiosos da Bíblia.

Através da Geografia Bíblica, faremos uma fascinante viagem que, partindo da Mesopotâmia, chegará à Europa. Percorreremos os caminhos antigos, para compreendermos por que é tão atual a nossa fé. O roteiro, temo-lo na Bíblia. As informações geográficas contidas nas Sagradas Escrituras são exatas e reconstituem, com fidelidade e riqueza de detalhes, a topografia e as divisões políticas da Antigüidade.

Eis como as informações geográficas contidas na Bíblia são importantes: O Estado de Israel, com base nos relatos dos autores sagrados, redescobriu várias minas exploradas pelo rei Salomão, e que, hoje, continuam a produzir divisas ao jovem estado hebreu.

Há incalculáveis tesouros à nossa disposição; são informações que nos ajudarão a conhecer melhor a terra que mana leite e mel.

A COSMOGONIA BÍBLICA

SUMÁRIO: *Introdução; I. O que é a Cosmogonia; II. A matéria-prima original; III. O que diz a Bíblia acerca da matéria-prima original.*

INTRODUÇÃO

Embora não seja um livro científico, a Bíblia não emite nenhum conceito errôneo quanto à origem do Universo. Sua cosmogonia tem sido corroborada por renomados filósofos e cientistas. Haja vista o que disse Voltaire: "O mundo me intriga, e não posso imaginar que este relógio exista e não haja relojoeiro". O que o célebre pensador francês buscou sutilmente afirmar foi que o criacionismo bíblico é a melhor resposta à intrigante pergunta: Como surgiu o Cosmo?

Podemos confiar irrestritamente na Bíblia Sagrada. Ela é a inspirada, inerrante e infalível Palavra de Deus. Somente ela pode responder-nos, com absoluta segurança, a todas as questões.

Todavia, em conseqüência de extravagantes hermeneutas, a Bíblia sofreu injustificados e impiedosos acometimentos. Tacharam-na de retrógrada e alienígena. O que dizer dos iluministas que, emprestando excessiva ênfase à razão, consideraram-na um livro anacrônico?

Mas, neste instante, em pleno século XXI, ousemos repetir as palavras do admirável historiador italiano Césare Cantu: "A Bíblia é o livro de todos os séculos, de todos os povos e de todas as idades". Suas verdades continuam tão atuais, hoje, como há quatro mil anos.

Em primeiro lugar, vejamos como era a cosmogonia de alguns povos antigos e a dos gregos em particular; em seguida, entraremos a constatar a realidade bíblica quanto à origem dos céus e da terra.

I. O QUE É A COSMOGONIA

A Cosmogonia é uma ciência milenar, e teve como berço o Antigo Oriente. Formulada desde os primórdios da raça, ocupa-se ela, fundamentalmente, da origem e da evolução do Universo. Sua função é descobrir como surgiram a Terra e os demais planetas e astros.

Nessa ciência, afadigaram-se notavelmente os gregos. Através de uma observação ainda empírica da natureza, urdiram eles as mais variadas teorias. Algumas destas até pareciam ciência; não tinham porém rigor científico. Em linhas gerais, o que buscavam os helenos e os demais povos era a matéria-prima original do Universo.

II. A MATÉRIA-PRIMA ORIGINAL

A matéria-prima original era o elemento que, segundo acreditavam os gregos e outros povos antigos, dera origem a tudo quanto existe. Era conhecida também como a matéria eterna. A partir dessa hipótese, nossos antepassados viram-se induzidos a formular, inclusive, várias doutrinas de fundo religioso. Não lhes era difícil acreditar, por exemplo, ser a Terra um ente divino; já que a sua matéria-prima é eterna, basta-se ela a si mesma, não necessitando de um criador nem de um mantenedor.

Vejamos, pois, como as gentes antigas encaravam a questão da origem do Universo.

1. Acadianos, sumérios e babilônios. Os povos que habitavam a antiga Mesopotâmia desenvolveram uma imaginativa cosmogonia. Nos poemas de *Gilgamesh* e de *Enuma Elish*, compostos entre o terceiro e o segundo milênio antes de Cristo, descrevem eles um passado imemorial em que os deuses travaram implacáveis lutas contra as forças desagregadoras. Desses embates, teriam surgido os céus, a terra, o mar, os animais e o ser humano. Quanto à matéria-prima do Universo, eles ainda não tinham uma idéia clara; eram mais poetas que filósofos; mais ascetas que cientistas.

2. Gregos. Mais desenvolvidos cientificamente que todos os povos da Antigüidade, os gregos muito preocuparam-se com a origem do Universo. Tudo fizeram por descobrir a matéria-prima do Cosmos. Eis como posicionaram-se os vários filósofos helenos acerca do assunto:

a) Anaximandro. Pertencente à Escola Jônica, ensinava que o mundo teve origem a partir de uma substância indefinida: o *apeiron*, em grego, *sem fim*.

b) Tales de Mileto. Segundo este pensador, era a água o elemento do qual todos os demais são originários. Ele foi levado a posicionar-se dessa forma, conta Aristóteles, depois de observar a presença da água em todas as coisas.

c) Anaxímenes de Mileto. Afirmava ser o ar o princípio de tudo. Até o fogo, argumenta, depende do ar. O que dizer da água em estado gasoso?

d) Heráclito. Argumentava estarem todas as coisas em constante devenir. Tudo corre, tudo flui, ensinava. O Cosmo transmuta-se constantemente.

e) Empédocles. Cria ele serem quatro os elementos originais: ar, água, terra e fogo. Mais tarde, essa tese seria esposada por

Aristóteles. Por mais de vinte séculos, foi tida como dogmática. Contudo, Platão não a aceitava. Leciona o admirável filósofo: "Os quatro elementos parecem contar um mito, cada um o seu, como faríamos às crianças".

f) Anaxágoras. O Universo, de acordo com este pensador, é formado por partículas diminutas. Podem estas permanecer em estado inanimado ou não. Aristóteles denominou-as de *homeomerias.*

g) Leucipo. Principal representante da Escola Atomística, aperfeiçoada por Demócrito, apregoa serem todas as coisas, inclusive a alma, compostas por invisíveis corpúsculos a olho nu. Tais corpúsculos ele os chamou de átomos que, em grego, significa: aquilo que não pode ser dividido. É claro que, hoje, todos sabemos ser a fusão do átomo uma realidade.

h) Pitágoras de Samos. Em seu cego devotamento pela matemática, apontava Deus como a Grande Unidade e o Número Perfeito. Deste Perfeito Número, ensinava, originou-se tudo quanto existe.

i) Xenófanes. Fundador da Escola Eleática, mostra possuir um credo monoteísta. Não hesita em desprezar a mitologia helena. Cria ser o Universo obra de um Deus Único e Verdadeiro. É um dos poucos gentios a ter uma concepção quase perfeita quanto ao criacionismo bíblico, embora ignorasse a existência das Sagradas Escrituras hebréias.

j) Os índios da América do Norte. Os onondagas, povo que habitava o território hoje ocupado pelo Estado de Nova York, acreditavam que o grande cacique das pradarias celestiais, fatigando-se de sua mulher, arremessou-a às intermináveis águas turvas da Terra. Já nas profundezas do mar, pediu ela ajuda aos animais marinhos para retirar do fundo do oceano o barro. E, assim, o sol secou o barro, e neste pôde instalar-se a mulher celestial. Para os onondagas, por conseguinte, a matéria original do Universo é a própria terra.

l) Maias. Desenvolveram estes uma cosmogonia dividida em três partes. Na primeira, Hunab, o deus único, cria-se a si mesmo.

Em seguida, fez ele o céu e a Terra. Na última parte, Hunab, misturando habilmente terra e água, forma o primeiro homem. Os maias consideravam a terra e a água as matérias-primas do Universo.

m) Índios brasileiros. Sua cosmogonia desenvolve-se a partir de dois deuses criadores: Monã, criador do céu, da Terra e dos animais; e Amã Atupane, criador do mar. Os jesuítas consideravam Amã Atupane (provavelmente o mesmo Tupã) a mais correta idéia de Deus dos nativos desta parte do continente americano.

III. O QUE DIZ A BÍBLIA ACERCA DA MATÉRIA-PRIMA ORIGINAL

No que tange à matéria-prima original, destoavam os hebreus radicalmente dos outros povos; não se ocupavam com a cosmogonia: criam firmemente que, no princípio, criara Deus os céus e a Terra. Não diz o Pentateuco que a Terra e os céus foram chamados à existência a partir da Palavra de Deus? Por que ir ao encalço de outras explicações? Por que se ocupar de uma matéria eterna se a eternidade é um atributo exclusivo do Todo-Poderoso?

O autor da Epístola aos Hebreus escreve: "Pela fé entendemos que foi o Universo formado pela palavra de Deus, de maneira que o visível veio a existir das coisas que não aparecem" (Hb 11.23).

Pela fé, somente *pela fé*! Isso significa que Deus criou o Universo *ex nihilo*. Ou seja: a partir do nada. Os escritores sagrados descartam por completo a existência de uma matéria-prima original; tudo quanto existe veio a existir através da Palavra de Deus. Não há explicação mais plausível e convincente! Foi o que Paulo quis deixar bem claro aos filósofos epicureus e estóicos quando de seu discurso no Areópago de Atenas: "O Deus que fez o mundo e tudo o que nele existe..." (At 17.24).

Ouçamos, agora, o renomado teólogo Charles C. Ryrie: "*Creatio ex nihilo*. Esta frase significa que ao criar, Deus não empregou matérias preexistentes. Indica-o Hebreus 11.3 bem como o relato de Gênesis 1. Antes de seu fiat criativo, não havia outra classe de existência fenomenológica. Isto exclui a idéia de que a matéria seja eterna. *Creatio ex nihilo* é um conceito que ajuda, desde que entendamos o seu real significado. Ou seja: que entidades físicas foram criadas dos recursos não físicos da onipotência de Deus".

É imprescindível que o homem saiba a origem de seu *habitat*. Doutra forma, como haverá de situar-se diante da realidade que o cerca? Não se trata de mera questão geográfica; é algo que transcende a nossa topografia.

Graças a Deus porque, nas Sagradas Escrituras, temos uma resposta absolutamente correta quanto à origem do Universo. Tudo quanto existe, inclusive o ser humano, foi criado por Deus. A partir dessa perspectiva torna-se muito mais fácil e emocionante estudar a geografia das terras que serviram de cenário à História da Salvação.

OS IMPÉRIOS HUMANOS E A SOBERANIA DIVINA

"Um império fundado pelas armas precisa sustentar-se pelas armas". A afirmação é de Montesquieu em suas considerações sobre *As Causas da Grandeza dos Romanos*. Apesar do invulgar brilho de sua inteligência, o filósofo francês parece haver se esquecido da soberania divina. Nenhum império é estabelecido pela vontade humana, nem pela vontade humana, destruído. Depois de experimentar a potentíssima mão de Deus, o fundador do Império Babilônico reconhece: Deus está no comando de tudo. Eis a confissão de Nabucodonosor:

"Quão grandes são os seus sinais, e quão poderosas, as suas maravilhas! O seu reino é reino sempiterno, e o seu domínio, de geração em geração. Todos os moradores da terra são por ele reputados em nada; e, segundo a sua vontade, ele opera com o exército do céu e os moradores da terra; não há quem lhe possa deter a mão, nem lhe dizer: Que fazes?" (Dn 4.3,35).

Desde a criação do mundo, os impérios estão sempre a ascender e a cair. A soberania divina, porém, continua incontestada. Deus está no supremo governo da História. Ainda que os filhos dos homens não o admitam, a História reflete a ação do Todo-Poderoso Deus. Ele não se limitou a criar o mundo; neste intervém de acordo com a sua vontade, e de conformidade com a sua natureza santa e justa o dirige. Suas reivindicações não podem ser ignoradas. Aleluia!

Como seria maravilhoso se todos os monarcas e governantes viessem a reconhecer a Deus como o fez o rei de Babilônia: "Agora, pois, eu, Nabucodonozor, louvo, exalço, e glorifico ao rei do céu; porque todas as suas obras são verdades; e os seus caminhos juízo, e pode humilhar aos que andam na soberba" (Dn 4.37).

A seguir, veremos como os grandes impérios da Antigüidade ascenderam e caíram. Na história de todos eles, vislumbraremos o irresistível desígnio de Deus, guiando, orientando e fazendo as necessárias provisões visando ao bem-estar de seus filhos.

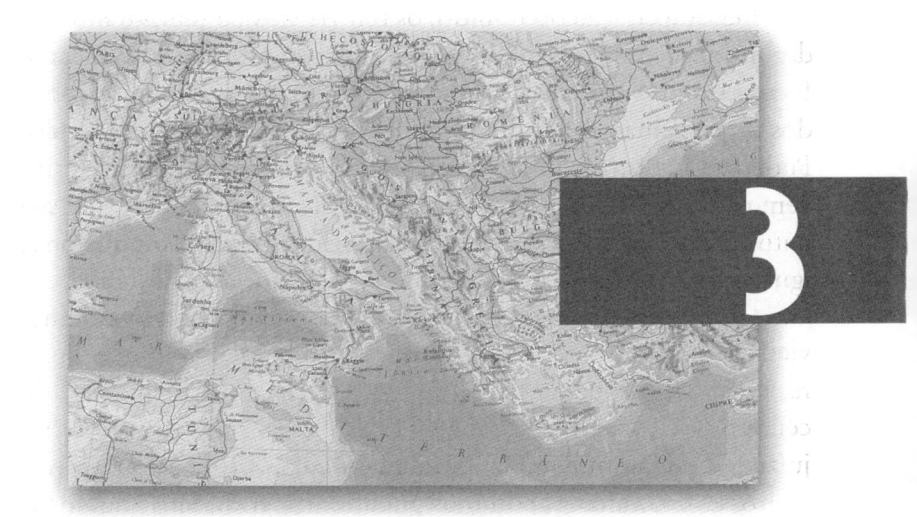

O IMPÉRIO EGÍPCIO

SUMÁRIO: *Introdução; I. História do Egito; II. A unificação do Egito; III. A invasão dos hicsos; IV. Novo Império; V. Decadência; VI. Geografia do Egito; VII. O Egito atual; VIII. A grandeza do Egito; IX. O Egito e os filhos de Israel.*

INTRODUÇÃO

Napoleão Bonaparte, em sua campanha pelo Oriente Médio, deixou-se extasiar de imediato pela singular grandeza da civilização egípcia. Ao contemplar as colossais pirâmides, exclamou aos seus homens: "Soldados, do alto dessas pirâmides, quarenta séculos vos contemplam". Tal admiração não se limitou ao genial conquistador francês. O Egito sempre exerceu indescritível fascínio sobre os historiadores. Como não lhe admirar a civilização? As próprias escrituras não poupam superlativos ao referirem-se à grande nação do Nilo.

O Egito é uma das mais antigas civilizações. Suas origens confundem-se com as do homem. Julgam alguns historiadores, por isso, ter sido o Vale do Nilo o berço de nossos protogenitores. Segundo a Teologia Negra, que vem ganhando considerável espaço nos Estados Unidos, teria sido exatamente nessa parte da África que se localizava o Jardim do Éden. A Bíblia, no entanto, informa que o Jardim do Éden fora plantado pelo Senhor entre os rios Tigre e Eufrates, região hoje ocupada pelo Iraque.

A presença do Egito, nas Escrituras Sagradas, é muito forte. Por isso precisamos conhecer melhor a história, a geografia e o povo desse misterioso país. É impossível conhecer a História Sagrada sem uma peregrinação pelo Vale do Nilo.

I. HISTÓRIA DO EGITO

Não podemos datar, com precisão, quando chegaram os primeiros colonizadores ao Egito. Quanto mais recuamos no tempo, mais a cronologia torna-se imprecisa. Sabemos, contudo, que os primeiros habitantes dessa região eram nômades.

A moderna egiptologia revela que o povo egípcio é resultante da fusão de vários grupos africanos e asiáticos. Destes há que se destacar três: o primeiro era um povo semítico dolicocéfalo de média estatura; o segundo, semítico-líbio braquicéfalo e de nariz recurvado; e o terceiro, mediterrâneo, possuía nariz reto e curto. Do caldeamento desses grupos surgiu um povo de lavradores que, fixando-se no Vale do Nilo, foi absorvendo os inúmeros invasores.

Após uma vida de árduas e inclementes peregrinações, os primeiros egípcios começaram a organizar-se em pequenos Estados. Essas diminutas e inexpressivas unidades políticas, conhecidas como nomos, foram agrupando-se com o passar dos séculos, até formarem dois grandes reinos: o Alto Egito, no Sul; e, o Baixo Egito, no Norte. Ambos estavam localizados, respectivamente, no Vale do Nilo e no Delta deste.

Entre ambas as regiões, havia um forte contraste. Seus deuses eram diferentes, como diferentes eram, também, seus dialetos e costumes. Até mesmo a filosofia de vida desses povos eram marcadas por visíveis antagonismos. Declara o egiptólogo Wilson: "Em todo o curso da história, essas duas regiões se diferenciaram e tiveram consciência da sua diferenciação. Quer nos tempos antigos, como nos modernos, as duas regiões falam dialetos muito diferentes e vêem a vida com perspectivas também diferentes".

Sobre essa época, escreve Idel Becker: "Nesse período pré-dinástico, o desenvolvimento da cultura egípcia foi, quase totalmente, autóctone e interno. Houve apenas, alguns elementos de evidente influência mesopotâmica: o selo cilíndrico, a arquitetura monumental, certos motivos artísticos e, talvez, a própria idéia da escrita. Há, nessa época, progressos básicos nas artes, ofícios e ciências. Trabalhou-se a pedra, o cobre e o ouro (instrumentos, armas, ornamentos, jóias). Havia olarias; vidragem; sistemas de irrigação. Foi-se formando o Direito, baseado nos usos e costumes tradicionais – leis consuetudinárias".

Quanto aos coptas que hoje encontramos no Egito, descendem eles diretamente da antiga população, e conseguiram, por se manterem como um grupo religioso hermético, preservar intactas suas peculiaridades. Além desses autóctones, habitam o moderno Egito muitos outros grupos étnicos, em especial os europeus – gregos, italianos, ingleses e franceses. O restante da população é composto por árabes, armênios, judeus e sírios.

II. A UNIFICAÇÃO DO EGITO

Em conseqüência de suas muitas diferenças, o Alto e o Baixo Egito travaram longas e desgastantes guerras. Foram estas enfraquecendo ambos os reinos, tornando-os vulneráveis aos ataques externos. Consciente da inutilidade desses conflitos, Menés, rei do Alto Egito, conquista o Baixo Egito. Depois de algumas reformas administrativas, o monarca (para alguns historiadores, uma figura lendária) unificou o país, estabeleceu a primeira dinastia e fez de Tinis a capital de seu vasto império. Nessa época, conheceu o Egito um momento de glória e singular prosperidade em decorrência de suas muitas expedições à costa do Mar Vermelho e às minas de cobre e de turquesa do Sinai.

A unificação do Egito ocorreu aproximadamente entre 3000 a 2780 a.C. Nesta mesma época, os egípcios começaram a fazer uso da escrita e de um calendário de 365 dias.

Unificados, o Alto e o Baixo Egitos transformaram-se no mais florescente e poderoso império da Antigüidade. Seus reis destacaram-se como grandes construtores; ergueram as formidáveis pirâmides que, além de ser um símbolo de sua grandeza, servir-lhes-iam também de tumba. Por causa desses arroubos arquitetônicos, receberam eles o epíteto de "casa grande" – faraó.

No final do Antigo Império, que abrange o período de 2780 a 2400 a.C., o poder dos faraós começou a declinar. O fim dessa era de glórias é marcado por revoltas e desordens, ocasionadas pelos governadores dos nomos.

Uma febre de independência alastra-se por todo o reino. Cresce o poder da nobreza; a influência da realeza decai perigosamente. Aproveitando-se do caos, diversas tribos africanas e asiáticas invadem o país.

Foi no século XXII a.C. que os príncipes tebanos consolidaram sua independência, e inauguram a XI dinastia; foi graças a sua intervenção que o Egito conseguiu reorganizar-se, pelo menos até a agressão hicsa.

III. A INVASÃO DOS HICSOS

Não obstante a segurança proporcionada pelos príncipes de Tebas e pelas conquistas político-sociais do povo, o Egito não consegue repelir as incursões de um bando aguerrido de pastores asiáticos. Nem mesmo o prestígio internacional dos faraós seria suficiente para lhe tornar defensáveis as fronteiras.

Esses invasores, que dominariam o Egito por 200 anos, aproximadamente, são conhecidos como hicsos. Iniciam eles sua dominação em 1785 a.C. e só haverão de ser expulsos por volta de 1580 a.C.

Idel Becker, com muito critério e balizamento, fala-nos acerca desse conturbado período: "Esta é a época mais confusa e discutida da história do antigo Egito: um período de invasões e de caos interno. Os hicsos – conglomerado de povos semitas e arianos, invadiram o Egito (através do istmo que o ligava à península do Sinai), venceram os exércitos de faraó e dominaram grande parte do país. Possuíam cavalos e carros de guerra (com rodas); e armas de bronze (ou talvez, mesmo, de ferro), mais bem acabadas e mais fáceis de manejar do que as dos egípcios. Tudo isso explica a sua superioridade bélica e os seus triunfos militares. Os hicsos talvez estivessem fugindo da pressão dos invasores indo-europeus (hititas, cassitas e mitanianos), sobre o Crescente Fértil".

IV. NOVO IMPÉRIO

Com a expulsão dos hicsos, renasce o Império Egípcio de maneira singularmente pujante. A partir do rei Ahmes I, passaram os faraós a adotar um belicoso imperialismo. Tutmés III, por exemplo, conquistou a Síria, e obrigou diversos povos: cananeus, fenícios, árabes e etíopes a pagarem-lhe tributo.

A expansão egípcia, entretanto, esbarraria nos interesses dos poderosos hititas, senhores absolutos da Ásia Menor. Na ocasião, o célebre faraó, Ramsés II, fez ingentes esforços para vencê-los. Como não o conseguisse, assinou com o reino hitita um tratado de paz, que vigorou por muitos anos.

Após trinta anos de paz interna, o Egito acaba por aderir às novas tendências do imperialismo, transformando-se, assim, num estado visceralmente militar, que, por cerca de 200 anos, dominaria todo o mundo conhecido.

Foi durante o Novo Império (1580-1200 a.C.), que os israelitas começaram a ser escravizados pelos faraós.

V. DECADÊNCIA

Apesar da glória do Novo Império, o Egito começou a sofrer sucessivas intervenções: líbia, etíope, indo-européia, assíria, persa, grega e romana.

Como sofresse constantes ataques por parte dos reinos helenísticos, entregou-se o Egito à proteção romana, tornando-se um reino vassalo que, em nada, lembrava a antiga glória. Seguem-se vários reinados dos lágidas. Em 51 a.C. Ptolomeu Auletes é expulso pelos egípcios. Sua filha Cleópatra VII, para manter-se no poder, assassina dois de seus irmãos, e busca o apoio do imperador romano Júlio César. Quando da morte deste, em 44 a.C., une-se ela a Marco Antônio. Em 30 a.C. Cleópatra é induzida a suicidar-se a fim de não cair nas mãos de seus algozes.

Após a divisão do Império Romano, a cidade egípcia de Alexandria começou a ser substituída progressivamente por Constantinopla como polo irradiador de cultura e de civilização. Sob a administração bizantina, ficaria o Egito por quatrocentos anos. No século VII de nossa era, o maior e mais brilhante império da Antigüidade é submetido à tutela dos árabes.

Em 1400, o Egito torna-se possessão turca. No século XIX, põe-se sob a custódia franco-britânia. E no início do último século, torna-se protetorado inglês até que, em 1922, conquista a independência. A outrora grande nação egípcia não passa, hoje, de um apagado reflexo de sua primitiva glória. Cumpre-se, assim, o que predissera Ezequiel: "Tornar-se-á o mais humilde dos reinos e nunca mais se exaltará sobre as nações; porque os diminuirei, para que não dominem sobre as nações" (Ez 29.15).

VI. GEOGRAFIA DO EGITO

Netta Kemp de Money descreve admiravelmente o grande país do Nilo: "O Egito da Antigüidade assemelhava-se em sua forma a uma flor de loto (planta importante na literatura e na arte egípcia), no extremo de um talo sinuoso que tem à esquerda e um pouco abaixo da própria flor, um botão de flor. A flor é composta pelo Delta do Nilo, o talo sinuoso é a terra fértil que se estende ao longo do dito rio, e o botão é o lago de Faium que recebe o excedente das inundações anuais do Nilo".

Atualmente, o Egito tem o formato de um quadrado quase perfeito. Localizado no Nordeste da África, limita-se ao norte com o Mar Mediterrâneo; a leste, com Israel (e, também, com o Mar Vermelho); ao sul, com o Sudão; a oeste, com a Líbia. De sua área, de quase um milhão de quilômetros quadrados, 96 por cento são compostos de terras áridas. Sua população, de 64 milhões de habitantes, é obrigada a viver com os quatro por cento de terras cultiváveis.

Localizava-se o Alto Egito no Sul do atual. Esta região, chamada de Patros pelos hebreus (Jr 44.1,15), é constituída por um estreito vale ladeado por penedos de formação calcária. O Baixo Egito, por seu turno, localizava-se no Norte, e sua área mais fértil encontrava-se no Delta.

O Egito não existiria sem o Nilo. É o segundo rio mais extenso do mundo, com um percurso de 6.705 quilômetros de cumprimento; fertilizando vastas extensões de terra, torna possível fartas semeaduras. Heródoto, com muita razão, disse ser o Egito um presente do Nilo.

Em seu livro *Geografia das Terras Bíblicas*, afirma o pastor Enéas Tognini: "Sem o Nilo, o Egito seria um Saara – terrível e inabitado. O Nilo proporcionou riquezas aos faraós que puderam viver, nababescamente, construindo templos suntuosos, monumentos grandiosos, palácios de alto luxo, pirâmides gigantescas e a manutenção de exércitos bem armados que, não somente protegiam o Egito, mas tomavam, nas guerras, novas regiões. Os egípcios não tinham necessidade de observar se as nuvens trariam chuvas ou não. O Nilo lhes garantia a irrigação e as suas águas lhes davam colheitas fartas e certas. É fato que uma seca poderia trazer pobreza à terra, como aconteceu no tempo de José. Se a cheia fosse além dos limites, as águas poderiam arrasar cidades, deixando o povo desabrigado e prejudicariam as safras. Mas, tanto secas como enchentes eram raras. O Nilo era então, como é hoje, a vida do Egito e o principal fator de suas múltiplas organizações, simples algumas e sofisticadas e complexas outras".

O Nilo teve seu papel econômico realçado pela construção da represa de Assuã, na segunda metade do século XX. Mas o Egito não recebe apenas benesses. Entre março e junho, sopra um vento seco do deserto, o *khamsin*, trazendo tempestades de areia e poeira. Originário das correntes tropicais vindas do sul, o vento é influenciado pelas baixas pressões do Sudão.

VII. O EGITO ATUAL

Vejamos, a seguir, por que Heródoto estava certo ao afirmar ser o Egito um presente do Nilo. O país, hoje, utiliza-se não somente dos vastos recursos provenientes de seu rio, como também dos recursos que consegue extrair daquele solo, às vezes, tão ingrato.

1. A economia do Egito. O sistema fluvial do Egito moldou, desde as mais remotas eras, a base da economia do país. As inundações, ocorridas nos meses de agosto e setembro, depositavam nas áreas cobertas pelas águas, uma quantidade impressionante de ricos nutrientes. Estes recursos eram largamente explorados antes da construção das diversas represas.

2. Energia. Em 1970, o governo egípcio inaugurou a represa de Assuã, aumentando em milhares de hectares a área irrigada. A barragem viria também a ampliar consideravelmente a capacidade enérgica do Egito. Cerca de dois mil megawatts são produzidos por suas doze turbinas.

É nos campos marítimos e terrestres de Morgan, Ramadã e July, no golfo de Suez, e na área de Abu Rudays, no Sinai e no Golfo, que se encontra a maior parte das reservas de petróleo do Egito.

Em 1981, foi inaugurado um grande oleoduto, ligando a refinaria de Musturud à Ras Shurq, na costa do Mar Vermelho.

Embora seja um país relativamente grande, o Egito não dispõe de muitos recursos minerais. Em Maghara, podem ser encontrados alguns depósitos de fosfato; no Deserto Oriental, há manganês; e, em Assuã, ferro.

3. Indústria. Nas últimas décadas, o governo egípcio têm promovido o desenvolvimento da indústria nacional com base na produção de suas matérias-primas.

Em Alexandria, Cairo e Mahala al-Kubra, há modernas fábricas de tecidos e fios abastecidas com o algodão nacional. Outro setor que desfruta de franco desenvolvimento é a indústria siderúrgica, destacando-se os complexos industriais do Cairo e de Halwan.

VIII. A GRANDEZA DO EGITO

Os egípcios deixaram um marco de indelével grandeza na História. Desde as pirâmides às conquistas tecnológicas de seus antigos cientistas, foram eles inigualáveis. Haja vista os arquitetos modernos que continuam a contemplar, com incontida admiração, os monumentos erguidos pelos faraós.

Desta forma Halley descreve a Grande Pirâmide de Queops: "O mais grandioso monumento dos séculos. Ocupava 526,5 acres, 253 metros quadrados (hoje 137), 159 de altura (hoje, 148). Calcula-se que se empregaram nela 2.300.000 pedras de 1 metro de espessura média, e peso médio de 2,5 toneladas. Construída de camadas sucessivas de blocos de pedra calcária toscamente lavrada, a camada exterior alisada, de blocos de granito delicadamente esculpidos e ajustados. Estes blocos exteriores foram removidos e empregados no Cairo. No meio do lado norte há uma passagem, 1m de largura por 1m 30cm. de altura, que leva a uma câmara cavada em rocha sólida, 33m abaixo do nível do solo, e exatamente 180m abaixo do vértice; há duas outras câmaras entre esta e o vértice, com pinturas e esculturas descritivas das proezas do rei".

Destacaram-se os egípcios, ainda, na matemática e na astronomia. Há mais de quatro mil anos, quando a Europa revolvia-se em sua primitividade, os sábios dos faraós já lidavam com fórmulas para calcular as áreas do triângulo e do círculo e também o volume das esferas e dos cilindros.

Souto Maior fala-nos, com mais detalhes, acerca do avanço científico dos antigos egípcios: "Apesar de não conhecerem o zero, já resolviam nessa época equações algébricas. Os seus conhecimentos astronômicos permitiram-lhes a organização de um calendário baseado nos movimentos do Sol. A divisão do ano em doze meses de trinta dias é de origem egípcia; os romanos adotaram-na e ainda hoje é conservada com pequenas modificações. A medicina egípcia também era surpreendentemente adiantada. Chegaram a fazer pequenas operações e a tratar com habilidade as fraturas ósseas. Pressentiram a importância do coração". Foram também grandes farmacêuticos.

IX. O EGITO E OS FILHOS DE ISRAEL

O relacionamento de Israel com o Egito remonta à Era Patriarcal. Premido pela fome, Abraão desceu à terra dos faraós, onde sofreu sérios constrangimentos. O patriarca esteve prestes, inclusive, a perder a esposa, cuja beleza embeveceu ao rei egípcio. Não fora a intervenção divina, Sara não poderia ser reverenciada como a mais ilustre das mães hebréias.

Em sua velhice, Abraão recebe uma sombria revelação do Senhor: "Saibas, de certo, que peregrina será a tua semente em terra que não é sua, e servi-los-ão; e afligi-los-ão quatrocentos anos; mas também eu julgarei a gente, a qual servirão, e depois sairão com grande fazenda. E tu irás a teus pais em paz; em boa velhice serás sepultado. E a quarta geração tornará para cá; porque a medida da injustiça dos amorreus não está ainda cheia" (Gn 15.13-16).

1. José, primeiro-ministro do Egito. Estêvão, sábio diácono da Igreja Primitiva, conta-nos como José chegou a primeiro-ministro do Faraó: "E os patriarcas, movidos de inveja, venderam a José para o Egito, mas, Deus era com ele. E livrou-o de todas as suas tribulações, e lhe deu graça e sabedoria ante Faraó, rei do Egito, que o constituiu governador sobre o Egito e toda a sua casa. Sobreveio então a todo o país do Egito e de Canaã fome e grande tribulação; e nossos pais não achavam alimentos. Mas, tendo ouvido Jacó que no Egito havia trigo, enviou ali nossos pais, a primeira vez. E, na segunda vez foi José conhecido por seus irmãos, e a sua linhagem foi manifesta a Faraó. E José mandou chamar a seu pai Jacó e a toda sua parentela, que era de setenta e cinco almas" (At 7.9-14).

Não obstante sua humilde condição de escravo, José tornouse governador de todo o Egito. E, por seu intermédio, Deus salvou toda a descendência de Israel. Não fosse o providencial ministério exercido por esse intrépido hebreu, a progênie abraâmica ver-se-ia em grandes dificuldades.

José chegou ao Egito no século XX a.C. Nesse tempo, segundo os historiadores, os hicsos dominavam o país. Sendo, também, semitas, os novos senhores da terra não tiveram dificuldades em demonstrar sua magnanimidade aos hebreus. Mostrando-se liberais e generosos, ofereceram aos israelitas a região de Gósen, onde a linhagem abraâmica desenvolveu-se sobremaneira.

2. Moisés. Continua Estêvão a contar a história dos israelitas no Egito:

"Aproximando-se, porém, o tempo da promessa que Deus tinha feito a Abraão, o povo cresceu e se multiplicou no Egito; até que se levantou outro rei, que não conhecia a José. Esse, usando de astúcia contra a nossa linhagem, maltratou nossos pais, a ponto de os fazer enjeitar as suas crianças, para que não se multiplicassem. Nesse tempo, nasceu Moisés, e era mui formoso, e foi criado três meses em casa de seu pai. E, sendo enjeitado, tomou-o a filha de Faraó, e o criou como seu filho. E Moisés foi instruído em toda a ciência dos egípcios; e era poderoso em suas palavras e obras.

"E, quando completou a idade de quarenta anos, veio-lhe ao coração ir visitar seus irmãos, os filhos de Israel. E, vendo maltratado um deles, o defendeu, e vingou o ofendido, matando o egípcio. E ele cuidava que seus irmãos entenderiam que Deus lhes havia de dar a liberdade pela sua mão; mas eles não entenderam. E no dia seguinte, pelejando eles, foi por eles visto, e quis levá-los à paz, dizendo: Varões, sois irmãos; por que vos agravais um ao outro? E o que ofendia o seu próximo o repeliu, dizendo: Quem te constituiu príncipe e juiz sobre nós? Queres tu matar-me, como ontem mataste o egípcio?

"E a esta palavra fugiu Moisés, e esteve como estrangeiro na terra de Midiã, onde gerou dois filhos. E, completados quarenta anos, apareceu-lhe o anjo do Senhor, no deserto do monte Sinai, numa chama de fogo de um sarçal. Então Moisés, quando viu isto, maravilhou-se da visão; e, aproximando-se para observar, foi-lhe dirigida a voz do Senhor: "Eu sou o Deus de teus pais, o Deus de Abraão, e o Deus de Isaque, e o Deus de Jacó. E Moisés, todo trêmulo, não ousava olhar. E disse-lhe o Senhor: Tira as alparcas

Geografia Bíblica

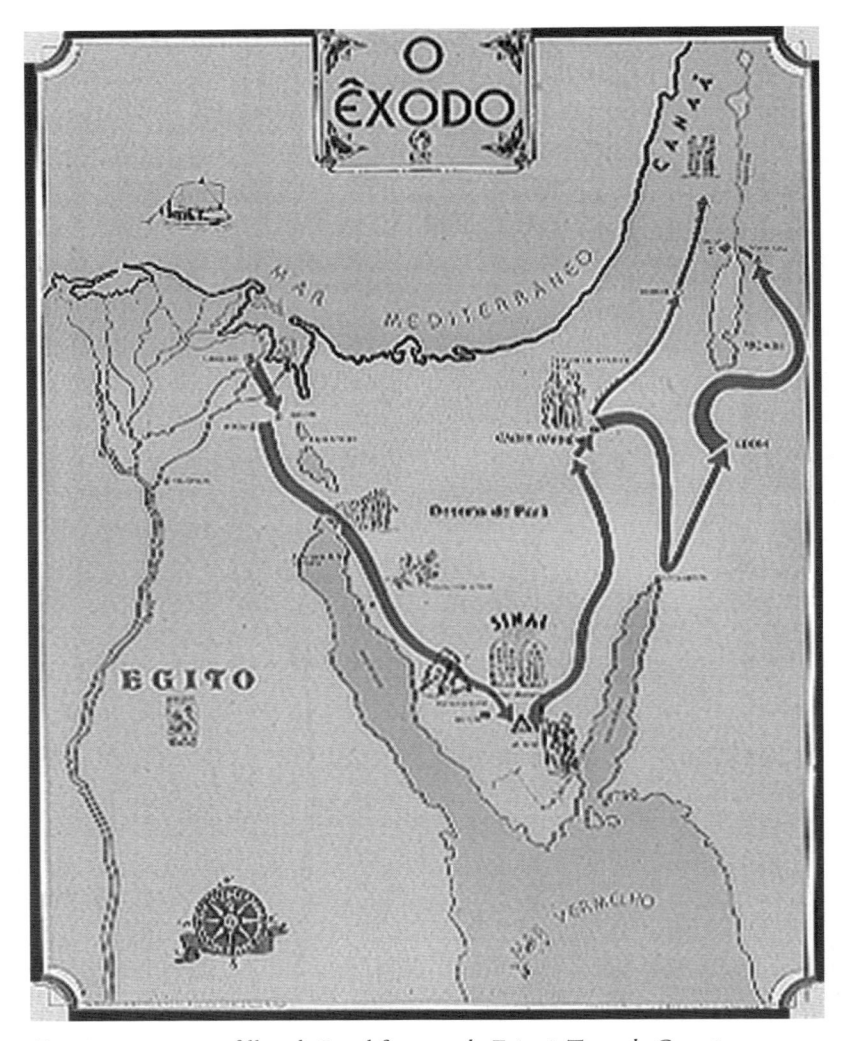

Esta é a rota que os filhos de Israel fizeram do Egito à Terra de Canaã

dos teus pés, porque o lugar em que estás é terra santa: Tenho visto atentamente a aflição do meu povo que está no Egito, e ouvi os seus gemidos, e desci a livrá-los. Agora, pois, vem, e enviar-te-ei ao Egito.

"A este Moisés, ao qual haviam negado, dizendo: Quem te constituiu príncipe e juiz? a este enviou Deus como príncipe e libertador, pela mão do anjo que lhe aparecera no sarçal. Foi este que os conduziu para fora, fazendo prodígios e sinais na terra do Egito, e no mar Vermelho, e no deserto, por quarenta anos. Este é aquele Moisés que disse aos filhos de Israel: O Senhor vosso Deus vos levantará dentre vossos irmãos um profeta como eu; a ele ouvireis" (At 7.17-37).

3. O Êxodo do povo de Israel. Israel deixou o Egito no século XV a.C. Israelitas e egípcios voltariam a se enfrentar no tempo dos reis e no chamado período interbíblico. Depois da formação do Estado de Israel, em 1948, houve pelo menos quatro guerras entre Israel e Egito: a Guerra da Independência, em 1948; a Guerra do Sinai, em 1956; a Guerra dos Seis Dias, em 1967; e a Guerra do Yom Kippur em 1973.

Em 1979, ambos os países assinaram um acordo de paz, em Camp David, nos Estados Unidos, possibilitando o término do estado de guerra e o estabelecimento de relações diplomáticas entre Cairo e Jerusalém.

A Bíblia garante que será de paz o futuro de ambas as nações: "Naquele dia haverá estrada do Egito até a Assíria, e os assírios virão ao Egito, e os egípcios irão à Assíria: e os egípcios adorarão com os assírios ao Senhor. Naquele dia Israel será o terceiro com os egípcios e os assírios, uma bênção no meio da terra. Porque o Senhor dos Exércitos os abençoará, dizendo: Bendito seja o Egito, meu povo, e a Assíria, obra de minhas mãos, e Israel, minha herança" (Is 19.23-25).

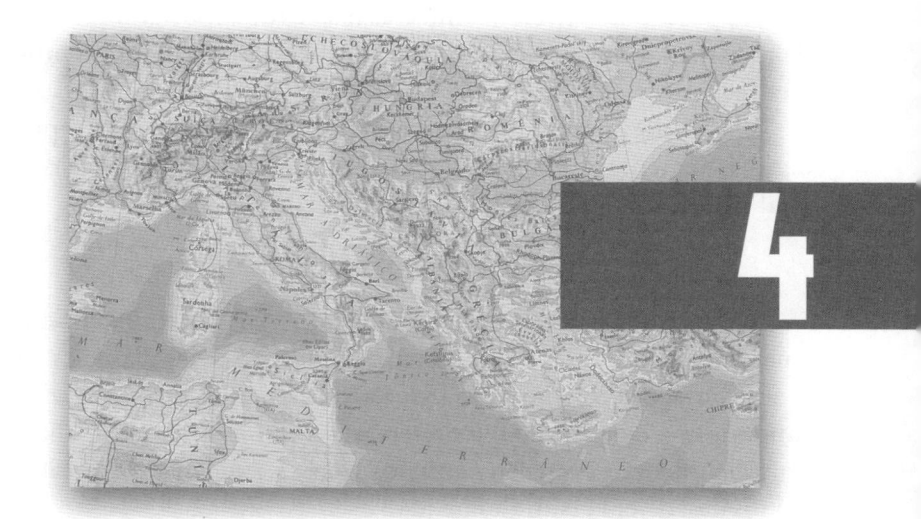

O IMPÉRIO ASSÍRIO

SUMÁRIO: *Introdução; I. A origens dos assírios; II. A geografia da Assíria; III. A formação do Império Assírio; IV. O novo Império Assírio; V. Nínive, capital do Império Assírio; VI. As relações entre a Assíria e Israel; VII. Os Assírios hoje.*

INTRODUÇÃO

Em toda a Antigüidade, jamais houve povo, nação ou tribo tão cruel e implacável. A Assíria não administrava a misericórdia; espalhava o terror e a tirania. Cair em suas mãos significava uma morte lenta e dolorosa. Os filhos de Assur eram exímios torturadores.

Através da História Sagrada, observa-se que o Império Assírio sempre tratou Israel de forma desumana e impiedosa. Foi por isso que Jonas, no século VIII a.C., recusou-se a levar o ultimato divino à capital dos filhos de Assur – Nínive.

Mas não foi apenas Israel que sofreu com os assírios. Egípcios e etíopes também provaram de seu amaríssimo cálice; desalojados de suas possessões, tiveram ambas as nações de suportar um exílio de pelo menos quarenta anos, cumprindo assim a palavra do profeta (Is 20.4).

Os assírios, porém, não ficariam impunes. Apesar de seu poderio e aparente indestrutibilidade, seriam de todo subvertidos conforme a Palavra do Senhor (Na 3.1-19).

I. A ORIGEM DOS ASSÍRIOS

Os assírios orgulhavam-se de descender de Assur, filho de Sem e neto de Noé (Gn 10.11). Sentindo-se atraído pelas planícies de Sinear, estabeleceu-se o patriarca na orla oriental do Tigre, e aí fundou uma cidade que lhe preservaria o nome. Era Assur, aliás, uma alcunha tão assinalada entre os assírios que até a sua principal divindade era assim designada.

Segundo a história, os primeiros habitantes da região, identificados como nômades semitas, começaram a fixar-se em Assur, a partir do quarto milênio a.C. Há não poucos vestígios comprovando a existência de um estado assírio no século XIX a.C., e que mantinha estreitas relações comerciais com o império hitita.

Durante muito tempo, levaram os assírios uma vida relativamente pacífica. Mas no século XIII a.C., começaram a fazer constantes incursões, visando à expansão de seu território.

II. A GEOGRAFIA DA ASSÍRIA

No princípio, o território assírio era inexpressivo. Perdia-se entre os países circundantes. Com o passar dos séculos, porém, foi se estendendo e abarcando as nações vizinhas, até transformar-se num grande e poderoso império. Dilatando-se continuamente, suas fronteiras jamais puderam ser delimitadas com exatidão. Variavam de conformidade com as vitórias e derrotas da coroa de Assur.

Localizada no Norte da Mesopotânia, entre os rios Tigre e Eufrates, a Assíria chegou a ocupar, no auge de seu poder, uma área que ia do Norte da atual Bagdá até as imediações dos lagos Van e Urmia. Na linha leste-oeste, ia dos montes Zagros até o vale do Rio Habur. Tendo em vista sua privilegiada posição geográfica, era alvo de constantes invasões dos nômades e nativos oriundos do Norte e do Nordeste.

III. A FORMAÇÃO DO IMPÉRIO ASSÍRIO

Durante muitos séculos, a Assíria manteve-se inexpressiva no cenário do Crescente Fértil. Em 2350 a.C., contudo, Sargão deu início a profundas reformas políticas, econômicas e sociais, transformando a Assíria num império, tendo Nínive como capital. A partir daí, a cidade fez-se partícipe das glórias do Império Assírio, e dos crimes deste, cúmplice.

No século XII a.C., os assírios começaram a demonstrar claramente suas intenções hegemônicas. Babilônia já estava em seu poder desde o século anterior. Sob a poderosa influência do rei Tiglete-Pileser, desencadearam várias campanhas militares, visando à formação de um irresistível império. Nessa época, lograram subjugar facilmente os sidônios.

Os assírios, contudo, não possuíam guarnições suficientes para manter suas conquistas. Enquanto marchavam em direção ao Ocidente, os vassalos orientais rebelavam-se. Devido a esses insucessos, a Assíria sofria continuadas perdas territoriais.

O enfraquecimento do império assírio favoreceu a consolidação do reino davídico.

Duzentos anos mais tarde, a Assíria faria novas tentativas para dominar o mundo. Salmanaser II, primeiro soberano assírio a ser mencionado nas crônicas hebraicas, derrotou, na batalha de Carcar, na Síria, uma coligação militar formada por sírios, fenícios e israelitas.

Passados doze anos, ele volta a enfrentar a aliança palestínica. E, à semelhança da anterior, vence-a. Rumores do Oriente, entretanto, fazem-no retornar à Assíria, frustrando-lhe as conquistas.

IV. O NOVO IMPÉRIO ASSÍRIO

Assur-Dan II (932-910 a.C.) é considerado o fundador do Novo Império Assírio que iria de 932 a 612 a.C.

No século VIII a.C., a Assíria começa a estabelecer-se, de fato, no Ocidente.

Assur-Nasirpal II (883-859). Eis o mais violento e desumano dos reis da Assíria. Impondo sua autoridade com inusitada crueldade, foi o primeiro soberano assírio a empregar carros de guerra e unidades de cavalaria que, juntamente com uma disciplinadíssima infantaria, formavam um irresistível e formidável exército.

Tiglete-Pileser II estendeu as fronteiras de seu império até Israel, cujo rei, Menaém, para angariar-lhe os bons ofícios, entregou-lhe mil talentos de prata (2 Rs 15.19). De posse do tributo, o assírio deixou temporariamente as fronteiras dos filhos de Jacó.

Mais tarde, o Império Assírio ajuda Acaz, rei de Judá, a livrar-se das investidas do Reino de Israel. Oportunista, o comandante assírio toma dez cidades israelitas, e traslada sua população à Assíria. Como se isso não bastasse, desaloja as tribos de Rubem, Gade e Manassés das possessões que estas receberam de Josué, sucessor de Moisés.

A Assíria teve o seu apogeu entre 705 e 626 a.C. Período este que abrange os reinados de Senaqueribe, Esar-Hadom e Assurbanipal. Que efêmera prosperidade! Apesar das advertências que, no século anterior, fizera-lhe Jonas, o poderoso império mesopotâmico não tardou a voltar aos antigos pecados. Sua crueldade não conhecia limites. Esfolavam vivos os prisioneiros; cortavam-lhes as mãos, os pés, o nariz e as orelhas; vazavam-lhes os olhos e lhes arrancavam a língua. A fim de eternizar sua obra, os assírios faziam pirâmides com os crânios de suas vítimas.

Na terra de Judá, o profeta Naum mostra que os filhos de Assur, apesar de toda a sua força e aparente inexpugnabilidade, seriam abatidos como todos os reinos terrenos. O dia do seu julgamento aproximava-se.

Em 616 a.C., Nabopolassar, governador de Babilônia, subleva-se e declara a independência dos territórios sob a sua jurisdição. Decidido a arrasar com o já minado poderio assírio, alia-se ao rei medo Ciaxares. Este, em 612 a.C., conquista e destrói totalmente Nínive, para onde Jonas fora enviado a proclamar os juízos de Deus.

Com a queda de Nínive, desaparece a glória da Assíria.

V. NÍNIVE, CAPITAL DO IMPÉRIO ASSÍRIO

Nínive era tão grande que, no tempo de Jonas, eram necessários três dias para se percorrê-la de um extremo a outro (Jn 3.4). A cidade era assim chamada em homenagem à deusa Nina. Informa o Gênesis que os fundamentos de Nínive foram lançados por Ninrode (Gn 10.11).

No século VIII a.c., Senaqueribe pôs-se a reconstruir a grande metrópole, transformando-a numa das maravilhas do mundo antigo. Dispunha ela de avançados centros administrativos; espaçosos parques; luxuosas mansões; suntuosos templos e magníficos palácios. Nínive chegou a ter uma muralha de 112 quilômetros de cumprimento, transformando-a numa inexpugnável fortaleza. Sua população era de quase duzentos mil habitantes.

Segundo testemunha a arqueologia, o sítio onde se achava Nínive vem sendo ocupado de forma sucessiva desde os períodos tidos como pré-históricos.

VI. AS RELAÇÕES ENTRE A ASSÍRIA E ISRAEL

Visando a atingir a hegemonia absoluta do Médio Oriente, a Assíria desencadeou várias crises com os seus vizinhos ocidentais: sírios, fenícios e hebreus. Esses povos separavam Assur de seu terrível e ambicioso rival – o Egito.

Enquanto Nínive não se impunha no Ocidente, Davi solidificava seus domínios, que seriam alargados e engrandecidos por Salomão.

Os israelitas estavam protegidos do imperialismo assírio por seus vizinhos setentrionais, cujos territórios formavam uma área defensável de grande valor estratégico. Com a queda da Síria e da Fenícia, porém, os reinos de Israel e de Judá tornaram-se mais vulneráveis. Além da ameaça assíria, os reinos hebreus achavam-se continuamente em desavenças.

Em 723 a.C., a Assíria destrói Israel e deporta as dez tribos que o compunham. Desaparece o Reino do Norte depois de uma

Geografia Bíblica

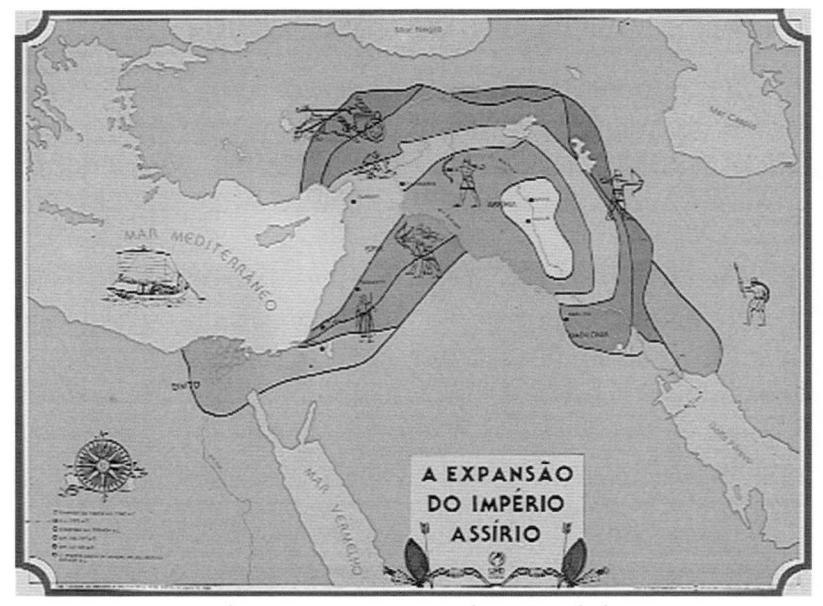

Assíria – o mais cruel e sanguinário império da Antigüidade

atribulada existência de dois séculos. Assim o cronista sagrado narra a destruição do Reino de Israel:

"No ano duodécimo de Acaz, rei de Judá, começou a reinar Oséias, filho de Elá; e reinou sobre Israel, em Samaria, nove anos. Fez o que era mau perante o Senhor; contudo, não como os reis de Israel que foram antes dele. Contra ele subiu Salmaneser, rei da Assíria; Oséias ficou sendo servo dele e lhe pagava tributo. Porém o rei da Assíria achou Oséias em conspiração, porque enviara mensageiros a Sô, rei do Egito, e não pagava tributo ao rei da Assíria, como dantes fazia de ano em ano; por isso, o rei da Assíria o encerrou em grilhões, num cárcere. Porque o rei da Assíria passou por toda a terra, subiu a Samaria e a sitiou por três anos. No ano nono de Oséias, o rei da Assíria tomou a Samaria e transportou a Israel para a Assíria; e os fez habitar em Hala, junto a Habor e ao rio Gozã, e nas cidades dos medos" (2 Rs 17.1-6).

Em relação aos povos conquistados, tinha a Assíria uma política implacável. Ela deportava para outras terras as nações subjugadas, visando o extermínio espiritual, moral e étnico destas.

No tempo do piedoso rei Ezequias, os exércitos assírios, comandados por Senaqueribe, tentaram conquistar Judá. Foram, porém, rechaçados por um anjo de Deus:

"Então, saiu o Anjo do Senhor e feriu no arraial dos assírios a cento e oitenta e cinco mil; e, quando se levantaram os restantes pela manhã, eis que todos estes eram cadáveres. Retirou-se, pois, Senaqueribe, rei da Assíria, e se foi; voltou e ficou em Nínive. Sucedeu que, estando ele a adorar na casa de Nisroque, seu deus, Adrameleque e Sarezer, seus filhos, o feriram à espada e fugiram para a terra de Ararate; e Esar-Hadom, seu filho, reinou em seu lugar" (Is 37.36-38).

VII. OS ASSÍRIOS HOJE

Diferentemente dos babilônios, que foram totalmente destruídos, os assírios conseguiram sobreviver. Quando o seu império foi subjugado, em 612 a.C., pela coligação liderada por Nabucodonosor, passaram os assírios a viver em peregrinações e desterros. O que fizeram no passado, colhem no presente. Atualmente, são um povo humilde, pacífico; grande parte deles é cristã.

Eles conservam suas tradições, e ainda falam o aramaico – o mesmo idioma que o Senhor Jesus e seus discípulos usavam no dia-a-dia.

Aos assírios, tem o Senhor Deus uma linda e singular promessa: "Naquele dia, haverá estrada do Egito até à Assíria, os assírios irão ao Egito, e os egípcios e os assírios, uma bênção no meio da terra; porque o Senhor dos Exércitos os abençoará, dizendo: Bendito seja o Egito, meu povo, e a Assíria, obra de minhas mãos, e Israel, minha herança" (Is 19.24-25).

Desse texto, não é difícil concluir: Estamos por assistir ao renascimento da nacionalidade assíria. Embora dispersos, tem eles o seu pedaço de terra na velha e amável Mesopotâmia. E, à semelhança de Israel, um dia voltarão à sua herança para reconstruir o seu país. Quem o garante é a Palavra de Deus.

Geografia Bíblica

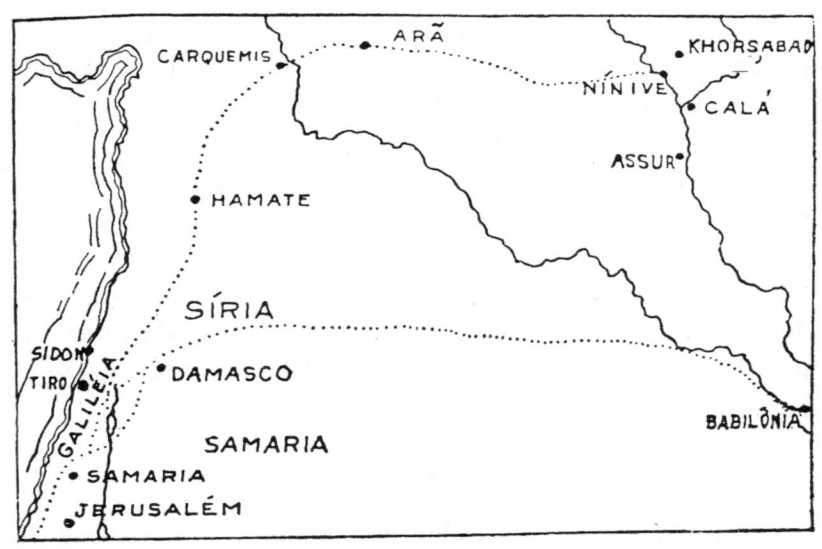

Roteiro da deportação das 10 tribos à Assíria

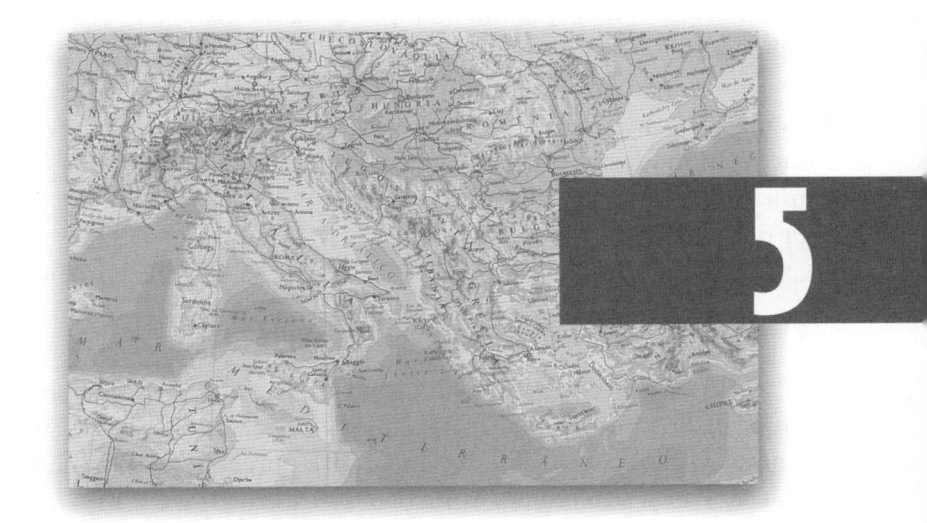

O IMPÉRIO BABILÔNICO

SUMÁRIO: *Introdução; I. As origens de Babilônia; II. O Neo-Império Babilônico; III. Geografia de Babilônia; IV. A grandeza de Babilônia; V. A cultura e a sociedade babilônica; VI. Babilônia e o povo de Judá; VII. O fim de Babilônia.*

INTRODUÇÃO

Babilônia era sinônimo de poder e glória. Ao interpretar o sonho de Nabucodonosor, o profeta Daniel logo discerniu, no ouro da estátua vista pelo rei, a sublimidade daquela cidade que jazia incrustada ao sul da Mesopotâmia. Séculos antes, Isaías dissera que Babel (pois assim a chamam os judeus) era um cálice dourado nas mãos do Senhor. Não havia, em toda a Antigüidade, metrópole mais formosa nem mais deslumbrante.

Nabucodonosor transformou-a na capital de um império, que acabaria por destruir o Reino de Judá. Ele ainda desterra os judeus para a região de Sinear, onde Babilônia, qual preciosíssima gema, imperava sobre todos os povos. Mas o seu juízo, à semelhança de sua antecessora no comando do mundo – a Assíria –, não tardaria a chegar.

Como não associar a história dos babilônios a dos hebreus? Séculos de convívio, nem sempre belicosos, ligam ambos os povos que, segundo fartos indícios, eram originários de uma mesma família semita. O patriarca Abraão, a propósito, era procedente de Ur dos Caldeus.

Babilônia é um exemplo do que acontece à soberba humana.

I. AS ORIGENS DE BABILÔNIA

1. As origens de Babilônia. Como já o dissemos, era Babilônia uma cidade antiqüíssima. A data de sua fundação é incerta. Sua conexão com Acad e Calnesh (Gn 10.10), porém, leva-nos a concluir tenha ela nascido por volta de 3000 a.C.!

No início, não passava de uma colônia comercial inserida no pujante contexto econômico da Suméria. Mas pouco a pouco, foi crescendo em importância até tornar-se na mais florescente metrópole do Crescente Fértil. Sua história é uma longa e tediosa série de sangrentas lutas. Os seus reis, sempre ambiciosos, empreendiam constantes guerras de expansão.

2. Os primeiros habitantes de Babilônia. No começo do segundo milênio antes de Cristo, vários povos semíticos, vindos do Ocidente, começaram a se estabelecer em Babilônia. Um desses grupos étnicos – os caldeus –, devido ao seu gênio militar e administrativo, proporcionaria a Babilônia o *status* de império mundial.

3. A persistência de uma cidade. Babilônia foi sitiada vezes sem conta, e incontáveis vezes foram seus muros derribados. Os mais ávidos aventureiros, ora vindos do Ocidente, ora chegados do Oriente, despojavam-na de seus fabulosos tesouros. Seus habitantes sofreram os mais inumanos ataques. Babilônia, contudo, levantava-se com mais brilho e pujança até tornar-se, no tempo de Nabucodonosor, uma das sete maravilhas do mundo.

4. O domínio assírio. Durante séculos, esteve Babilônia sob a tutela da Assíria. Todavia, Nabopolassar, governador da

Caldéia, incentivado pelos medos, levanta-se contra a hegemonia de Nínive.

Em 622 a.C., ele é proclamado rei em Babilônia. Tem início, assim, uma nova dinastia na Mesopotâmia. O intrépido monarca combate, sem tréguas, os adversários do Novo Império Babilônico. Não há como se enganar: ali estava um poder irresistível.

II. O NEO-IMPÉRIO BABILÔNICO

O Novo Império Babilônio teria de se defrontar, porém, com as ambições de um velho adversário: o Egito. O faraó Neco, aproveitando-se dos insucessos da Assíria, desencadeia uma grande campanha contra a Babilônia. Seus triunfos iniciais pareciam mostrar que o império do Nilo estava prestes a ressurgir. Os fracassos, todavia, não tardam a aparecer.

Nabopolassar também promove uma incursão contra a Assíria que, inconformada com a perda de sua hegemonia, faz uma última tentativa por dominar o território mesopotâmico. Vitorioso, o rei babilônio divide as terras conquistadas com Ciaxares, rei da Média. Em seguida, confia a seu filho a tarefa de conquistar a Síria.

Os problemas com o Egito ainda não estavam completamente resolvidos. Em 606 a.C., Nabucodonosor comanda um ataque contra o faraó e o vence em Carchemish. Enquanto celebrava a vitória, o príncipe herdeiro de Babilônia recebe a notícia da morte de seu pai. Regressa, então, imediatamente à capital do império onde, no ano seguinte, é coroado rei. Imediatamente, dá início a gigantescas construções que fariam de seu reino, em tempo recorde, uma das maravilhas do mundo.

III. GEOGRAFIA DE BABILÔNIA

No auge de seu poder, Babilônia abrangia os territórios que iam da moderna Bagdá até ao Golfo Pérsico, compreendendo os antigos territórios de Sumer e Acad. Plantada numa região fertilíssima, onde as chuvas eram constantes, a cidade conheceu um singular florescimento. Foi a partir de Babilônia que o rei Nabucodonosor começou a forjar um império que dominaria todo o mundo conhecido daquela época.

Localizada sobre o Eufrates, desfrutava Babilônia de uma posição mais do que privilegiada. Dizem os estudiosos que poucas cidades foram tão galardoadas pela natureza como essa. Com justa razão era considerada a metrópole dourada.

Babilônia sempre despertou o interesse dos estudiosos das mais diversas áreas. Em 1957, arqueólogos norte-americanos constataram a existência de uma vasta rede de canais entre Bagdá e Nippur. Esse avançadíssimo sistema de irrigação fez de Babilônia uma potência agrícola. Enquanto os demais povos enfrentavam ingentes problemas de abastecimento, os babilônios desfrutavam de colheitas cada vez mais pródigas.

Além de Babilônia propriamente dita, não podemos esquecer-nos da Grande Babilônia formada pelas seguintes cidades-satélites: Sippar, Kuta, Kis, Borsippa, Nippur, Uruk, Ure Eridu. Como as pedras eram raras nessa região, os principais edifícios dessas metrópoles eram construídos a partir da cerâmica; o emprego de tijolos era ali bastante comum.

IV. A GRANDEZA DE BABILÔNIA

Ao assumir o governo, Nabucodonosor deu início imediato à reconstrução de Babilônia por ter sido esta destruída por Senaqueribe, rei da Assíria. A fim de alcançar o seu intento, deflagra ele uma campanha militar, visando à captura de milhares de trabalhadores, das mais diversas nações, para que, em tempo recorde, transformassem a cidade na mais formosa e estonteante das capitais.

Entre outras coisas, construiu um muro em todo o perímetro de Babilônia, fazendo desta uma fortaleza inexpugnável. Nenhuma potência inimiga seria capaz de subjugar a capital de seu império. Pelo menos é o que pensava Nabucodonosor. Tão largos eram os muros que, sobre eles, podiam trafegar duas garbosas carruagens. De acordo com os cálculos fornecidos pelo historiador grego Heródoto, os muros de Babilônia, com 56 milhas de circunferência, compreendiam uma área de 200 milhas quadradas.

Os historiadores antigos maravilharam-se ante a imponência e a grandeza de Babilônia. Os mais exaltados diziam que somente os deuses seriam capazes de erguer tal monumento.

Buckland dá-nos mais alguns detalhes acerca das grandezas babilônias: "Nove décimas partes dessas 200 milhas quadradas estavam ocupadas com jardins, parques e campos, ao passo que o povo vivia em casas de dois, três e quatro andares. Duzentas e cinqüenta torres estavam edificadas por intervalos nos muros, que em cem lugares estavam abertos e defendidos com portões de cobre. Outros muros havia ao longo das margens do Eufrates e juntos aos seus cais. Navios de transporte atravessavam o rio entre as portas de um e de outro lado, e havia uma ponte levadiça de 30 pés de largura, ligando as duas partes da cidade. O grande palácio de Nabucodonosor estava situado numa das extremidades desta ponte, do lado oriental. Outro palácio, a admiração da humanidade, que tinha sido começado por Nabopolassar, e concluído por Nabucodonosor, ficava na parte ocidental e protegia o grande reservatório. Dentro dos muros deste palácio elevavam-se, a uma altura de 75 pés, os célebres jardins suspensos, que se achavam edificados na forma de um quadrado, com 400 pés de cada lado, estando levantados sobre arcos".

Entre os muitos edifícios de Babilônia, destacavam-se os templos e santuários; a beleza destes era extrema. O principal era dedicado ao deus Marduk – a Esagila ("casa de teto alto"). Ao norte deste, encontrava-se o Etemenanki (templo dos alicerces do céu e da terra"). Este templo, todo escalonado, era visto e até reverenciado como a Torre de Babel.

O Templo de Bel era um exemplo de todo esse exagero arquitetônico. Com quatro faces, o referido santuário constituía-se numa pirâmide de oito plataformas, sendo a mais baixa de 400 pés de cada lado. Quem nos descreve os detalhes dessa extravagância é o já citado Buckland:

"Sobre o altar estava posta uma imagem de Bel, toda de ouro, e com 40 pés de altura, sendo também do mesmo precioso metal uma grande mesa e muitos outros objetos colossais que pertenciam àquele lugar sagrado. As esquinas deste templo, como todos os outros templos caldaicos, correspondiam aos quatro pontos cardeais da esfera. Os materiais, empregados na grandiosa construção, constavam de tijolos feitos de limo, extraído do fosso, que cercava toda a cidade."

A singularidade de Babilônia levou Nabucodonosor a esquecer-se de sua condição humana e a julgar-se o próprio Deus. Em conseqüência disso, foi ele punido pelo Todo-Poderoso. Só viria a reconhecer a sua exigüidade, depois de passar sete tempos entre as bestas feras. Vale a pena ler as suas confissões registradas por Daniel no capítulo quatro de seu livro.

V. A CULTURA E A SOCIEDADE BABILÔNICA

Os babilônios jamais deixaram de se destacar por sua cultura. Achavam-se eles entre os povos mais adiantados da Antigüidade. Embora seus conhecimentos se estendessem a todos os ramos do saber, sobressaiam-se eles particularmente na matemática, na astronomia e nas letras.

Datam de 2500 a.C., as primeiras compilações da *Epopéia de Gilgamesh* – a obra-prima da literatura babilônica.

Formada numa estrutura piramidal, a sociedade babilônia tinha, no topo, o seu soberano, venerado como o máximo representante da divindade. O rei era louvado e admirado por suas conquistas, riquezas e poder.

A classe dos homens livres podia escolher seu ramo de atividade na indústria, no comércio e na agricultura. Podiam estes, inclusive, fazer parte dos conselhos da cidade, mas, caso não honrassem suas dívidas, eram reduzidos à escravidão. Via de regra, os escravos eram vendidos livremente no mercado, mas também provinham das guerras de conquista.

Os casamentos eram baseados num contrato redigido pelo marido diante de testemunhas. Nesse documento, regulamentado pelo Código de Hamurabi, estavam discriminadas as obrigações e os direitos da esposa.

Babilônia possuía um impressionante sistema judiciário.

VI. BABILÔNIA E O POVO DE JUDÁ

Na interpretação das profecias bíblicas, é-nos permitido dizer que Deus consentiu a ascensão de Babilônia a fim de reprimir a crueldade da Assíria e a impenitência das demais nações do Crescente Fértil. Nem mesmo Judá escaparia da ação judicial do Eterno. Vemos, dessa maneira, que o Senhor se interessa pelos negócios humanos, e intervém, de acordo com a sua infalível economia, na história dos povos.

A tribo do rei Davi, que se havia convertido no Reino do Sul em virtude do cisma israelita de 931 a.C., terminaria por quebrantar a aliança mosaica, adotando como deuses os mais abjetos ídolos. Conforme denuncia o profeta Jeremias, toda a nação apostatara da revelação que o Senhor lhes havia entregue por intermédio de Abraão, Moisés e Davi:

"Portanto, ainda pleitearei convosco, diz o Senhor, e até com os filhos de vossos filhos pleitearei. Passai às terras do mar de Chipre e vede; mandai mensageiros a Quedar, e atentai bem, e vede se jamais sucedeu cousa semelhante. Houve alguma nação que trocasse os seus deuses, posto que não eram deuses? Todavia, o meu povo trocou a sua Glória por aquilo que é de nenhum proveito" (Jr 2.9-11).

Não obstante as advertências dos santos profetas, os judeus persistiram em sua contumácia. Por isso, resolve o Senhor Deus puni-los. Como instrumento de sua justiça, elege o império que, desde a Mesopotâmia, vinha aterrorizando o mundo.

Após vencer os últimos redutos da resistência assíria, Nabopolassar volta-se para a Palestina, disposto a conquistá-la e a aumentar o seu império além das fronteiras egípcias. O que poderia fazer Judá para conter a avalanche babilônica?

Segundo profetizara Jeremias, o fim do Reino de Judá viria inexoravelmente. Para evitar uma tragédia maior, Jeremias recomenda ao monarca judaíta que se submeta ao soberano babilônio. O seu conselho, porém, é considerado crime de alta traição; têm-no todos como agente de Babilônia. Não fora a intervenção divina, os nobres não teriam hesitado em condenar o profeta à morte.

Nabopolassar, todavia, não pôde dar consecução aos seus planos de expansão territorial, em virtude de sua morte inesperada. Semelhante tarefa caberia ao seu filho. Já coroado e com o apoio de todos os súditos, Nabucodonosor deflagra uma campanha fulminante em todo o Médio Oriente, que culminaria na conquista e destruição do Reino de Judá.

Depois de vencer as forças judaicas, Nabucodonosor faz de Jeoaquim um mero vassalo. O representante da dinastia davídica obriga-se a enviar regularmente a Babilônia pesados impostos. Em 603 a.C., porém, o rei de Judá resolve não mais observar os compromissos assumidos, e tenta sacudir o jugo babilônico.

Irado, Nabucodonosor dirige-se a Judá e a sitia. Ainda insatisfeito, prende o rei Joaquim, juntamente com a nobreza judaíta, e deporta-os a Babilônia. Entre os exilados, encontram-se Daniel, Sadraque, Mesaque e Abednego (Dn 1.1-3). Como despojo, o conquistador leva consigo os vasos sagrados da Casa do Senhor.

No ano seguinte, Zedequias assume o trono de Judá. Títere, propõe-se a pagar os tributos requeridos por Nabucodonosor. Durante oito anos, o sucessor de Joaquim mantém-se fiel a Babilônia. Em 597, porém, subleva-se, causando a destruição de Jerusalém e a deportação dos restantes filhos de Judá. Na terra desolada, ficaram apenas os pobres.

O castigo imposto por Nabucodonosor a Jerusalém foi indescritível. Seus exércitos caíram como gafanhotos sobre a Cidade Santa. Destruíram seus palácios, derribaram seus muros e deitaram por terra o Santo Templo. O mais santo dos lugares não passava, agora, de um monturo.

Doravante, andariam os judeus errantes, por 70 anos, numa terra estrangeira e idólatra. O exílio, contudo, seria mui benéfico à progênie de Abraão. A partir de seu exílio em Sinear não mais se curvaria aos falsos deuses.

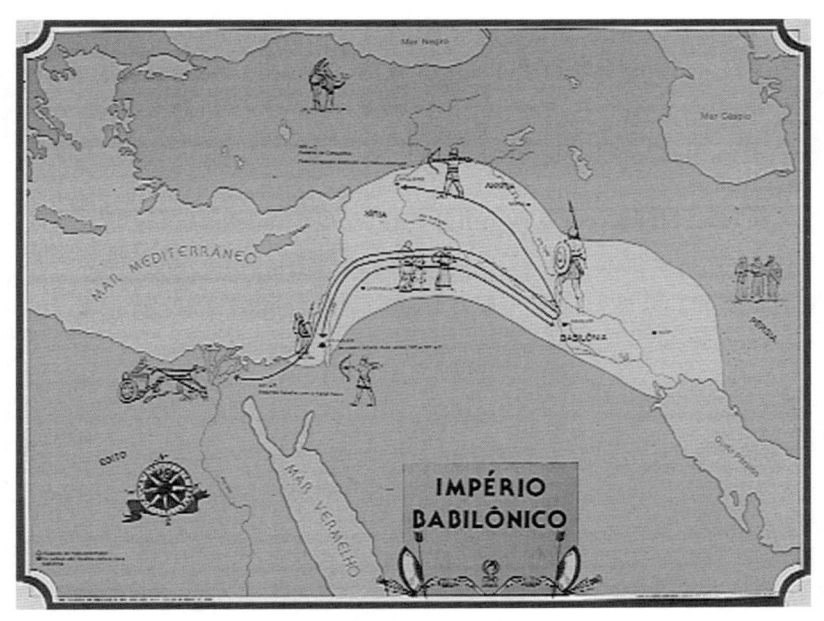

Babilônia, o mais imponente e soberbo império dos tempos bíblicos

VII. O FIM DE BABILÔNIA

Em 539 a.C., a gloriosa Babilônia expira como império mundial. O que dantes parecia inexpugnável, agora desfaz-se no pó e na cinza. Cumpria-se, assim, o que fora predito pelos santos profetas.

O Império Babilônico teve uma vida relativamente efêmera. Ainda não havia completado 70 anos, e já emitia sinais de fraqueza e degenerescência. Enquanto isso, a coligação medo-persa fortalecia-se continuamente e se preparava para conquistar a dourada metrópole do Fértil Crescente.

Em 538 a.C., enquanto Belsazar participava, juntamente com os seus mais graduados ministros, oficiais e concubinas, de uma desenfreada orgia, os exércitos medo-persas apossaram-se de Babilônia, transformando-a numa mera possessão iraniana. Quão exatas foram as palavras de Deus na boca de Daniel (Dn 5).

Dario, um dos mais destemidos e proeminentes generais de Ciro II, tomou Babilônia e matou o libertino Belsazar. Tempos depois, o rei Xerxes, reprimindo um levante na cidade, ordena a destruição do símbolo maior da religião babilônica – a estátua de Marduk.

Quão efêmero é o orgulho humano!

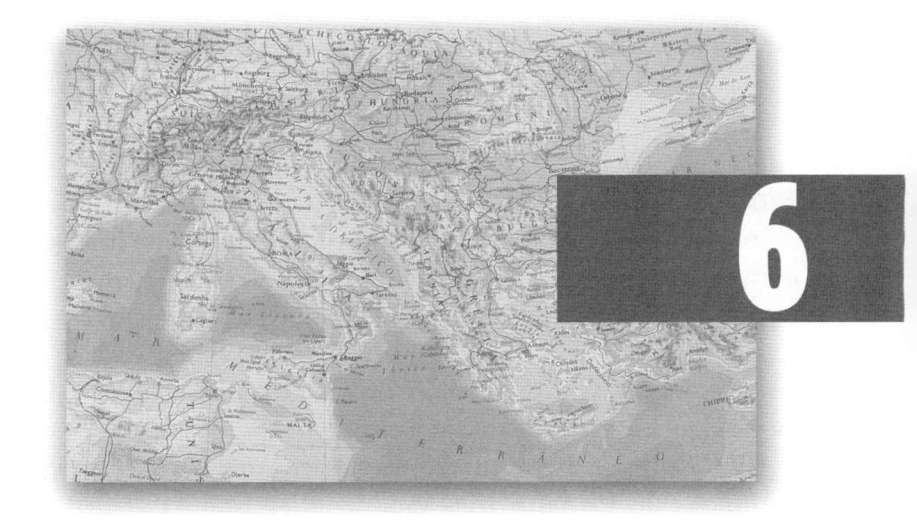

O IMPÉRIO PERSA

SUMÁRIO: *Introdução; I. As origens do Império Persa; II. Ciro, o fundador do Império Persa; III. A política de Ciro; IV. Geografia do Império Persa; V. O Império Persa e os judeus; VI. Fim do Império Persa.*

INTRODUÇÃO

Assim como Deus usara Babilônia para tratar com os demais povos daquela época, inclusive Israel, agora propicia o surgimento de um império que, por duzentos anos, dominará o cenário mundial.

Tendo a ferocidade do urso e possuindo a abundância da prata, o Império Persa parecia invencível. Quem não se lembra de seus batalhões de imortais? Quem pode esquecer-se de suas vitórias sempre espetaculares? Enfim, quem haverá de ignorar aquela máquina de guerra que, de forma implacável, subjugava reinos, dizimava povos e abatia as mais aguerridas tribos?

A Pérsia era um poder irresistível. Caber-lhe-ia, agora, administrar a justiça num mundo que só conhecia a linguagem da força.

I. AS ORIGENS DO IMPÉRIO PERSA

O capítulo dez de Gênesis é conhecido como o índice das nações em virtude de registrar os nomes dos principais patriarcas da humanidade. Mas nessa importante porção das Sagradas Escrituras, não encontramos uma referência explícita ao povo persa. Julga-se, por isso, que a Pérsia só viria a ganhar foros de independência cultural e étnica após a dispersão da Torre de Babel.

No século XX, adotaria a Pérsia uma nova nomenclatura: Irã, numa clara referência às suas origens culturais.

O povo persa é o resultado do caldeamento de várias tribos originárias do Planalto Iraniano: cassitas, elamitas, gutitas e lulubitas. A mais antiga comunidade iraniana conhecida é a de Sialk. Por muitos séculos, acharam-se os persas envolvidos em completo anonimato. Suas alianças políticas variavam de acordo com o desenho político do Crescente Fértil. Foi assim que, aproximando-se da Média, começaram a descobrir a força de sua nacionalidade.

Antes de sua ascensão como potência mundial, a Pérsia não passava de um Estado vassalo da Média. Todavia, mantinham ambas as nações uma convivência pacífica em virtude de algumas heranças comuns: eram indu-européias, e dedicavam-se à criação de cavalos. Mas com o passar dos tempos, os persas acabaram por firmar de vez sua supremacia, desvencilhando-se dos tentáculos medos e impondo definitivamente sua hegemonia.

II. CIRO, O FUNDADOR DO IMPÉRIO PERSA

Para se entender a história de um império é mister conhecer a biografia de seu fundador. Com o Império Persa não é diferente. Aliás, era Ciro, o Grande, a própria alma daquele império que, em seu auge, ia da Índia até à Etiópia. Foi por isso que, ao estudar a história desse império, indagou Montesquieu: "Quem pode ser um persa?". Somente Ciro poderia responder com propriedade ao ilustre filósofo francês.

1. A história de Ciro. Ao contrário dos soberanos egípcios, assírios e babilônios, Ciro tonou-se conhecido por sua liberalidade e espírito universal. Seus vastíssimos domínios jamais lhe subiram à alma nem lhe deturparam o coração. Ele permitia aos povos tributários o cultivo de seus valores nacionais e religiosos. Destes, só exigia uma única coisa: pleno e inquestionável acatamento das leis persas.

Sua infância está envolta em névoa. Nascido no ano 590 a.C., era filho de Cambises e neto de Ciro I. De acordo com o historiador grego Heródoto, sua mãe chamava-se Mandanne, filha de Astíages, rei da Média. Nada mais se sabe sobre ele, a não ser alguns fatos lendários.

Diz-se, por exemplo, que desde a mais tenra idade, já demonstrava fortíssima vocação às armas. Tão invulgar inclinação era fortalecida pelo pai, que o encorajava a concretizar um antigo sonho persa: anexar a Média, e fazer de ambas nações um poderoso império.

Após a morte do pai, passou a governar os territórios persas. Com os insistentes conselhos paternos a ecoarem-lhe aos ouvidos, volta-se à Média, conquistando-a em 550. De conquista em conquista, foi dilatando o império. No mesmo ano, derrotou o rei Creso da Lídia, considerado o homem mais rico daquele tempo.

Anos mais tarde, Ciro volve o olhar a Babilônia. Como, porém, entrar em tão inexpugnável fortaleza? Os dias da exuberante cidade, entretanto, já estavam contados, pesados e divididos, conforme a sentença divina interpretada pelo santo profeta (Dn cap. 5).

2. A conquista de Babilônia. Em 16 de outubro de 539 a.C, os exércitos de Ciro, sob o comando de Gobrias, desviam o curso do caudaloso Eufrates, e entram em Babilônia. O comandante persa surpreende Belsazar que, mergulhado na orgia e na profanação das coisas de Deus, nada pôde fazer. Naquela mesma noite, de acordo com o relato do profeta Daniel, o libertino rei babilônio foi morto e o seu reino passou às mãos dos medos e dos persas.

Alguns dias depois, Ciro entra na cidade. Apossa-se formalmente de suas novas possessões e, em seguida, ruma para outras conquistas. Vai em direção ao Extremo Oriente, deixando o império aos cuidados de Dario. Sob a nova administração, os judeus começam a desfrutar de amplas liberdades.

Dizem alguns historiadores que, na fatídica noite da queda de Babilônia, Nabonido, pai de Belsazar, encontrava-se em viagem, realizando escavações arqueológicas em vários sítios da Mesopotâmia. Embora o primeiro no trono caldeu, o que mais o encantava não era o poder; era o estudo das coisas antigas. Desterrado para a Carcâmia, seria nomeado posteriormente como um dos governadores regionais do novo governo.

Designado por Ciro II para governar a Babilônia, ia Dario ajudando-o a consolidar os alicerces do poderio medo-persa. É bom esclarecermos que a Média, apesar de derrotada pela Pérsia, uniu-se a esta imediatamente para fundar um poderoso império binacional.

III. A POLÍTICA DE CIRO

Conforme já salientamos, mostrava-se Ciro generosamente tolerante para com os vencidos; tratava-os com dignidade e consideração. Souto Maior traça o perfil do ilustre persa:

"Ciro foi, é verdade, um conquistador, porém não teve o aspecto primário dos monarcas guerreiros de sua época. Sua dominação se fazia opressiva pelas obrigações econômicas exigidas, o que aliás explica as constantes revoltas. Contudo, seu imperialismo era sem dúvida superior ao primitivismo cruel dos conquistadores assírios".

Quando de sua morte, em 529 a.C., o Império Persa já dominava quase todo o mundo conhecido daquela época.

IV. GEOGRAFIA DO IMPÉRIO PERSA

Documentos encontrados nas últimas décadas do século XX revelam existirem duas Pérsias. A Grande Pérsia, localizada no Sudeste do Elã, e que correspondia à área ocupada atualmente pelo Irã, e a Pequena Pérsia que se limitava, ao norte, com a Magna Média.

Num sentido amplo, o território persa compreendia o planalto do Irã, toda a região confinada pelo Golfo Pérsico, o vale do Tigre, o mar Cáspio e os rios Oxus, Jaxartes e Indo. No tempo de Assuero, marido de Ester, as possessões persas estendiam-se da Índia à Grécia, do Danúbio ao Mar Negro, e do Monte Cáucaso ao Mar Cáspio ao norte, e atingia, ainda, o deserto da Arábia e a Núbia.

V. O IMPÉRIO PERSA E OS JUDEUS

Durante a dominação babilônica, os judeus não gozavam de muitas regalias. E foi às duras penas que lograram manter a pureza de sua religião e as suas mais caras tradições. Em seus 70 anos de exílio, viram-se constrangidos a se submeterem às provações mais duras e às humilhações mais aviltantes. Mas foi nesse crisol que vieram a reconhecer que, além do Deus de Israel, não há deus algum.

1. A política de Ciro em relação aos judeus. Com a ascensão do Império Persa, novos e promissores horizontes são-lhes descortinados. O Senhor usa o rei Ciro a fim de patrocinar-lhes o regresso a Sião. No primeiro ano de reinado do magnânimo soberano, os filhos de Judá são autorizados a retornar à terra de seus antepassados. À frente dos repatriados, ia o governador Zorobabel que, nos anos subseqüentes, seria o principal arquiteto da reconstrução do Estado Judaico.

Não fora a liberalidade de Ciro, tratado por Deus como "meu servo", não teriam os judeus condições de levar adiante tão formidável tarefa: reconstruir o Templo, reedificar os muros e reinstalar a autoridade judaica naqueles territórios. O diligente Zorobabel, o judicioso Neemias, o doutíssimo Esdras e o piedoso sumo sacerdote Josué atuaram respaldados plenamente na autoridade persa.

2. O decreto de Ciro. Usado por Deus para repatriar os judeus e patrocinar-lhes a reconstrução do Santo Templo, o rei Ciro II expede o seguinte decreto:

Geografia Bíblica

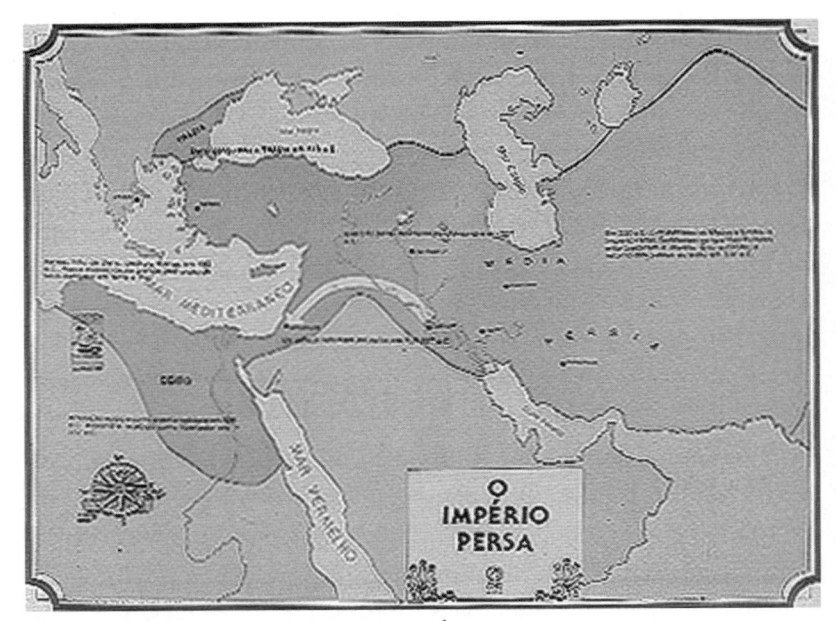

Este é o vastíssimo Império Persa – ia da Índia à Etiópia

"O Senhor Deus dos céus me deu todos os reinos da Terra; e ele me encarregou de lhe edificar uma casa em Jerusalém, que é em Judá. Quem há entre vós, de todo o seu povo, seja seu Deus com ele, e suba a Jerusalém, que é em Judá, e edifique a casa do Senhor, Deus de Israel; ele é o Deus que habita em Jerusalém. E todo aquele que ficar em alguns lugares em que andar peregrinando, os homens do seu lugar o ajudarão com prata, e com ouro, e com fazenda, e com gados, afora as dádivas voluntárias para a casa do Senhor, que habita em Jerusalém" (Ed 1.2-4).

Ele falava assim, escreve Flávio Josefo, "porque tinha lido nas profecias de Isaías, escritas duzentos e dez anos antes que ele tivesse nascido e cento e quarenta anos antes da destruição do Templo, que Deus lhe tinha feito saber, que constituiria a Ciro, rei, sobre várias nações; e inspirar-lhe-ia a resolução de fazer o povo voltar a Jerusalém, para reconstruir o Templo. Esta profecia causou-lhe tal admiração, que, desejando realizá-la, ele mandou reunir em Babilônia os principais judeus e disse-lhes que lhes permitira voltar ao seu país e reconstruir a cidade de Jerusalém e o Templo, que eles não deveriam duvidar de que Deus os auxiliaria nesse desígnio e que escreveria aos príncipes e aos governadores das suas províncias, vizinhas da Judéia, que lhes fornecessem o ouro e a prata de que iriam precisar e as vítimas para os sacrifícios".

De fato, em Isaías 44.21-28, encontramos a maravilhosa profecia referente à ascensão de Ciro não apenas como rei da Pérsia, mas principalmente como o pastor de Deus que haveria de cuidar de todos os rebanhos étnicos e nacionais daquela época.

Ciro mostrou-se tão liberal em relação aos judeus que, inclusive, devolveu-lhes parte dos tesouros do Templo levados a Babilônia por Nabucodonosor. Atrás da generosidade persa, contudo, estava a potente mão de Deus!

3. A intervenção de Ester. No tempo da rainha Ester, mulher de Assuero, o Senhor usa mais uma vez o poderio persa em favor dos filhos de Israel. Não obstante as maquinações de Hamã e apesar da força daquele decreto tão desfavorável aos judeus, o Deus de Abraão, de Isaque e de Jacó forçou o grande monarca, através do audacioso sacrifício de Ester, a abraçar a causa dos exilados de Sião.

A intervenção de Ester foi tão oportuna e feliz que, sem ela, toda a nação judaica teria perecido. E, com esta, teria perecido também a família de Davi, da qual viria o Senhor Jesus Cristo. Quem pode compreender a providência de Deus?

VI. FIM DO IMPÉRIO PERSA

O Império Persa resplandecia no Oriente. No Ocidente enquanto isso, a Grécia vinha marcando forte presença no concerto das nações. O fim do imperialismo persa já se anunciava. Quão exatas mostravam-se as profecias de Daniel! Segundo predissera o profeta, a Grécia substituiria a Pérsia no comando político do mundo. Tudo já estava pronto para que um jovem conquistador derrotasse a Pérsia, e viesse a mostrar a eficiência greco-macedônica.

O Império Persa durou aproximadamente 200 anos. O que parecia imortal, estava prestes a ser sepultado.

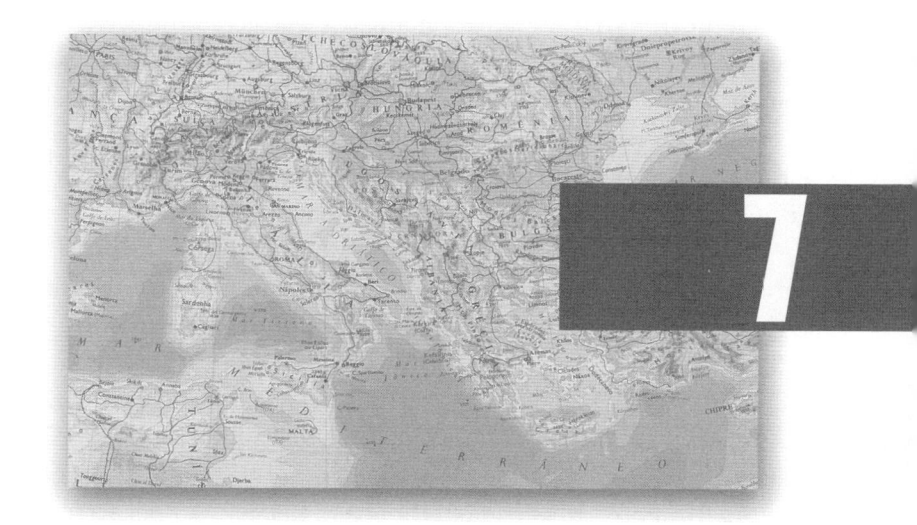

O IMPÉRIO GREGO

SUMÁRIO: *Introdução; I. Grécia, o berço da Civilização Ocidental; II. Grécia, a pátria da Filosofia; III. História da Grécia; IV. A geografia da Grécia; V. A geografia da Macedônia; VI. A ascensão da Macedônia; VII. Alexandre Magno; VIII. As realizações de Alexandre; IX. Os gregos e os judeus; X. Os ptolomeus; XI. Os selêucidas; XII. Fim do Império Grego.*

INTRODUÇÃO

Numa de suas belíssimas epístolas, deixou-nos Horácio este lapidar comentário sobre a Grécia: "A Grécia subjugada subjugou o seu feroz vencedor e introduziu as artes no agreste Lácio". Aí está uma verdade que jamais poderá ser contestada. E o romano Horácio, apesar de seu fervor nacionalista, bem o sabia; ele mesmo era tributário do gênio grego.

Conforme mais adiante veremos, a heróica e mítica Grécia haverá de ser vencida pela rude e pragmática Roma; as letras da primeira, contudo, serão a alma da literatura da segunda; da eloqüência e da poesia latinas, haverá apenas uma só inspiração: o estilo sublime e sempre elevado dos helenos; da arte romana, ático também seria o toque. Roma seria a Atenas do Tibre.

A Grécia não recolheria seus tributos apenas em Roma. Haveria de cobrar pesados impostos culturais até mesmo no Médio Oriente; aqui, todos se fariam seus tributários, infelizmente, até os filhos de Israel.

Com os helenos, teriam os filhos de Israel um de seus mais traumáticos choques culturais. No auge dessa luta, chegou-se inclusive a imaginar que, um dia, a religião hebréia seria inexoravelmente subvertida pela cultura helena. No decorrer daqueles poucos séculos, contudo, verificou-se que, ao invés de ser extinta pela cultura grega, a religião dos patriarcas e profetas estava a utilizar-se desta para espalhar sua mensagem até aos confins da terra. Haja vista a tradução do Antigo Testamento em grego e o Novo Testamento que, escrito no belíssimo idioma da Hélade, chegou aos mais distantes rincões deste mundo.

I. GRÉCIA, O BERÇO DA CIVILIZAÇÃO OCIDENTAL

"Para onde eu vá, a Grécia me fere." O desabafo de Giorgios Seferis dá uma exata dimensão da influência grega na Civilização Ocidental. Como não ver a Grécia no Ocidente? Desde Roma até à menor das nações ocidentais, aí está a presença grega no estilo dos poetas, na eloqüência dos oradores, na lógica dos filósofos, no método dos cientistas, nas nomenclaturas dos mais diversos ramos do saber, nos modelos que nos são impostos, nas artes que repousam nos museus, praças e ruas.

Até no Cristianismo a cultura grega está presente. O idioma do Novo Testamento é o grego; e grego era a língua dos primeiros teólogos cristãos. Se algum método houve na elaboração das dogmáticas foi emprestado dos gregos. E o que dizer das teologias sistemáticas que saem a lume todos os anos? Não tem como base o modelo grego? Como se vê, até no Cristianismo temos a Grécia a ferir-nos.

Não resta a menor dúvida: a Grécia é o berço da civilização Ocidental. Sem ela, inexistiria hoje o Ocidente como o conhecemos. Nesse sentido, foi a Grécia um grande milagre como escreveu Renan: "Pois eis que ao lado do milagre judeu vinha colocar-se, para mim, o milagre grego, uma coisa que só uma vez existiu, que não se tinha visto nunca, que não se voltará a ver mais, mas cujo efeito durará eternamente".

II. GRÉCIA, A PÁTRIA DA FILOSOFIA

Discorrendo sobre a contribuição dos gregos ao humano saber, Érico Veríssimo não lhes poupa reconhecimentos: "Foram eles os primeiros a criar um vocabulário adequado ao jogo das idéias abstratas – tudo isso sem perder o gosto pelos aspectos visíveis e plásticos do mundo. Realizando uma façanha maior e mais importante que a dos navegadores do futuro, desvendadores de novos continentes, os helenos descobriram o homem e o valor do espírito, e assim legaram à posteridade a Ciência, a Filosofia, a Literatura, a Arte, a Tragédia, o Diálogo, a Democracia, em suma, o Humanismo".

Amantes da liberdade e acostumados às discussões ao ar livre, os gregos legaram-nos as bases de nossa civilização. Eles discutiam racionalmente todos os assuntos pertinentes à *polis*. Deleitavam-se, sempre acariciados pelos ventos elísios, em perquirir e problematizar. Sua maior ambição: fazerem-se amigos da sabedoria.

E, assim, nasceu a Filosofia.

Sob essa atmosfera, tão propícia ao desenvolvimento do espírito, surgiram grandes gênios: Tales, Empédocles, Pitágoras, Sócrates, Platão, Aristóteles e outros vultos igualmente ilustrados.

Os gregos ensinaram o mundo a pensar. Desse débito, não podemos nos esquecer. O genial escritor francês Anatole France, ciente dessa dívida para com a gente mediterrânea, confessa: "Os gregos a quem devo tudo, a quem gostaria de dever mais, pois o que sabemos de razoável sobre o universo e o homem, vem-nos deles".

Como surgiu, porém, esse magistral país chamado Grécia? Conheçamos um pouco de sua história.

III. HISTÓRIA DA GRÉCIA

A Grécia antiga era dividida em cidades-estados. Sem coesão político-administrativa, esses diminutos países alimentavam constantes desinteligências. Haja vista as repetidas guerras entre Esparta e Atenas. Não fossem a cultura, a língua e a religião, dir-se-ia tratarem-se de povos completamente estranhos. Todavia, quando o perigo ameaçava-os, firmavam grandes alianças. Indo-se, porém, as ameaças, iam-se também aquelas.

O século V a.C. marca o auge da Grécia. Esta é a era de Péricles. Ao assumir o comando político de Atenas, põe-se ele a patrocinar generosamente os mais diversos empreendimentos culturais. Brilhante orador e possuidor de invulgar gênio administrativo, transforma a capital da Ática na mais importante cidade do mundo.

Em meio a tão viçosa democracia, despontam os filósofos, surgem os escultores, aparecem os pintores, apresentam-se os dramaturgos, renascem os poetas, levantam-se os arquitetos, firmam-se os médicos e demais homens de ciência. Jamais os helenos voltariam a presenciar tantos avanços e glórias. Não estaríamos exagerando se disséssemos que todos os progressos da humanidade foram, nessa época, semeados para só germinarem e frutificarem daí a quase dois mil e quinhentos anos.

No século seguinte, os gregos tornar-se-iam alvo das intenções hegemônicas de Felipe II da Macedônia. E a geografia da Grécia, como a seguir veremos, favoreceria as incursões de adversários que, como este, sonhavam com um império universal.

IV. A GEOGRAFIA DA GRÉCIA

A península grega era o cenário perfeito para o desenvolvimento das atividades mentais e sociais. A Grécia Antiga constituía-se, praticamente, de uma península localizada no Sudeste da Europa. O país era banhado por três mares: a leste, pelo Egeu; ao sul, pelo Mediterrâneo; e a oeste pelo Jônico. A Macedônia ficava ao norte. Nos primórdios, o território grego era conhecido como Acaia. A região ocupada por Atenas, nessa época, era denominada Ática.

Toda recortada pelo mar, a Grécia era cercada por muitas ilhas e ilhotas. A natureza prodigalizara a Hélade com numerosas montanhas e abruptos declives. Negara-lhe, porém, rios caudalosos e planícies extensas. Por causa de sua paupérrima hidrografia, os gregos só cultivavam sementes que resistiam aos longos estios e às altas temperaturas.

Premidos pela inclemência do clima e pela pobreza de seu solo, os gregos puseram-se a sonhar com outras terras e a vislumbrar novos horizontes. E, assim, começou a sua diáspora, que duraria do século XII ao VI a.C. Fundaram colônias nas ilhas do Mar Egeu, do Mediterrâneo e do Negro; instalaram-se na Ásia Menor; colonizaram o Sul da Itália e o Norte da África; e, em Massília, território hoje ocupado pela França, estabeleceram várias aldeias.

A partir do século IV a.C. a história da Grécia entrelaça-se à da Macedônia. Antes de avançarmos em nosso estudo, conheçamos algumas particularidades desse país que, sob a roupagem helena, quase conquistou a Terra.

V. A GEOGRAFIA DA MACEDÔNIA

A Macedônia limitava-se ao sul com a Grécia; ao leste, com o Mar Egeu e com a Trácia; ao norte, com os montes balcânicos; e, a oeste, com a Trácia e o Ilíaco. Atualmente, o território macedônio é ocupado pela Grécia, Iugoslávia, Bulgária, Albânia e pela parte européia da Turquia. O país era uma vastíssima e fértil planície cercada de altas montanhas.

Na Macedônia, ficava a cidade de Filipos, onde o Evangelho seria pregado pela primeira vez em território europeu. Dessa região, a mensagem de Cristo estender-se-á por toda a Europa, alcançando milhões de almas. O apóstolo dos gentios, a partir dessa base missionária, passaria a cumprir o derradeiro item da Grande Comissão – levar o Evangelho aos confins da Terra.

Foi ainda da Macedônia que Alexandre Magno lançou-se para conquistar o mundo.

VI. A ASCENSÃO DA MACEDÔNIA

Limitando-se ao sul com a Grécia, estava a Macedônia destinada a dominá-la e a liderar o domínio heleno no mundo. Seus habitantes, à semelhança dos gregos, eram de origem indo-européia. A cultura macedônia, contudo, era bem inferior à grega. Aliás, os mecedônios eram tidos até como incivilizados e bárbaros em relação aos gregos. Foi na Macedônia que nasceu Filipe II.

Capturado por um bando de gregos, em meados do século IV a.C., o irrequieto macedônio é levado a Tebas, onde assimila, rapidamente, as artes bélicas da Grécia. No exílio, elabora audaciosos planos: modernizar os exércitos da Macedônia e unir todos os gregos sob o seu comando. Sua grande obsessão: subjugar o Império Persa.

De volta à sua terra, dá largas às suas pretensões hegemônicas. Em tempo recorde, transforma as forças armadas macedônias numa eficaz e formidável máquina de guerra. Ato contínuo, põe-se a dominar as cidades-estados gregas.

Entretanto, prestes a encimar suas realizações militares, é assassinado. O desenlace ocorreu durante as núpcias de sua filha e às vésperas de colocar seus exércitos na Ásia Menor. Recolhido tão prematuramente aos seus pais, deixaria tão singular tarefa ao seu filho.

VII. ALEXANDRE MAGNO

Um dos maiores gênios militares de todos os tempos. Assim é descrito Alexandre Magno. Nascido em 356 a.C., desfrutou de uma primorosa educação. E como preceptor, teve Aristóteles. Aos pés do filósofo, o príncipe macedônio universaliza-se; passa a contemplar a humanidade como se fora uma única família. Tal família, porém, haveria de ter um único guia – ele, Alexandre.

Como alcançar semelhante ideal?

Conquistador inato e guerreiro audacioso, põe-se a subjugar a Terra. No verdor de seus 20 anos, obriga os gregos a lhe acatarem a autoridade. Já à testa de um exército de 40 mil homens, marcha em direção aos persas. E ostentando um ímpeto próprio dos grandes capitães, enfrenta a Dario Codomano que, apesar de sua descomunal guarnição de 800 mil soldados, é obrigado a reconhecer-lhe a supremacia.

Após destruir o poderio persa, Alexandre prossegue, conquistando ocidentes e orientes. Ao chegar ao rio Indu, na Índia, é convencido por seus homens a retornar à terra natal. Cansados e já premidos pelas saudades, almejavam eles rever a Grécia, repisar a Macedônia e aquecer-se no lar doméstico.

Percebendo estar o ânimo de seu exército já comprometido, Alexandre resolve voltar ao ponto de partida. Mas o retorno lhes é dolorosamente penoso. São obrigados a suportar a escassez de água e o racionamento de pão. E aqueles desertos sem fim? Aquelas planícies que se confundiam com o horizonte? Aqueles vales desconhecidos e hostis? Nesse regresso, muitos foram os macedônios e gregos que tombaram.

Ao chegar a Babilônia, Alexandre é recebido como um deus. Tributam-lhe honrarias; fazem-lhe oferendas. Parecia não haver ninguém mais glorioso do que o príncipe macedônio. Os dias vindouros, contudo, revelariam a verdade: o filho de Filipe II não passava de um homem de carne e osso, sujeito aos caprichos da natureza e limitado pelos absolutos desígnios de Deus.

Alexandre, o Grande, morre repentinamente em 323 a.C. na cidade de Babilônia. Consigo também morre o sonho de se ecumenizar todo aquele pedaço de mundo. Cai o bravo príncipe num palco onde tantos acontecimentos importantíssimos foram representados por assírios, caldeus, persas e, agora, por ele. Seu império não lhe resiste a morte. Conforme profetizara Daniel, as possessões alexandrinas são repartidas entre os mais ilustres militares gregos (Dn 11.4).

A Lísimaco coube a Trácia e uma parte da Ásia Menor. A Cassandro, a Macedônia e a Grécia. A Seleuco, a Síria e o Oriente. E, a Ptolomeu, o Egito. De conformidade com a palavra do Deus de Israel, o Império Grego foi dividido. Desfazia-se o sonho pan-helenístico.

VIII. AS REALIZAÇÕES DE ALEXANDRE

Uma das maiores realizações de Alexandre Magno foi a difusão universal da cultura grega. Tão magnífico empreendimento facilitaria, séculos mais tarde, a propagação do Evangelho. Haja vista que o apóstolo Paulo, em suas viagens missionárias, não encontrou quaisquer dificuldades em se comunicar com os gentios em virtude de o *koinê* – grego vulgar – haver se tornado a língua franca de todos os povos mediterrâneos. Sem o saberem, deram os helenos substancial contribuição ao plano de salvação elaborado por Deus na mais remota eternidade e, durante aqueles séculos, posto em prática.

Além disso, Alexandre ajudou a difundir também a filosofia, a ciência, as artes e a literatura gregas. Foi com esse grande capitão que surgiu a chamada cultura helenística, definida como o conjunto das idéias e costumes da Grécia Clássica.

IX. OS GREGOS E OS JUDEUS

De acordo com alguns historiadores, o contato de Alexandre Magno com os judeus foi rápido e emocionante. O cronista hebreu Flávio Josefo narra-nos este encontro:

"Dario, tendo sabido da vitória obtida por Alexandre sobre seus generais, reuniu todas as forças, para marchar contra ele, antes que se tornasse Senhor de toda a Ásia; depois de ter passado o Eufrates e o monte Tauro, que está na Cilícia, resolveu dar-lhe combate. Quando Sanabaleth viu que ele se aproximava de Jerusalém, disse a Manassés que cumpriria sua promessa logo que Dario tivesse vencido Alexandre, pois ele, e todos os povos da Ásia estavam convictos de que os macedônios, sendo em tão pequeno número, não ousariam combater contra o formidável exército dos persas. Mas os fatos mostraram o contrário. A batalha travou-se: Dario foi vencido com graves perdas; sua mãe, sua mulher e seus filhos ficaram prisioneiros e ele foi obrigado a fugir para Pérsia. Alexandre, depois da vitória, chegou à Síria, tomou Damasco, apoderou-se de Sidom e sitiou Tiro. Durante o tempo em que ele esteve empenhado nessa empresa, escreveu a Jaddo, Grão-Sacrificador dos judeus, pedindo-lhe três coisas: auxílio, comércio livre com seu exército e o mesmo auxílio, que ele dava a Dario, garantindo-lhe que se o fizesse, não teria de que se arrepender, por ter preferido sua amizade à dele. O Grão-Sacrificador respondeu-lhe que os judeus tinham prometido a Dario, com juramento, jamais tomar as armas contra ele e por isso não podiam fazê-lo, enquanto ele vivesse. Alexandre ficou tão irritado com esta resposta, que mandou dizer-lhes que logo que tivesse tomado Tiro, marcharia contra ele, com todo o seu exército, para ensinar-lhe, e a todos, a quem é que se devia guardar um juramento. Atacou Tiro com tanta força, que dela logo se apoderou; depois de ter regularizado todas as coisas, foi sitiar Gaza onde Bahémes governava em nome do Rei da Pérsia.

"Voltemos, porém, a Sanabaleth. Enquanto Alexandre ainda estava ocupado do cerco de Tiro, ele julgou que o tempo era próprio para realizar seu intento. Assim, abandonou o partido de Dario e levou oito mil homens a Alexandre. O grande príncipe recebeu-o muito bem; disse-lhe então ele que tinha um genro de nome Manassés, irmão do Grão-Sacrificador dos judeus, que vários daquela nação se tinham juntado a ele pelo afeto que ele lhes tinha e que ele desejava construir um templo perto de Samaria; que S. Majestade disso poderia tirar grande vantagem, porque assim dividiria as forças dos judeus e impediria que aquela nação pudesse se revoltar por inteiro e causar-lhe dificuldades, como seus antepassados tinham dado aos reis da Síria. Alexandre consentiu no seu pedido; mandou que se trabalhasse com incrível diligência na construção do templo e constituiu Manassés Grão-Sacrificador; Sanabaleth sentiu grande alegria por ter granjeado tão grande honra aos filhos que ele teria de sua filha. Morreu, depois de ter passado sete meses junto de Alexandre no cerco de Tiro e dois no de Gaza. Quando este ilustre conquistador tomou esta última cidade, avançou para Jerusalém e o Grão-Sacrificador Jaddo, que bem conhecia a sua cólera contra ele, vendo-se com todo o povo em tão grave perigo, recorreu a Deus, ordenou orações públicas para implorar o seu auxílio e ofereceu-lhe sacrifícios. Deus apareceu-lhe em sonhos na noite seguinte e disse-lhe para espalhar flores pela cidade, mandar abrir todas as portas e ir revestido de seus hábitos pontificais, com todos os sacrificadores, também assim revestidos e todos os demais, vestidos de branco, ao encontro de Alexandre, sem nada temer do soberano, por que ele os protegeria.

"Jaddo comunicou com grande alegria a todo o povo a revelação que tivera e todos se prepararam para esperar a vinda do rei. Quando se soube que ele já estava perto, o Grão-Sacrificador, acompanhado pelos outros sacrificadores e por todo o povo, foi ao seu encontro, com essa pompa tão santa e tão diferente da das outras nações, até o lugar denominado Sapha, que, em grego, significa mirante, porque de lá se podem ver a cidade de Jerusalém e o templo. Os fenícios e os caldeus, que estavam no exército de Alexandre, não duvidaram de que na cólera em que ele se achava contra os judeus ele lhes permitiria saquear Jerusalém e daria um castigo exemplar ao Grão-Sacrificador. Mas aconteceu justamente o contrário, pois o soberano apenas viu aquela grande multidão de homens vestidos de branco, os sacrificadores revestidos com seus paramentos de linho e o Grão-Sacrificador, com seu éfode, de cor azul, adornado de ouro, e a tiara sobre a cabeça, com uma lâmina de ouro sobre a qual estava escrito o nome de Deus, aproximou-se sozinho dele, adorou aquele augusto nome e saudou o Grão-Sacrificador, ao qual ninguém ainda havia saudado. Então os judeus reuniram-se em redor de Alexandre e elevaram a voz, para desejar-lhe toda sorte de felicidade e de prosperidade. Mas os reis da Síria e os outros grandes, que o acompanhavam, ficaram surpresos, de tal espanto que julgaram que ele tinha perdido o juízo. Parmênio, que gozava de grande prestígio, perguntou-lhe como ele, que era adorado em todo o mundo, adorava o Grão-Sacrificador dos judeus. Não é a ele, respondeu Alexandre, ao Grão-Sacrificador, que eu adoro, mas é a Deus de quem ele é ministro. Pois quando eu ainda estava na Macedônia e imaginava como poderia conquistar a Ásia, ele me apareceu em sonhos com esses mesmos hábitos e me exortou a nada temer; disse-me que passasse corajosamente o estreito do Helesponto e garantiu-me que ele estaria à frente de meu exército e me faria conquistar o império dos persas. Eis por que, jamais tendo visto antes a ninguém revestido de trajes semelhantes aos com que ele me apareceu em sonho, não posso duvidar de que foi por ordem de Deus que empreendi esta guerra e assim vencerei a Dario, destruirei o império dos persas e todas as coisas suceder-me-ão segundo meus desejos.

"Alexandre, depois de ter assim respondido a Parmênio, abraçou o Grão-Sacrificador e os outros sacrificadores, caminhou depois no meio deles até Jerusalém, subiu ao templo, ofereceu sacrifícios a Deus da maneira como o Grão-Sacrificador lhe dissera que devia fazer. O soberano Pontífice mostrou-lhe em seguida o livro de Daniel no qual estava escrito que um príncipe grego destruiria o império dos persas e disse-lhe que não duvidava de que era ele de quem a profecia fazia menção.

"Alexandre ficou muito contente; no dia seguinte, mandou reunir o povo e ordenou-lhe que dissesse que favores desejava receber dele. O Grão-Sacrificador respondeu-lhe que eles lhe suplicavam permitir-lhes viver segundo suas leis, e as leis de seus antepassados e isentá-los no sétimo ano, do tributo que lhe pagariam durante os outros. Ele concedeu-lho. Tendo-lhe, porém, eles pedido que os judeus que moravam na Babilônia e na Média, gozassem dos mesmos favores, ele o prometeu com grande bondade e disse que se alguém desejasse servir em seus exércitos ele o permitiria viver segundo sua religião e observar todos os seus costumes. Vários então alistaram-se."

Após a morte de Alexandre Magno, como já o dissemos, o Império Grego foi dividido entre quatro generais: Cassandro, Lísimaco, Ptolomeu e Seleuco. Ambiciosos, autocoroaram-se e trataram logo de solidificar seus reinos. Seus interesses muitas vezes entrechocavam-se, ocasionando escaramuças e guerras. Tais reinos subsistiriam até a ascensão do Império Romano.

Deter-nos-emos, a seguir, nas crônicas ptolomaicas e selêucidas por causa de seu relacionamento com os filhos de Israel.

X. OS PTOLOMEUS

Sob a égide dos ptolomeus, experimenta o Egito um grande progresso. Sua poderosa e ágil marinha transforma-o no mais poderoso reino grego. Apesar da política agressiva da Síria, consegue manter a sua supremacia até ao século II a.C. Quando da ascensão da dinastia ptolomaica, havia na florescente Alexandria uma grande colônia judaica. Para se saber o quanto era importante a cidade, basta ler um pequeno verso de Konstantinos Kaváfis: "A cidade que é mestra, a pan-helênica cimeira, em qualquer arte ou ciência a mais sábia, a primeira".

Os ptolomeus permitiram aos dispersos de Judá o cultivo de suas tradições e a adoração de Jeová. Filadelfo chegou a encomendar aos eruditos hebreus a tradução do Antigo Testamento à língua helena. A versão, composta em primoroso e escorreito grego, é conhecida como a Septuaginta. Em Alexandria, ainda, os judeus foram autorizados a construir um templo para magnificar o Deus de Israel.

Ventos de destruição e morte, entretanto, acabariam com aqueles remansos. Tudo aconteceu nos meados do século III a.C. com a ascensão de Ptolomeu IV. Conhecido também como Filopátor, desencadeou este rei uma campanha militar de grande envergadura contra Antíoco, o Grande, com o objetivo de reconquistar a Palestina.

Através de seu império, os gregos e macedônios conseguiram globalizar o mundo antigo

Depois de haver derrotado os sírios, entrou ele triunfalmente em Jerusalém. Não satisfeito com os sucessos e com a recepção, pôs-se a urdir um sacrilégio: violar o Santo Templo. Descobrindo-lhe o intento, os judeus postaram-se à porta da Casa do Senhor e, com incontido fervor, começaram a gritar e a protestar contra a pretendida intrusão.

Severamente pressionado, Filopátor contém-se; não adentra o santuário. Todavia, a partir daquele momento, passa a devotar incontrolável ódio ao povo de Israel. De volta ao Egito, começa a perseguir os judeus. A partir daí, vai o reino ptolomaico perdendo a sua importância. O cenário político do Oriente Médio seria, doravante, dominado pela Síria.

XI. OS SELÊUCIDAS

A Síria experimentou invejável prosperidade sob o reinado dos selêucidas. Possuindo um formidável exército, interpôs-se às intenções imperialistas dos ptolomeus. No período intertestamental, era ela a potência que desenhava e redesenhava os mapas e demarcava as fronteiras do Médio Oriente. Mas devido às suas intenções de helenizar a Judéia, sofreria por parte dos judeus grande oposição.

O império selêucida assim é chamado em homenagem a Seleuco, seu fundador. Os três primeiros monarcas selêucidas mantiveram amigável trato com os judeus. Haja vista Antíoco III. Apesar de suas intenções hegemônicas, foi aclamado como libertador pelos filhos de Israel. Quanto aos seus eventuais ímpetos expansionistas, seriam devida e energicamente refreados por Roma.

Antíoco III é substituído por seu filho, Antíoco Epífanes. Movido por um ódio que beirava a loucura, perseguiria este violentamente os judeus. Qual o motivo de sua desafeição? Segundo Flávio Josefo, foi ele induzido a agir de forma tão insana ao ver frustrado o seu plano de helenizar a Judéia.

Contumaz e já à beira do delírio, entra, em 169 a.C., na cidade de Jerusalém, e profana o Santo Templo. No lugar santíssimo, sacrifica uma porca. Despreza o Deus de Israel. Enaltece os ídolos gregos.

Os judeus não se conformam. Sob a liderança dos Macabeus, rebelam-se e humilham o agressor em 167 a.C. A revolta macabéia é uma das mais belas páginas da nação judaica.

XII. FIM DO IMPÉRIO GREGO

Arruinado por disputas intestinas, chega ao fim o glorioso Império Grego. Em seu lugar, levanta-se o terrível e assombroso animal visto por Daniel séculos antes (Dn 7.7). De acordo com a visão do profeta, o Império Romano seria diferente de todos os outros; conquistaria a terra, esmagaria as nações. Sob o peso de Roma, viveria Israel uma de suas maiores angústias.

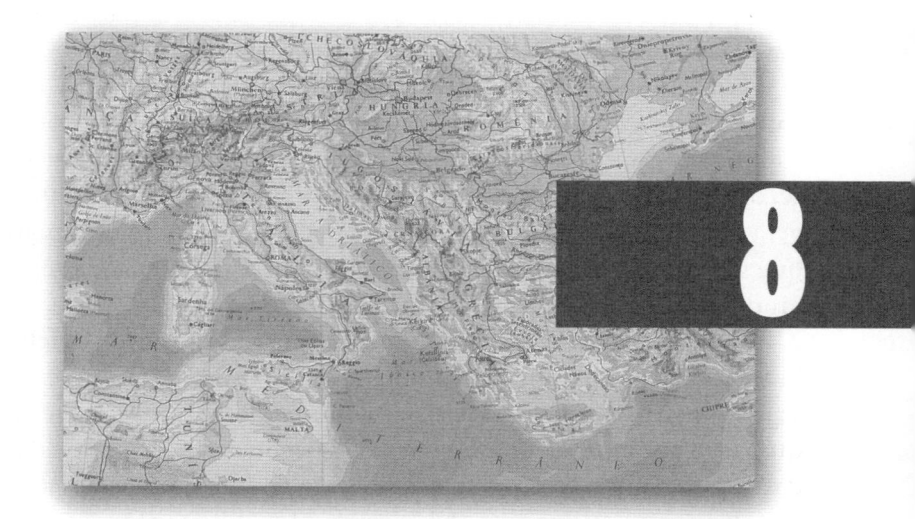

O IMPÉRIO ROMANO

SUMÁRIO: *Introdução; I. História do Império Romano; II. Geografia do Império Romano; III. O legado do Império Romano; IV. A implacabilidade do Império Romano; V. Roma chega a Jerusalém; VI. A ascensão de Herodes, o Grande; VII. O governador Pilatos; VIII. O início das angústias de Israel; IX. Tem início a guerra dos judeus; X. Tito, o general que destruiu Jerusalém; XI. O Império Romano e os cristãos; XII. O fim do Império Romano.*

INTRODUÇÃO

Roma locuta, causa finita. A frase, repetida enfaticamente por muitos oradores para mostrar a prepotência dos tiranos, é de autoria de Agostinho, e foi proferida num daqueles sermões que levavam seus ouvintes não apenas à contemplação estética, mas principalmente à reflexão espiritual. Se fôssemos traduzi-la, buscaríamos esta versão: "Roma falou; não se discute mais".

O grande doutor da igreja estava certo ao retratar assim o império que, predito por Daniel, assombrou o mundo devido à sua força, determinação e, notadamente, por causa da inflexibilidade da administração que impunha aos vencidos.

Simbolizado profeticamente pelo ferro da estátua que, em sonhos, vira Nabucodonosor, o Império Romano conquistou e subjugou a muitos reinos, povos e nações. Do Ocidente ao Oriente, o peso de seus punhos era conhecido e proverbial. Jamais houvera reino tão poderoso! A simples menção de seu nome era mais que suficiente para lhe dilatar fronteiras que iam da Europa, passando pela África, até à Mesopotâmia.

Roma foi aquele fero e indomável animal visto pelo profeta: "Depois disto, eu continuava olhando nas visões da noite, e eis aqui o quarto animal, terrível, espantoso e sobremodo forte, o qual tinha grandes dentes de ferro; ele devorava e fazia em pedaços, e pisava aos pés o que sobejava; era diferente de todos os animais que apareceram antes dele, e tinha dez chifres" (Dn 7.7).

As histórias de Roma e Israel estreitam-se em Jerusalém e descobrem-se na Eternidade. Afinal, foram os romanos que destruíram a amada Sião e executaram o Cristo de Deus. No julgamento das nações, Roma haverá de ser tratada com severidade pelo Rei dos reis e Senhor dos senhores.

I. HISTÓRIA DO IMPÉRIO ROMANO

Enquanto Alexandre Magno conquistava o Oriente e esmagava o até então invencível império persa, uma aldeia fazia-se povoado e já ganhava ares de cidade e contornos de país, incomodando seus mais poderosos vizinhos. Diz a lenda que ela foi fundada por Rômulo e Remo. Segundo Virgílio, descendem os seus habitantes dos valentes troianos que enfrentaram os gregos na guerra que a cobiça de Páris provocou. Com a destruição de Tróia, num passado que só a poesia pode testemunhar, decidiu Enéias andejar até o Ocidente. Já no Latiun, que serviria de berço aos seus filhos, sepulta o corpo do pai, dando início a pátria dos romanos.

De inícios humildes e desprezíveis começos, Roma foi ampliando suas fronteiras e estendendo sua influência. No século III a.C., já é senhora de toda a península itálica.

O povo romano é o resultado do caldeamento de vários grupos étnicos. Os indo-europeus, por exemplo, foram, em levas sucessivas, fixando-se no território, ora miscigenando-se aos etruscos, ora aparentando-se aos gregos e ora aliançando-se com os gauleses. Desse cadinho racial, ao contrário do que diz a mitologia, surge o homem romano que, consciente do papel que tem a desempenhar no concerto das nações, leva o seu povo a expandir-se além do Eufrates.

Durante a Primeira Guerra Púnica (264-241 a.C.), os romanos vencem os cartagineses e apossam-se das ilhas sicilianas. Já fortalecidos e fazendo-se a todos temerosos, anexam a Córsega e a Sardenha, e derrotam os gauleses no Vale do Pó.

Nas duas últimas guerras púnicas, Roma derrota o brilhante general cartaginês, Aníbal, e põe termo à incômoda e até então exclusiva grandeza de Cartago. Netta Kemp de Money explica as conseqüências desses primeiros sucessos romanos:

"Estas guerras lançaram as sementes da conquista da bacia oriental, posto que Filipe V da Macedônia havia ajudado a Aníbal; e Antíoco, o Grande, da Síria, lhe havia concedido asilo depois de sua derrota. Filipe foi vencido e os esforços de seu filho Perseu, para vingar a derrota, fracassaram. Diante desta demonstração de poder de Roma, quase todos os príncipes do Oriente optaram por reconhecer sua supremacia e aliar-se com a potência superior. Antíoco, o Grande, havia sonhado com a conquista da Grécia, porém, foi vencido pelos romanos na batalha de Magnésia, e a seu neto, Antíoco Epífanes, que se havia proposto agregar o Egito e seus domínios, bastou uma repressão de Roma para que desistisse. Houve uma ou outra escaramuça depois dos meados do século segundo antes de Cristo, porém, desde aquela época, todo o mundo teve de reconhecer a supremacia da república romana."

II. GEOGRAFIA DO IMPÉRIO ROMANO

É difícil traçar os limites do Império Romano. Dilatadíssimo, mantinha incontáveis províncias na Europa, Ásia e África. Foi o mais poderoso reino da Terra. Sua presença era sentida em todas as partes do Globo.

Nos tempos de sua maior extensão, informa John Davis, o Império Romano media 3.000 milhas de este a oeste, e 2.000 de norte a sul, com uma população de 120 milhões de habitantes.

III. O LEGADO DO IMPÉRIO ROMANO

Os romanos foram chamados para civilizar o mundo. Desta vocação, não podiam fugir como bem o demonstrara Virgílio: "Tu, ó romano, lembra-te de reger os povos sob o teu governo. Serão estas as tuas artes: impor um regime de paz, poupar os vencidos e sujeitar os soberbos".

Se os gregos legaram-nos a base da sociedade ocidental, deixaram-nos os romanos toda a sua estrutura. Se os primeiros ensinaram-nos a pensar, os segundos forçaram-nos a agir. Se com a Grécia fomos induzidos a contemplar o mundo, com Roma fomos constrangidos a ordenar juridicamente a sociedade, a nação e as relações entre os povos. Transmitiram-nos eles, como herança, um colossal monumento jurídico que foi sendo esculpido através de sua experiência privada e pública.

Souto Maior, em sua História Universal, conta-nos como os romanos fizeram suas leis:

"O direito romano foi um dos legados mais importantes deixados por Roma às civilizações que lhe sucederam. O antigo direito consuetudinário, isto é, baseado no uso e nos costumes, passou a ser direito escrito com a Lei das 12 Tábuas, que é considerada a mais antiga lei romana.

"O sistema jurídico dos romanos resultou não somente da necessidade de governar os diferentes povos dos países conquistados mas, também, da natural substituição de antigos costumes por certos princípios gerais que se foram condensando através dos editos dos pretores.

"Os pretores eram magistrados encarregados da administração da justiça. No começo de sua gestão, o pretor comumente promulgava um edito, estabelecendo os princípios que iriam orientar os seus julgamentos: embora geralmente os pretores apenas repetissem o que já estava estabelecido por seus predecessores, de vez em quando surgiam novas regras, modificando a estrutura jurídica precedente.

"Antes do III século a.C. existia apenas o 'praetor urbanus', isto é, o juiz da cidade. Depois, estabeleceu-se o cargo de 'praetor peregrinus' que deveria julgar os casos entre cidadãos romanos e estrangeiros.

"Aplicando e interpretando a lei, os pretores criaram duas espécies de direito: o que se aplicava aos cidadãos romanos, chamado 'jus civile', e o que dizia respeito a todos os povos de maneira geral, denominado 'jus gentium'. Era o 'jus gentium' que autorizava a existência da escravidão e da propriedade privada, sendo, portanto, um complemento do 'jus civile.'

"No século II a.C., foi elaborado, por Sálvio Juliano, sob o governo de Adriano, o Edito Perpétuo, que codificava os editos dos pretores e também os dos imperadores.

"Admitiram também os romanos a existência de um 'jus naturale', que não era propriamente um conjunto de leis e sim a idéia de que, acima do Estado e das instituições, existe um princípio de justiça válido universalmente, ou, como afirmou Cícero, 'uma razão justa, consoante à natureza, comum a todos os homens, constante, eterna'.

"O 'jus civile' romano estabeleceu uma perfeita distinção entre pessoa e pessoas ao mesmo tempo. Os escravos não eram considerados pessoas e, assim, destituídos de quaisquer direitos."

Além de nossa base legal, com os romanos aprendemos ainda os princípios da administração pública, a engenharia diversificada e prática, o exercício da política exterior fundada no pragmatismo, a disciplina das forças armadas e a urbanização das cidades.

IV. A IMPLACABILIDADE DO GÊNIO ROMANO

Apesar de tão inestimáveis legados, não podemos esquecer-nos dos crimes e barbáries praticados pelos romanos. Em nada diferiam eles dos babilônios que, apesar do ouro que os tipificava, não passavam de um indomável leão; em nada eram diferentes dos persas que, embora simbolizados pela prata, eram na verdade um urso faminto; em nada eram desiguais aos gregos que, não obstante o bronze que os lembrava, eram aquele leopardo que, veloz e impiedosamente, estraçalhava suas presas. Roma não era diferente: tinha o orgulho de Babilônia, possuía a voracidade da Pérsia, e exibia a sede de conquista da Grécia. Ajunte-se tudo isso ao gênio romano, e aí teremos um terrível e espantoso animal (Dn 7.1-7).

Não estamos exagerando. Vejamos o insuspeito testemunho de um ilustre historiador romano. Escreve Tácito em sua Vida de Agrícola: "Os romanos rapinadores da Terra, depois que devastaram tudo e não sobraram mais terras, já perscrutam o mar também; avarentos, se o inimigo é rico, arrogantes, se é pobre; nem o Oriente nem o Ocidente os terá saciado; sós entre todos os mortais, cobiçam com amor igual as riquezas e a pobreza. Arrancar, trucidar, raptar chamam, com falso nome, império, e onde fazem o deserto, paz".

Foi com esse povo implacável que os filhos de Israel começaram a lidar a partir de 63 a.C.

V. ROMA CHEGA A JERUSALÉM

Ao entrar em Jerusalém, no ano 63 a.C., o general romano Pompeu depara-se com uma Judéia já bastante enfraquecida em conseqüência de suas disputas internas. Depois de um brilhante e glorioso começo, a família macabéia, esquecendo-se dos exemplos de Judas e Simão, põe-se a fazer escusas manobras para manter-se no poder. Todavia, por causa de sua política que já não levava em conta o bem comum e a preservação da religião do Antigo Testamento, a dinastia hasmoneana, pois assim também eram conhecidos os descendentes dos Macabeus, acabou por cair nas garras de uma ambiciosa e malvada família iduméia, de onde viria um voraz e fero governante – Herodes, o Grande.

Pompeu encontrava-se no Oriente Médio para conter o expansionismo de Mitrídates, rei do Ponto, que, sonhando construir um grande império, intentava conquistar a Ásia Menor e a Palestina e, dessa forma, minar a posição romana nessa área tão estratégica. Preocupada, Roma entrega a Pompeu a missão de conter a Mitrídates. Mas, o que o bravo e nobre romano não sabia era que, além desta, esperava-o uma tarefa bem mais árdua e significativa.

Grande estrategista, Pompeu vence o rei Mitrídates que, para salvar o que lhe sobrara do exército, refugia-se na Armênia. Aqui, reorganiza-se e tenta tomar a Síria. Por seu turno, o general romano não se dá por rogado; intervém uma vez mais, e infringe ao rei do Ponto uma derrota irrecorrível.

Roma, mui satisfeita com o desempenho de seu brilhante capitão, designa-o governador das províncias da Ásia. Foi nesse posto que Pompeu recebe Aristóbulo e Alexandre. Disputando ferrenhamente o trono da Judéia, ambos submetem-se-lhe à arbitragem.

Os judeus, porém, não querem ser governados nem por Aristóbulo nem por Alexandre. Se o primeiro era ruim, o segundo não era bom.

Que decisão tomar?

Como desejasse impor aos judeus um rei títere, opta pelo partido que se mostrava mais aberto às manobras de Roma. A escolha recai sobre Hircano, cujo caráter era débil, e inexistente, a vontade. A decisão de Pompeu desagrada profundamente a Aristóbulo, que começa a arquitetar planos de vingança e revolta.

Hircano, respaldado por Roma, assume o poder e introduz em Jerusalém o exército romano. Revoltado, Aristóbulo encerra-se no Santo Templo com 12 mil partidários. Daqui recusa-se a sair; busca apoderar-se do maior símbolo da religião judaica. Mas Roma não pode tolerar semelhante insubordinação.

Após examinar detidamente a questão, Pompeu decide tomar o santuário.

A luta é grande; estende-se por todo o recinto. Os mortos se multiplicam, trazendo a ignomínia à Casa de Deus. Já sem esperanças, Aristóbulo consegue fugir. Mas seus homens são implacavelmente aniquilados. O general romano, então, adentra o Templo; domina os últimos resistentes. Em seguida, faz algo impensável até mesmo para o mais incrédulo e blasfemo dos judeus; viola o lugar mais sagrado do Templo – o Santo dos santos. Esperava, quem sabe, deparar-se com segredos etéreos e célicos mistérios. Contempla, porém, um singelo altar, cuja glória residia no nome do Santo de Israel e não naqueles símbolos já tão desgastados pelas iniqüidades dos filhos de Jacó.

A partir daí, torna-se a Judéia província romana. É obrigada a sujeitar-se aos mais absurdos caprichos de seus novos senhores. Haja vista o que houve durante o primeiro triunvirato. Crasso, para exibir seus méritos militares, declara guerra aos partos. Mas como financiar tão arrojada campanha? Lembra-se dos tesouros do Santo Templo, e deste, confisca dez mil talentos de ouro. Apesar de toda esta fabulosa soma, não é bem-sucedido; perde a guerra e a vida.

VI. A ASCENSÃO DE HERODES, O GRANDE

De manobra em manobra, Herodes, o Grande, consegue dos romanos o governo e o trono da Judéia. A carreira desse idumeu teve início quando ele tinha apenas 15 anos. Cruel e sanguinário, não tolerava fosse sua autoridade questionada; prendia, desterrava, matava.

Tão maquiavélico era Herodes que, fácil e rapidamente, ganha a confiança dos mandatários de Roma. Nas situações mais adversas, mostrava habilidade e astúcia. E a sua administração? Havia administrador mais capaz? Todavia, ai de quem lhe ameaçasse o trono! Não hesitou em assassinar os próprios filhos. Não bastassem tantos crimes, já no final de sua vida, manda executar sua belíssima esposa, Mariana, a última representante dos outrora nobres macabeus.

Em 37 a.C., o trono da Judéia já era todo seu! Um de seus últimos desatinos foi a matança dos inocentes de Belém. Sua intenção era destruir a vida do infante Jesus. Mas viu-se frustrado, enganado. Dizem que os historiadores da época deixaram de registrar o infanticídio de Belém, pois este nada era diante dos outros crimes de Herodes.

Depois de todas essas sandices, o perverso idumeu morre entre os mais atrozes sofrimentos; tem as entranhas consumidas pelos vermes.

Uma de suas maiores obras foi a ampliação e o embelezamento do Templo. Apesar de tudo, os judeus não conseguiam esquecer-se de suas barbáries e selvagerias. Certa vez o imperador Augusto afirmou preferir ser o porco de Herodes a ser um de seus filhos.

VII. O GOVERNADOR PILATOS

Das autoridades romanas enviadas à Judéia, destacaremos, nos tópicos seguintes, apenas duas. Uma, responsável pela morte de Jesus, e a outra, pela destruição de Jerusalém. Referimo-nos a Pôncio Pilatos e ao general Tito.

Pôncio Pilatos assumiu o governo da Judéia no ano 26 d.C. Nomeado por Tibério, sua administração foi tumultuada e cheia de agitações. O historiador e filósofo hebreu, Filo, escrevendo sobre o quinto governador romano da Judéia, taxa-o de rígido e teimosamente severo, de disposição sempre pronta a insultar os outros; era ainda excessivamente iracundo. O mesmo cronista refere-se também aos subornos, ultrajes, brutalidades e assassinatos cometidos pelo representante de Roma.

Pertencente à ordem eqüestre, ou à classe média superior romana, dispunha Pilatos de amplos poderes na Judéia. O seu aparato militar era formidável, como formidável era o seu poder tirânico: tinha autoridade para prender, matar e suspender qualquer pena capital. Sob a sua custódia, ficavam as vestes sacerdotais. Ele só as entregava ao sumo sacerdote por ocasião dos festivais.

Quão inescrupuloso era Pilatos! Certa ocasião mandou trazer a Jerusalém os pendões e estandartes romanos com a figura do imperador. Os israelitas, não suportando tamanha afronta, começaram a gritar e a protestar até que as imagens foram retiradas da Cidade Santa. Lerdo para entender os costumes judaicos, doutra feita confiscou dinheiro do templo para construir um aqueduto em Jerusalém. Os protestos gerados por esse arbítrio foram também violentos, contribuindo para comprometer-lhe a administração.

Sua perversidade, contudo, escondia um caráter fraco e uma vontade débil. Estava ele mais interessado em agradar ao imperador do que lutar pela justiça e pela verdade. Daí a sua pergunta ao Senhor Jesus: "O que é a verdade?" Quão ambígua foi a sua atitude quando do julgamento do Filho de Deus. Buscando adular os líderes judaicos, consentiu na morte do Salvador. Pilatos sabia que Jesus era inocente.

Depois de muitas desventuras e já pressionado pelo imperador Gaio, viu-se Pilatos forçado a suicidar-se. No inferno, segundo uma lenda, está a lavar as mãos continuamente, mas não consegue livrar-se do carmesim do sangue do Cordeiro.

VIII. O INÍCIO DAS ANGÚSTIAS DE ISRAEL

Ao rejeitar Cristo como o Messias de Israel, os judeus disseram: "Caia sobre nós o seu sangue, e sobre nossos filhos!" (Mt 27.25).

Tão duras palavras foram pronunciadas diante de Pôncio Pilatos que, pelo menos na aparência, pretendia indultar o Senhor Jesus, aproveitando-se da anistia que era concedida por ocasião da Páscoa. Todavia, optaram os judeus pelo homicida Barrabás, e entregaram o Senhor à morte.

Com essa escolha, os filhos de Abraão punham-se a escrever um dos mais tristes e trágicos capítulos de sua história. O sangue do Nazareno cairia sobre eles, culminando com a destruição de Jerusalém e do Santo Templo no ano 70 de nossa era.

Nessa época, o Cristianismo já havia alcançado os mais longínquos rincões do Império Romano. A religião do Nazareno já havia conquistado, inclusive, considerável terreno na orgulhosa e sanguinária Roma.

Na Judéia, enquanto isso, os israelitas eram obrigados a suportar toda sorte de arbitrariedade dos romanos.

O governador Gesius Florus, por exemplo, assumiu o poder com o espírito eivado de preconceitos contra as coisas judaicas. O carrasco, como era conhecido, quebrantou as leis mosaicas e desrespeitou, acintosa e publicamente, as mais caras tradições do povo de Israel. Para esse procurador, os hebreus não passavam de um bando de fanáticos e desequilibrados.

Em Cesaréia, os gregos, vendo a forma como Florus tratava os judeus, puseram-se a persegui-los com redobrado fervor. A vida dessa comunidade transforma-se num inferno. Os israelitas nem mesmo podiam adorar a Deus. Em frente às sinagogas, os gregos, apesar de estarem também dispersos, promoviam tumultos, impedindo a realização dos ofícios.

Uma delegação judaica é enviada a Gesius Florus para pedir-lhe proteção. O governador romano, porém, ordena a matança dos judeus.

A notícia da aflição dos israelitas de Cesaréia chega a Jerusalém e causa profunda comoção. Os zelotes entram em ação, iniciando uma guerra de guerrilhas contra as forças romanas. A situação deteriora-se quando Florus exige 17 talentos de ouro que se encontravam no Templo.

A partir daí, alastra-se o conflito.

O governador da Síria, Céstius Gallus, viaja a Jerusalém para investigar as causas do levante. Sua presença, todavia, provoca um profundo mal-estar; evoca sempre a opressora Roma. Embora acoitado por poderoso exército, é ele obrigado a bater em retirada. Envergonhado, refugia-se em território sírio.

IX. TEM INÍCIO A GUERRA DOS JUDEUS

Os nacionalistas judeus, entusiasmados com as primeiras vitórias, preparam-se para novos combates. Inicialmente, apenas os pobres compunham os quadros da resistência. Todavia, embalados por esses sucessos, os ricos e nobres passaram a atacar, com igual ímpeto, os exércitos romanos. O historiador Flávio Josefo, de origem aristocrática, encontrava-se entre os combatentes. Com o desenrolar dos combates, porém, bandeia-se para o inimigo.

O imperador Nero foi notificado do levante na Judéia quando se encontrava na Grécia assistindo aos jogos olímpicos e participando de suas irrefreadas festas. Para sufocar a rebelião, envia à Palestina um de seus mais competentes militares - Vespasiano. Estrategista de incomparável grandeza, o general começa a tomar aos revoltosos cidade após cidade. Mas quando se preparava para sitiar Jerusalém, é chamado às pressas à capital do império para suceder a Nero.

X. TITO, O GENERAL QUE DESTRUIU JERUSALÉM

A tarefa de sitiar e tomar a Cidade Santa, entrega-a Vespasiano ao seu filho, Tito. Com a mesma determinação do pai, o general lança-se sobre Jerusalém, no ano 70 d.C.

O historiador israelita Simon Dubnow narra-nos, com vivas cores, como a mais amada das cidades judaicas foi destruída:

"A fome se alastrava cada vez mais por Jerusalém; os cereais armazenados já se haviam esgotado há muito tempo; os ricos entregavam suas propriedades e os pobres seus últimos pertences em troca de um pedaço de pão. Histórias terríveis se gravaram na memória do povo a respeito dos acontecimentos daqueles dias. Martha, a abastada viúva do sumo sacerdote Jesus Ben Gamaliel, em cuja passagem, quando se dirigia ao Templo, se estendiam, outrora, preciosos tapetes, se via agora na contingência de aliviar sua fome com restos recolhidos nas ruas; outra mulher rica, levada pela fome, degolou o próprio filhinho para comê-lo. As ruas estavam repletas de cadáveres e de gente desfalecida, e não havia tempo para enterrar os mortos. Os cadáveres espalhados por toda a parte empestavam o ar. A fome, a epidemia e as setas do inimigo provocaram a ruína nas fileiras dos defensores; mas os que ainda resistiam não perdiam as esperanças. Este heroísmo e pertinácia do povo assombrou até os heróicos romanos. Finalmente, eles dirigiram suas máquinas de assédio contra as fortificações do Templo. Quando os romanos tomaram a Torre Antônia, descobriram repentinamente espessas muralhas que circundavam o Templo, e, como fosse impossível derrubá-las, Tito ordenou que se incendiassem os portões exteriores, dos quais partia uma série de colunas que chegavam até o próprio Templo; os guerreiros judeus lutaram como leões, e cada passo para o Templo custava ao inimigo rios de sangue.

"De repente, um soldado romano agarrou um lenho ardente e lançou-o ao interior do Templo, através de uma janela. As portas de madeira das salas do Templo se inflamaram e logo todo o Templo se achava envolto em chamas. Tito, que se dirigiu imediatamente para o lugar atingido, proferiu aos soldados, em altas vozes, a ordem de sufocar o incêndio e salvar o esplêndido edifício. Mas devido ao estrépido ensurdecedor das construções que caíam, aos gritos desesperados dos sitiados e ao ruído das armas, tornou-se impossível perceber a voz do chefe. Os enfurecidos romanos lançaram-se sobre as câmaras não afetadas ainda pelo fogo, com o fim de roubar os tesouros ali acumulados, mas somente puderam penetrar pisando os cadáveres dos guerreiros judeus, que lhes opunham uma grande resistência no meio das labaredas. Então, os vencedores, deram livre expansão à sua cólera. Velhos, mulheres e crianças foram assassinados sem compaixão; muitos hebreus encontraram a morte nas chamas, às quais se precipitaram valentemente. O Templo, orgulho da Judéia, transformou-se em um monte de escombros, sendo destruído na mesma data (nove e dez de Aw) em que fora destroçado antigamente o primeiro templo por Nabucodonosor. Dos objetos contidos no Templo, só permaneceram intatos o candelabro, a mesa sagrada e um rolo da Tora. Tito ordenou levá-los e conservá-los como lembrança de seu triunfo.

"Com a ruína de Jerusalém, desmembrou-se por completo o Estado Judeu. Esta luta tão singular na história, luta entre um Estado minúsculo e o Império mais poderoso do mundo, absorveu uma afinidade de vítimas e cerca de um milhão de judeus pereceu na guerra com os romanos (66-70) e uns cem mil foram feitos prisioneiros. Desses cativos, alguns foram mortos, outros enviados a trabalhos forçados ou vendidos como escravos nos mercados da Ásia e África; mas os mais fortes e belos ficaram para lutar com feras nos circos romanos e acompanhar Tito em sua solene entrada em Roma. Sempre que Tito celebrava o aniversário de seu pai e de seu irmão, organizava jogos militares e lutas de gladiadores, nos quais se arrojavam muitos judeus às feras do circo, para que os destroçassem, divertindo o público."

Para comemorar a vitória de seus exércitos, o imperador Vespasiano ordena a cunhagem de moedas especiais que traziam uma mulher acorrentada, e a seguinte expressão: "Judéia cativa, Judéia vencida".

Poucos anos após a queda de Jerusalém, judeus e romanos voltariam a se enfrentar. O indescritível combate foi travado em Massada. Mostrando mais uma vez sua audácia e coragem, a resistência judaica preferiu autodestruir-se a entregar-se ao opressor. A partir de então, os imperadores romanos começaram a lotear toda a Judéia; os terrenos que não eram vendidos, eram doados aos amigos do império.

XI. O IMPÉRIO ROMANO E OS CRISTÃOS

Em virtude de não possuir um forte caráter proselitista, o Judaísmo era tolerado em todo o Império Romano. A religião mosaica limitava-se aos seus fiéis; raros os seus prosélitos. Por isso, as autoridades permitiam o funcionamento de sinagogas e escolas hebraicas.

Em relação ao Cristianismo, porém, não haveria a mesma tolerância devido ao espírito missionário deste. Eis por que, a religião do Nazareno foi, desde o seu nascedouro, implacavelmente perseguida. O governo romano via-a como gravíssima ameaça às suas instituições.

O Império Romano

Mas o que desconhecia o Império Romano era que o campo de batalha do Evangelho achava-se no plano espiritual e não na arena política; e que, se os cristãos pregavam o Evangelho era porque haviam recebido de seu Senhor expressas ordens. Antes de sua ascensão, ordenara Jesus aos seus apóstolos:

"Foi-me dada toda a autoridade no céu e na terra. Portanto ide, fazei discípulos de todas as nações, batizando-os em nome do Pai, e do Filho, e do Espírito Santo; ensinando-os a observar todas as coisas que eu vos tenho mandado; e eis que eu estou convosco todos os dias, até a consumação dos séculos" (Mt 28.18-20). Nos momentos que antecederam sua ascensão, o Ressuscitado fez mais esta recomendação aos seus: "Mas recebereis poder, ao descer sobre vós o Espírito Santo, e ser-me-eis testemunhas, tanto em Jerusalém, como em toda a Judéia e Samaria, e até os confins da terra" (At 1.8). A partir deste momento glorioso e memorável, tem início uma luta mortal entre o Reino de Deus e o principado das trevas.

Quantas perseguições não moveram os imperadores romanos aos cristãos?! Nada, porém, conseguia barrar o magnífico e sacrificial avanço da Igreja. O número de mártires aumentava dia após dia. As arenas eram juncadas dos corpos de santos; o Coliseu ensanguentava-se. Mas nada detinha o Evangelho que, de glória em glória, mostrava o seu irresistível poder.

Hegesipo, escritor do século II, narra-nos como o perverso e sanguinário Nero tratou os cristãos, acusando-os de haverem incendiado Roma: "Alguns foram vestidos com peles de animais ferozes, e perseguidos pelos cães até serem mortos, outros foram crucificados; outros envolvidos em panos alcatroados, e depois incendiados ao pôr-do-sol, para que pudessem servir de luzes para iluminar a cidade durante a noite. Nero cedia os seus próprios jardins para essas execuções e apresentava, ao mesmo tempo, alguns jogos de circo, presenciando toda a cena vestido de carreiro, indo umas vezes a pé no meio da multidão, outras vendo o espetáculo do seu carro".

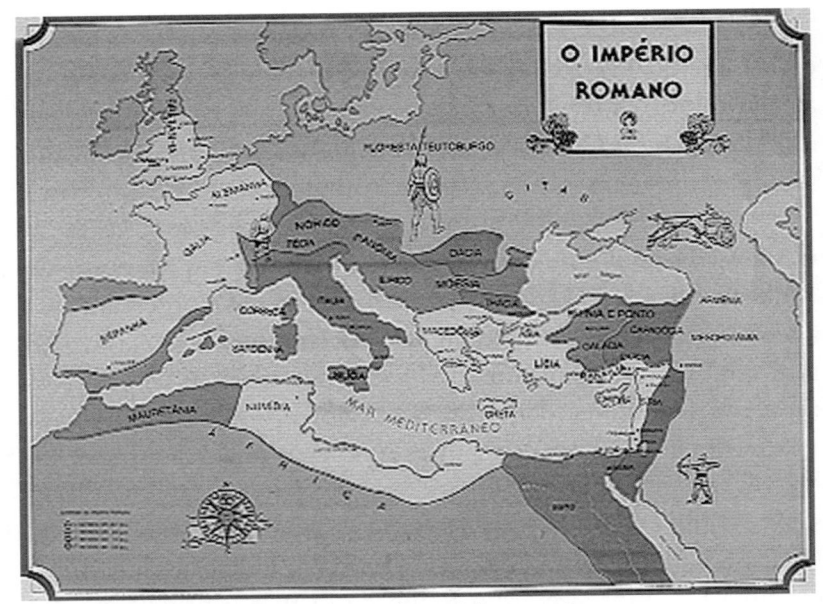

Eis os domínios de Roma, o mais implacável dos impérios

Sob o governo de Nero, que mandou incendiar a capital de seu império e, covardemente culpou os cristãos, pereceu o apóstolo Paulo. Foi ele o primeiro imperador a perseguir os cristãos.

Os servos de Cristo foram perseguidos pelo Império Romano por quase 300 anos. Todavia, demonstraram eles, com o próprio sangue, a irresistível força profética da declaração que o Senhor Jesus fizera em Cesaréia: As portas do inferno não prevalecerão contra a Igreja.

XII. O FIM DO IMPÉRIO ROMANO

Depois de séculos de sanguinolência e devassidão e férrea tirania, chega ao fim o Império Romano. A soberba e a permissividade haviam tirado do povo romano a fibra de seus antepassados e a coragem de seus patriarcas. Enquanto isso, os inimigos de Roma fortaleciam-se e preparavam-se para deitá-la por terra.

Em 476 d.C., os bárbaros invadem Roma. Desaparece, assim, o mais extenso e poderoso dos reinos humanos! No entanto, segundo profetizara Daniel, o Império Romano ressurgirá com grande poder no tempo do fim para dar suporte político e religioso à Besta e ao Falso Profeta. Sua duração, porém, será efêmera. O Rei dos reis e Senhor dos senhores encarregar-se-á de destruí-los definitivamente.

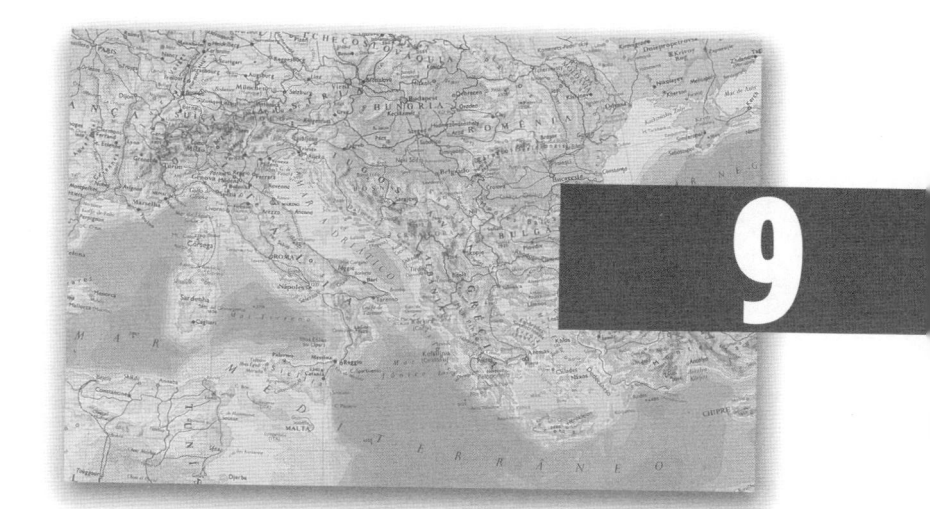

ISRAEL, A TERRA SAGRADA POR EXCELÊNCIA

SUMÁRIO: *Introdução; I. A terra da Bíblia; II. A história de Israel começa no Crescente Fértil; III. Vamos a Israel?*

INTRODUÇÃO

Em seu discurso à Comissão de Inquérito Anglo-Americana, em 25 de março de 1946, afirmou Golda Meir: "Nós só queremos aquilo que é dado naturalmente a todos os povos do mundo, sermos donos de nosso próprio destino, só do nosso destino, não do de outros, e em cooperação e amizade com outros".

O que Meir empenhava-se em dizer era que o povo judeu, disperso há mais de dois mil anos por todos os cantos e recantos do mundo, tinha direito a uma terra. Que a Israel assiste este direito, todos o sabemos. Mas como foi difícil convencer disso o mundo! Mesmo o holocausto de seis milhões de judeus, durante a Segunda Guerra Mundial, não fora suficiente para conscientizar a comunidade internacional de que o lugar de Israel é na terra de Israel.

Geografia Bíblica

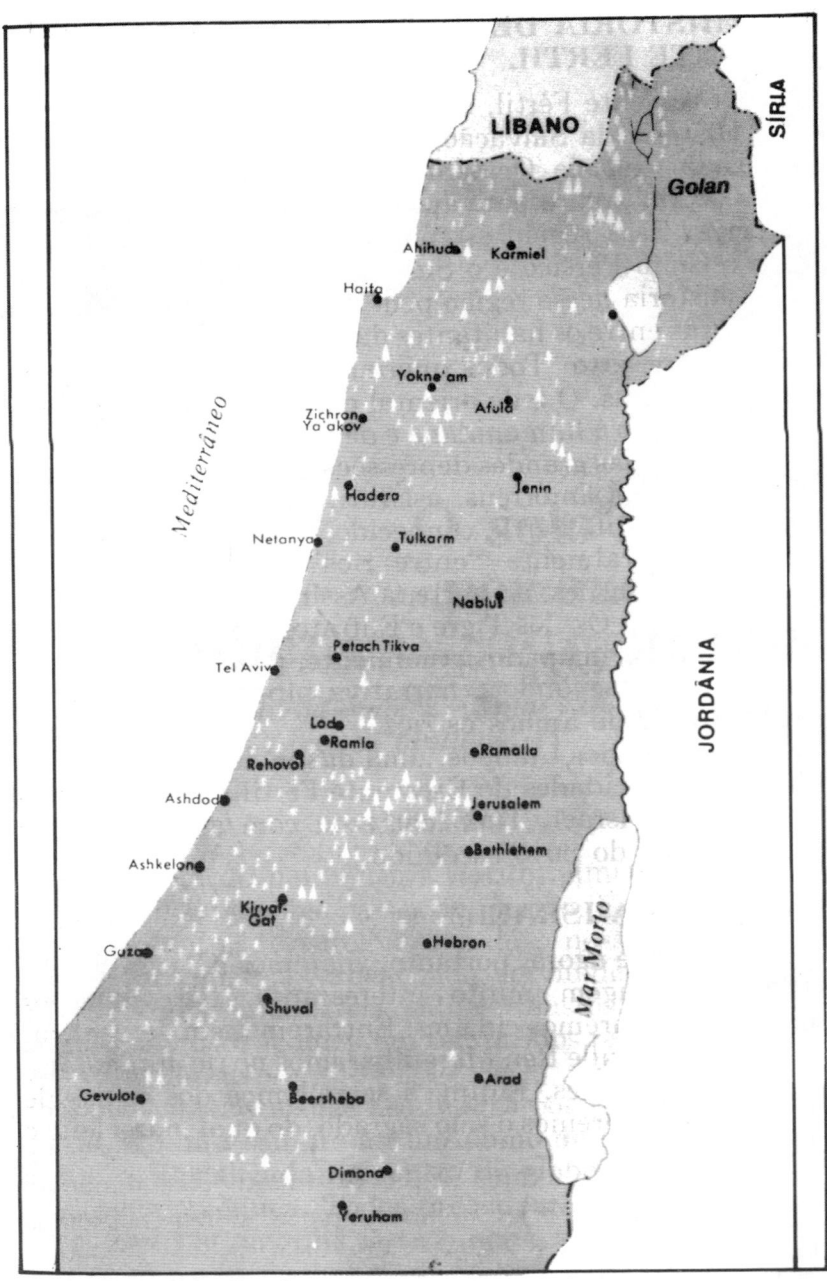

Mapa atual do Estado judeu

Mas que lugar misterioso é este? Não é apenas o lar nacional dos judeus; é, acima de tudo, o palco onde se desenrolou a maior parte do drama sagrado. Talvez a Sra. Golda Meir e outros judeus, igualmente secularizados, não compartilhem dessa visão mística de Israel. Mas este não é apenas um Estado; é, para todos os crentes, a Terra Santa por excelência.

I. A TERRA DA BÍBLIA

Na Bíblia, deparamo-nos com centenas de lugares onde desenvolveu-se a maravilhosa História da Salvação. Movidos por uma comoção irreprimível e santa, desejamos conhecer todos eles *in loco*. Isso porém nem sempre é possível. Poucos são os cristãos que reúnem os recursos necessários a fim de peregrinar pela Terra Santa.

- Então, por que não visitá-los espiritual e culturalmente?

Apelemos, pois, à Geografia Bíblica. Nas asas de suas descrições, voemos a Israel. Palmilhemos as peregrinações dos patriarcas, as jornadas dos profetas e as missões dos apóstolos. Em cada mapa, divisemos o meigo Salvador. Em cada acidente geográfico, as depressões das faltas humanas e as relevâncias do amor divino.

II. A HISTÓRIA DE ISRAEL COMEÇA NO CRESCENTE FÉRTIL

Apesar de sua importância à História Sagrada, o Crescente Fértil é, na verdade, um insignificante retângulo da Ásia Ocidental. Sua área, conquanto abranja diversos países, possui uma modesta extensão de 2.184.000 km^2, representando apenas a 234ª parte da superfície da Terra. Estende-se, semicircularmente, do Golfo Pérsico ao sul da Palestina.

Nos tempo antigos, seus limites variavam de acordo com o momento histórico; eram alargados ou diminuídos na mesma proporção das conquistas e derrotas das potências de cada época. Genericamente, porém, a Mesopotâmia abrangia o território hoje ocupado pelo Iraque, tendo ao norte a cordilheira do Taurus, ao sul o Golfo Pérsico, a oeste a Assíria e a leste a Síria.

A história do Crescente Fértil é uma tediosa seqüência de lutas entre os habitantes das serranias e as tribos nômades do deserto. Todos queriam apossar-se-lhe das fertilíssimas terras. Seu lado oriental serviu de berço à humanidade, e de cenário à primeira civilização. Em suas grandes depressões, ascenderam e caíram os impérios dos amorreus, assírios, caldeus e persas.

No Crescente Fértil, conhecido também como Mesopotâmia, floresceram duas grandes civilizações: ao norte, a Assíria; ao sul, Babilônia ou Caldéia. Os rios Tigre e Eufrates cercam esse território, ocupado atualmente pelo Iraque. O Jardim do Éden, de acordo com a Bíblia, localizava-se nas nascentes de ambos os rios.

Foi em Ur dos Caldeus, uma das mais desenvolvidas cidades do Crescente Fértil, que teve início a história de Israel. Tudo começou com a chamada de Abraão, o pai do povo hebreu que viria herdar, de conformidade com a promessa divina, a terra que mana leite e mel.

III. VAMOS A ISRAEL?

Voemos à Terra Santa. Será uma viagem muito interessante. Percorreremos planícies. Visitaremos aldeias e vilas. Entraremos em Jerusalém, a cidade do Grande Rei. Mergulharemos no Jordão. Subiremos aos montes. À semelhança dos espias de Josué, reconheçamos o solo sagrado por excelência. Sigamos os passos do Mestre.

Depois, viajemos com o apóstolo Paulo através das cidades que, embora gentias, tornar-se-iam a base de grandes empreendimentos missionários.

ISRAEL, O SOLO SAGRADO POR EXCELÊNCIA

SUMÁRIO: *Introdução; I. Os nomes de Israel; II. A localização de Israel; III. Os limites bíblicos de Israel; IV. Os limites atuais de Israel.*

INTRODUÇÃO

Embora seja um dos menores países do mundo, foi em Israel que se desenrolou boa parte da História Sagrada. É a nação dos assinalados patriarcas, dos abnegados profetas, dos decididos juízes, dos reis da casa de Davi, dos sábios do Antigo e do Novo Testamento e dos justos de todas as eras bíblicas. Em seus áridos regaços, Israel acolheu o Salvador da humanidade, e de seu provado solo, foi Ele assunto ao céu.

A Terra Santa sempre foi o centro das atenções da humanidade. Jamais lhe esquecemos o passado; de seu futuro, todos nos ocupamos. Faz-se ela presente em nosso espírito através daquela fé que, despertada nos antigos hebreus, foi-nos confiada por nosso Senhor Jesus Cristo.

Em virtude da criação do Estado de Israel, a Terra Santa passou a ocupar mais espaço na escatologia cristã. Se a figueira brotou é sinal de que o Rei está voltando.

Conheçamos a geografia das terras pisadas pelo meigo Jesus. Com os olhos da fé e com a alma em todas aquelas cercanias, palmilhemos o chão sagrado por excelência.

1. OS NOMES DE ISRAEL

Tanto na história sagrada, quanto na secular, a Terra de Israel recebeu várias designações. Cada nome por ela recebido encerra um drama testemunhado e vivido pelo povo de Deus. De uma forma ou de outra, é a Terra de Promissões.

1. Canaã. Após a dispersão da humanidade, ocorrida quando da construção da Torre de Babel, os descendentes de Canaã, filho de Cam e neto de Noé, fixaram-se nas terras que seriam entregues a Abraão. Isso ocorreu há mais de três mil e quinhentos anos antes de Cristo. Nessas paragens, notórias por sua fertilidade e riquezas naturais, os cananeus multiplicaram-se e forjaram uma vigorosa civilização.

A partir daí, aquelas terras passaram a ser conhecidas como Canaã; esta é a mais antiga designação do território israelita. No hebraico, Canaã significa: "habitante de terras baixas". Conclui-se que os cananeus muito apreciavam as planícies.

Os descendentes de Canaã chegaram a dominar grandes áreas que iam do Mediterrâneo ao Jordão.

Com o transcorrer dos séculos, Canaã passou a ter uma conotação poética. Esse nome lembra aos judeus "...uma terra boa e ampla, terra que mana leite e mel" (Êx 3.8).

2. Terra dos Amorreus. O território que Deus entregara aos judeus era conhecido também como Terra dos Amorreus. A nomenclatura é encontrada tanto no Antigo Testamento como nos escritos profanos. É um dos mais antigos nomes da Terra Santa (Gn 48.22).

3. Terra dos Hebreus. De conformidade com a árvore genealógica de Sem, os israelitas são descendentes de Héber. O território judaico, por esse motivo, era conhecido como a Terra dos Hebreus. Nesses rincões, os santos patriarcas lançaram os fundamentos da fé no Único e Verdadeiro Deus.

A palavra *hebreu*, segundo alguns exegetas, pode significar "o que vem do outro lado, ou do além". Trata-se de uma referência à peregrinação abraâmica de Ur dos Caldeus, passando por Padã Harã, até Canaã.

4. Terra de Israel. Sob o comando de Josué, os israelitas tomaram Canaã, no século XV a.C. A partir de então, passaram os territórios cananeus a serem designados como Terra de Israel. Não há nomenclatura tão apropriada como esta; encerra as promessas feitas por Deus a Abraão.

Este é o nome mais comum da Terra Santa. Encontramo-lo freqüentemente no Antigo Testamento. Constitui-se ainda num perpétuo memorial; lembra-nos ser esse território propriedade eterna e inalienável dos filhos de Abraão. Quer os gentios admitam quer não, a terra que mana leite e mel pertence à progênie abraâmica.

Após o cisma israelita, a nomenclatura passou a designar apenas as terras ocupadas pelas tribos do Norte, comandadas pelo idólatra Jeroboão. Devido aos exílios e dispersões dos judeus, recebe o seu território as mais vexatórias alcunhas. Todavia, com a criação do moderno Estado de Israel, todo o escárnio que pesava sobre os descendentes de Jacó começou a ser tirado. Hoje, quando viajamos àquelas sagradas paragens, dizemos embevecidos: "Vou à Terra de Israel". Israel é o nome da terra.

5. Terra de Judá. Depois de haver derrotado os cananeus, pôs-se Josué a dividir a Terra da Promessa. À tribo de Judá, destinou ele uma herança no Sul de Canaã. Esta região ficaria conhecida como a Terra de Judá.

Depois do cisma israelita, ocorrido em 931 a.C., a designação passou a incluir também as terras habitadas pela tribo de Benjamim.

Terminado o cativeiro babilônico, em 538 a.C., o povo de Judá retorna à sua herança, sob o comando de Zorobabel. Inspirados pela eficaz liderança de Neemias, pela erudição de Esdras, pelo zelo do sumo sacerdote Josué e pelo fervor dos profetas

Ageu e Zacarias, os judeus reorganizam-se nacionalmente nessas terras. A partir daí, as possessões abraâmicas, de um modo geral, passaram a ser conhecidas como Terra de Judá, e, seus habitantes, posto que oriundos de todas as tribos, começaram a ser chamados de judeus.

6. Terra Prometida. No século XX a.C., prometera Deus a Abraão: "Sai-te da tua terra, e da tua parentela e da casa de teu pai, para a terra que eu te mostrarei. E far-te-ei uma grande nação, e abençoar-te-ei, e engrandecerei o teu nome e tu serás uma bênção. E abençoarei os que te abençoarem e amaldiçoarei os que te amaldiçoarem; e em ti serão benditas todas as famílias da terra. Assim partiu Abrão, como o Senhor lhe tinha dito, e foi Ló com ele; e era Abrão da idade de setenta e cinco anos, quando saiu de Harã" (Gn 12.1-4).

Tendo em vista os termos desta tão sublimada aliança, o território que haveria de ser entregue a Israel ficou conhecido como a Terra Prometida. Poético e trágico, evoca esse nome as mais elevadas recordações na alma hebréia. Em virtude desse chão de promissões, os israelitas vêm suspirando e chorando.

7. Terra Santa. Zacarias, um dos mais escatológicos profetas do Antigo Testamento, vaticinou: "Exulta, e alegra-te, ó filha de Sião, porque eis que venho, e habitarei no meio de ti, diz o Senhor. E naquele dia, muitas nações se ajuntarão ao Senhor, e serão o meu povo: e habitarei no meio de ti, e saberás que o Senhor dos Exércitos me enviou a ti. Então o Senhor possuirá a Judá como sua porção na *terra santa*, e ainda escolherá Jerusalém" (Zc 2.10-12; grifo meu).

Não obstante as guerras e apesar de todos os embates políticos e sociais, Israel é conhecido como a Terra Santa. Os judeus veneram-na como o solo de seus antepassados e o chão de sua milenar esperança. Têm-na os cristãos como o berço do Salvador e o regaço da regeneração da raça humana. Para os árabes, trata-se de um campo etéreo e permeado de interrogações.

Milhares de caravanas judaicas, cristãs e árabes rumam à Terra Santa. Nenhum outro país é tão místico quanto Israel! Visitá-lo constitui-se o sonho de milhões de peregrinas almas.

8. Palestina. O referido nome é proveniente da palavra "Filístia" que designava a faixa de terra localizada no Sudeste de Canaã, ao largo do Mar Mediterrâneo. Os filisteus eram ferrenhos adversários dos hebreus e causaram muitas dificuldades a Saul e a Davi.

No período neotestamentário, o historiador Flávio Josefo cognominou todo o território israelita de Palestina. E assim foi até a fundação do Estado de Israel em 12 de maio de 1948. Atualmente, este é o nome pelo qual são conhecidos os territórios governados pela autoridade palestina.

II. A LOCALIZAÇÃO DE ISRAEL

Israel está localizado no continente asiático a 30ª de latitude Norte. Em toda a sua extensão ocidental, é banhado pelo Mar Ocidental. Tendo em vista o seu posicionamento estratégico, constituiu-se, segundo Oswaldo Ronis, "num centro de gravidade para o mundo e as civilizações da antiguidade."

Acrescenta Ronis: "Do ponto de vista comercial, ficava na rota obrigatória do tráfego entre o Oriente e o Ocidente, bem como entre o Norte e o Sul; e, do ponto de vista político, igualmente passagem inevitável dos exércitos conquistadores das grandes potências ao seu redor, razão pela qual estas se interessavam por sua conquista e fortificação. Daí as devastações sofridas pela Palestina em repetidas ocasiões da sua história".

III. OS LIMITES BÍBLICOS DE ISRAEL

Nos tempos bíblicos, Israel limitava-se ao norte com a Síria e a Fenícia. A leste, com partes da Síria e o deserto arábico. Ao sul, com a Arábia. A oeste, com o Mar Mediterrâneo.

Tais limites, entretanto, variavam de acordo com as tendências políticas e os movimentos militares de cada época. Constantemente, os israelitas tinham o seu território alargado ou diminuído. No tempo de Salomão, as fronteiras de Israel dilataram-se consideravelmente; iam do Rio do Egito ao Eufrates. Depois da morte deste grande rei, contudo, as possessões hebraicas foram diminuindo até serem absorvidas pelos grandes impérios.

IV. OS LIMITES ATUAIS DE ISRAEL

O moderno Estado de Israel limita-se ao norte com o Líbano; a nordeste com a Síria; a leste e a sudeste com a Jordânia; a sudoeste com o Egito. A oeste é banhado pelo Mar Mediterrâneo. Na fronteira com a Jordânia, fica o Mar Morto. Israel tem uma área de 20.700 km^2.

As fronteiras do território israelense foram aumentadas em torno de 400 por cento em decorrência da Guerra dos Seis Dias em 1967. Durante esse curto e memorável conflito, os israelenses anexaram a parte oriental de Jerusalém; a Judéia e Samaria, ou Cisjordânia; as colinas de Golan; a península do Sinai e a faixa de Gaza – áreas antes tuteladas pelos árabes.

Em 1982, contudo, a península do Sinai foi devolvida ao Egito em virtude do acordo de paz firmado entre os dois países. Em 1993, um pacto entre o Estado de Israel e os palestinos propiciou a estes o controle sobre Jericó e a faixa de Gaza.

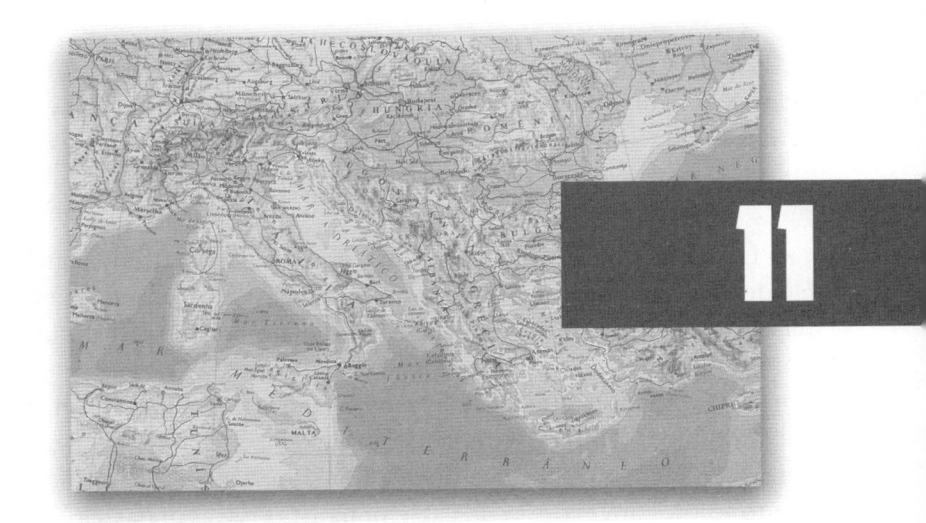

AS PLANÍCIES DE ISRAEL

SUMÁRIO: *Introdução; I. O que é planície; II. Planície do Acre; III. Planície de Dotã; IV. Planície de Moabe; V. Planície de Sarom; VI. Planície da Filístia; VII. Planície de Sefelá; VIII. Planície do Armagedom.*

INTRODUÇÃO

Os geógrafos dividem Israel em cinco principais planícies: Acre, Sarom, Filístia, Sefelá e Armagedom. Embora inexpressivas se comparadas com as do Brasil, as planícies da Terra Santa serviram de cenários para acontecimentos que jamais serão esquecidos. E a poesia que elas encerram? Quem já não ouviu falar da rosa de Sarom? Muitas recordações traz esta região ao Israel do Antigo Testamento. Quando, através da mensagem profética, vislumbramos os últimos dias, vem-nos logo à mente o Armagedom, onde será travada a grande batalha.

I. O QUE É PLANÍCIE

Planície é uma grande porção de terra, mais ou menos plana, de origem sedimentar, geralmente de baixa altitude. Via de regra, os processos de acumulação, numa planície, superam os de destruição.

II. PLANÍCIE DO ACRE

Localizada no extremo Noroeste da costa israelense, a planície do Acre estende-se até ao Monte Carmelo. Em toda a sua extensão, vai bordejando a baía de mesmo nome. A região, cujo nome em hebraico é *Akko*, e significa "areia quente", compreende uma faixa de terra que cerceia as montanhas entre a Galiléia, o Mediterrâneo, o Sul de Tiro até à Planície de Sarom. A irrigação dessas terras é feita pelos rios Belus e Quisom. Trata-se de um solo muito fértil, com exceção da parte praiana, onde as areias são demasiadamente quentes.

Quando da divisão de Canaã, a Planície do Acre coube por sorte à tribo de Aser (Js 19.25-28). Os aseritas, todavia, não conseguiram desalojar os cananeus que aí habitavam.

III. PLANÍCIE DE DOTÃ

Localizada a 20 quilômetros ao norte de Samaria, a planície de Dotã prolonga-se entre as serras meridionais desde o sudoeste de Esdrelom.

Nesta planície, achavam-se os irmãos de José, quando o venderam aos midianitas (Gn 37.17). Foi ainda em Dotã que se encontrava Eliseu quando os sírios vieram prendê-lo (2 Rs 6.13).

IV. PLANÍCIE DE MOABE

Alta e acidentada, a Planície de Moabe estende-se desde as montanhas que dominam o Mar Morto ao ocidente até à Arábia ao oriente. Ao sul, vai desde a abertura do Arnom até Edom.

Por esta região, foram os israelitas expressamente proibidos de entrar, vendo-se por isso obrigados a transitar pelo deserto de mesmo nome ao oriente (Dt 2.8,9).

V. PLANÍCIE DE SAROM

Sarom não é propriamente um nome semítico. O seu significado evoca poesias e idílios: Zona de Bosques ou Bosques de Terebintos. A planície de Sarom localiza-se entre o Sul do monte Carmelo e Jope. Com uma extensão de 85 km, sua largura varia entre 15 e 22 km.

Na Antigüidade, a região era conhecidíssima em virtude de seus bosques traiçoeiros e pântanos palúdicos. O seu solo, entretanto, era coberto de lírios e flores exóticas. Ante esse selvagem esplendor, cantou a esposa dos cantares: "Eu sou a rosa de Sarom, o lírio dos vales". Ao que lhe respondeu o Amado: "Qual lírio entre os espinhos, tal é a minha amiga entre as filhas" (Ct 2.1,2).

Os pântanos e charcos de Sarom foram drenados no século XX pelo governo israelense. Atualmente, constitui-se a área num dos mais ricos distritos agrícolas do Estado de Israel. Seus laranjais são afamados em todo o mundo. Nessa planície, são encontradas quatro flores vermelhas de grande beleza: anêmona, botão-de-ouro, tulipa e papoula.

A formosura de Sarom é comparada por Isaías à glória do Líbano (Is 35.2).

VI. PLANÍCIE DA FILÍSTIA

Situada entre Jope e Gaza, no Sudoeste de Israel, a Planície da Filístia tem 75 quilômetros de comprimento e 25 de largura. Nessa faixa de terra, habitavam os aguerridos filisteus, inimigos mortais do povo israelita.

A região era abundante em cereais e frutas. Seus figos e azeitonas eram muito apreciados. E o seu azeite?

Localizavam-se, nessa planície, as cinco principais cidades filistéias: Gaza, Ascalom, Asdode, Gate e Ecrom. Não eram propriamente cidades, mas fortalezas quase indevassáveis. Na região, ficava ainda o Porto de Jope, muito importante para os israelitas do Antigo Pacto. Quando da formação do Estado de Israel, os sionistas houveram por bem reativá-lo, tendo em vista o crescimento e o dinamismo da economia do país.

VII. PLANÍCIE DE SEFELÁ

Situada entre a Filístia e as montanhas da Judéia, a Planície de Sefelá é caracterizada por uma série de baixas colinas. A fertilidade de seu solo é proverbial; são ainda abundantes os seus trigais, vinhedos e oliveiras.

O significado hebraico de Sefelá – terras baixas ou mais baixas – realça a topografia da planície. Ela mais parece uma faixa de terra do que uma planície propriamente dita. Enéas Tognini classifica-a como "um altiplano rochoso que corre da costa, rumo SE, penetrando até a fronteira da tribo de Judá".

Sefelá foi o lar de Abraão e Isaque por longos anos. Em seus longes, peregrinara os santos patriarcas. Quão ricas foram as suas experiências com o Todo-Poderoso Deus!

Por causa de sua localização estratégica, foi motivo de não poucas discórdias e guerras entre israelitas e filisteus. O seu nome, todavia, só é encontrado no livro apócrifo de primeiro Macabeus 12.38. No Antigo Testamento, pode ser identificada como a terra dos filisteus.

VIII. PLANÍCIE DO ARMAGEDOM

Esta planície é conhecida também por estes nomes: Jezreel ou Esdraelom. Em virtude de sua extensão e peculiaridades, o Armagedom é também considerado um vale. A maioria dos geógrafos bíblicos, entretanto, prefere classificá-la como planície.

O Armagedom encontra-se na confluência de três vales, dos quais o mais importante é Jezreel. Localizada entre os montes da Galiléia e os de Samaria, a planície (a maior de Israel) é insuperável por sua formosura. Suavemente, alarga-se em direção do Carmelo até repousar nos montes Líbanos.

Em sua *Geografia Bíblica*, Oswaldo Ronis fornece-nos mais algumas informações acerca do Armagedom:

"No ângulo sueste da planície, fica o local da antiga e importante cidade fortificada de Jezreel, que foi a capital do reino do Norte no tempo de Acabe e Jezabel. Para o leste desta cidade, desce o vale de Jezreel até atingir o Jordão na altura de Bete-Seã. De modo que a cidade empresta o seu nome tanto à planície que se estende para o noroeste como ao vale que toma a direção leste".

A planície do Armagedom é uma das áreas mais estratégicas de Israel. Constitui-se ela numa via de comunicação natural entre a cidade de Damasco e o Mar Mediterrâneo. Nos tempos bíblicos, serviu de palco a renhidos combates. A planície é atravessada longitutinalmente, de leste a oeste, pelo rio Kishon que desemboca no Mediterrâneo.

O Armagedom está ligado a um grande evento escatológico. O evangelista João cita-o em seu Apocalipse: "E os congregaram no lugar que em hebreu se chama Armagedom" (Ap 16.16). Aqui, serão os judeus submetidos à sua mais acrisolada prova. O Senhor, todavia, escolheu esse lugar para reconduzir os filhos de Israel às santas alianças. Quando isso ocorrer, os israelitas livrar-se-ão para sempre de seus algozes, e haverão de reconhecer a soberania do Deus de Abraão.

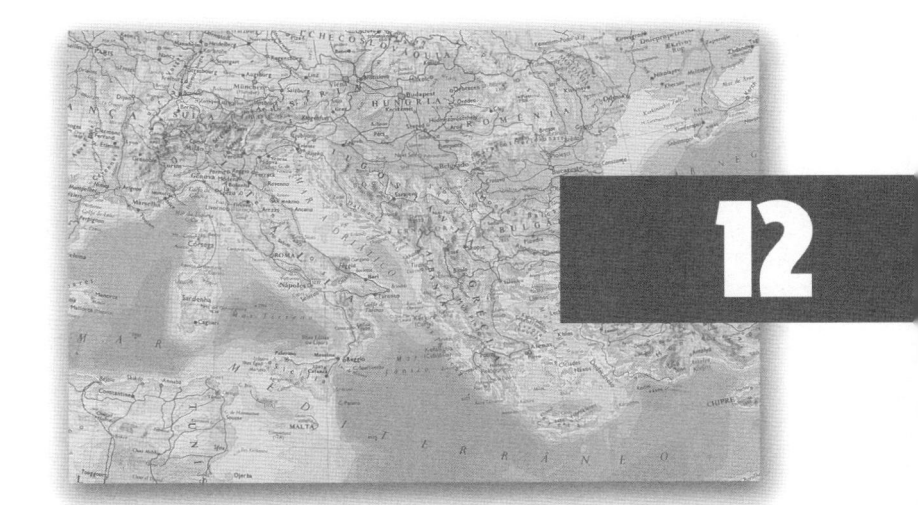

OS VALES DA TERRA SANTA

SUMÁRIO: *Introdução; I. O que é um vale; II. A importância dos vales em Israel; III. Vale do Jordão; IV. Vale de Jezreel; V. Vale de Acor; VI. Vale da Bênção; VII. Vale do Cedrom; VIII. Vale de Hinom; IX. Vale de Aijalom; X. Vale de Escol; XI. Vale de Hebrom; XII. Vale de Sidim; XIII. Vale do Soreque; XIV. Vale de Elá; XV. Vale de Siquém.*

INTRODUÇÃO

Israel é uma terra de vales. Foi o que disse Moisés aos hebreus antes que estes se apropriassem de sua herança: "Porque a terra que passais a possuir não é como a terra do Egito, donde saístes, em que semeáveis a vossa semente, com o pé, e a regáveis como a uma horta; mas a terra que passais a possuir é a terra de montes e de *vales*: da chuva dos céus, beberás as águas" (Dt 11.10,11).

Foi nos vales da Terra Santa que se desenvolveu boa parte da História Sagrada. Conforme adverte Moisés, teriam os peregrinos de firmar-se nas provisões divinas para se manterem em sua herança. Se o Egito era uma dádiva do Nilo, era Israel um presente dos

Geografia Bíblica

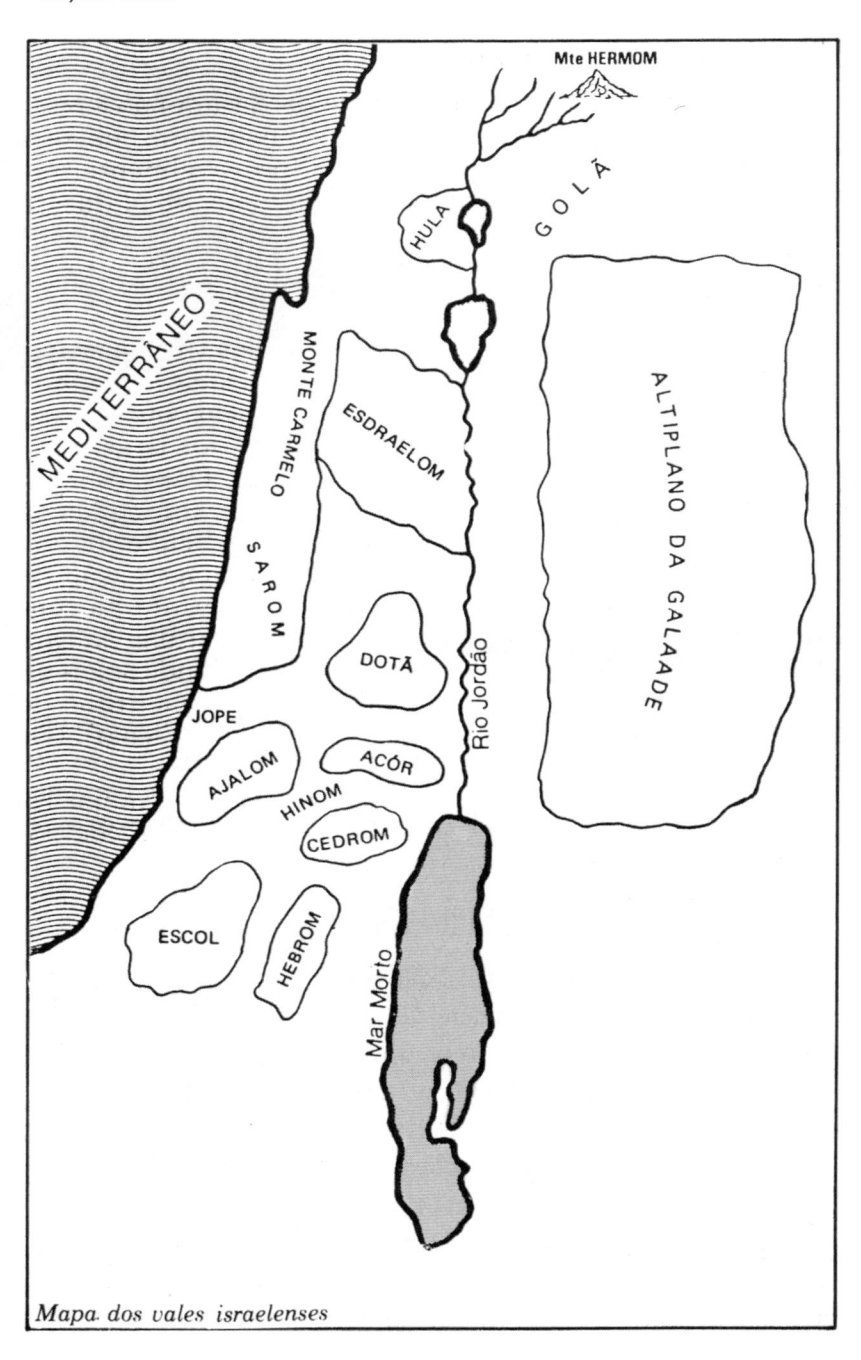

Mapa dos vales israelenses

céus. Se estes não chovessem, como haveriam os israelitas de sobreviver? Mas, em cada vale, havia sempre uma bênção a ser colhida.

I. O QUE É UM VALE

Vale é uma depressão alongada entre montes ou quaisquer outras superfícies. A palavra é bastante comum no Antigo Testamento. Encontramo-la 188 vezes nas escrituras hebraicas. No Novo Testamento, contudo, é mencionada apenas uma vez.

Lendo as Sagradas Escrituras, concluímos serem os vales mui importantes para Israel.

II. A IMPORTÂNCIA DOS VALES EM ISRAEL

No *Novo Dicionário da Bíblia*, A.R. Millard assim discorre sobre a importância dos vales em Israel: "Na Palestina, onde a chuva cai somente durante certo período do ano, a paisagem é recortada por muitos vales estreitos e leitos de riachos (ou wadis), que só exibem água durante a estação chuvosa (em hebraico, *nahal*; no árabe, *wadi*). Freqüentemente, pode ser encontrada água subterrânea nesses wadis, durante os meses de estio (Cf. Gn 26.17,19). Os rios perenes atravessaram vales e planícies mais largos (no hebraico, *êmeq, bia'ã*), ou então cortam gargantas estreitas através da rocha. O vocábulo hebraico 'shephelã' denota *terreno baixo*, especialmente a planície costeira; 'gay' é termo hebraico que significa simplesmente *vale*".

III. VALE DO JORDÃO

É o maior vale da Terra Santa. Começa no sopé do Monte Hermom, no extremo norte, e vai até ao mar Morto, no extremo sul, recortando longitudinalmente o território israelita. Esse vale, importantíssimo cenário na história do povo de Israel, é na verdade uma grande fenda geológica.

Iniciando-se com uma largura de 100 metros, vai alargando-se até chegar a três quilômetros nas imediações do Mar da Galiléia; e quando chega nos limites do Mar Morto, alcança o seu ponto máximo: 15 quilômetros. A partir daí, começa a estreitar-se novamente.

Através desse vale, corre o rio que lhe empresta o nome: o Jordão, onde foi o Senhor Jesus batizado. É o vale mais profundo da Terra: encontra-se a 426 metros abaixo do nível do Mar Mediterrâneo. Do Hermom, onde nasce, até ao Mar Morto, onde termina, tem o Vale do Jordão uma extensão de 215 quilômetros de extensão.

Netta Kemp de Money fornece-nos mais algumas informações sobre o vale do Jordão: "Seu solo, em parte argiloso e arenoso, interrompe-se por penhascos de greda gris e inumeráveis pedras de forma fantástica, que imprimem àquela paisagem um ar um tanto triste e desolador. Grande parte deste vale, todavia, é de uma fertilidade exuberante e todo suscetível de cultivo. O vale do Jordão não constituía antigamente barreira intransponível, mas dificultava a comunicação e o livre tráfego entre as tribos irmãs em ambos os lados".

IV. VALE DE JEZREEL

Não há que se confundir o Vale de Jezreel com a planície de mesmo nome. A confusão existe em decorrência da inexatidão de alguns geógrafos bíblicos.

O Vale de Jezreel começa nas nascentes do ribeiro de Jalud e termina no Vale do Jordão, nas cercanias de Bete-Seã. Nos limites deste vale, localiza-se a moderna cidade de Zerim.

V. VALE DE ACOR

Este vale, centralizado no Wadi Qumram, acha-se a 16 quilômetros de Jericó, e tem uma extensão de aproximadamente sete quilômetros e meio.

Em Acor, foi Acã apedrejado em conseqüência de sua cobiça. Eis por que o nome deste vale, em hebraico, significa perturbação. Em conseqüência da profanação de Acã, os israelitas sofreram pesadas derrotas diante de um exército inexpressivo e que, de início, não representava nenhuma ameaça. A maldição só deixou o arraial dos israelitas com o justiçamento de Acã:

"Então Josué e todo o Israel com ele tomaram a Acã, filho de Zerá, e a prata, e a capa, e a cunha de ouro, e a seus filhos, e as suas filhas, e a seus bois, e a seus jumentos, e as suas ovelhas, e a sua tenda, e a tudo quanto tinha; e levaram-nos ao *vale de Acor*. E disse Josué: Porque nos turbastes, o Senhor te turbará a ti este dia. E todo o Israel o apedrejou com pedras, e os queimaram a fogo; assim o Senhor se tornou do ardor da sua ira: pelo que se chamou o nome daquele lugar o *vale de Acor*, até o dia de hoje" (Js 7.24-26; grifo meu).

Era no Vale de Acor, localizado entre as terras de Judá e Benjamim, que ficavam as fortalezas de Midim, Secacá e Nibsam. Acor é o primeiro topônimo a ser mencionado no rolo de cobre de Qumram.

VI. VALE DA BENÇÃO

Localizado no território de Judá, o Vale da Bênção situa-se entre Jerusalém e Hebrom, distante 7,5 km a oeste de Tecoa e 11 de Belém. Foi neste vale que o bom rei Josafá venceu uma coligação formada por Amom, Moabe e Edom (2 Cr 20.26).

Este vale é conhecido também como Beraca que, em hebraico, significa "bênção".

VII. VALE DO CEDROM

Em Joel 3.2-12, o Cedrom é identificado como o Vale de Josafá. Como Josafá em hebraico significa "Deus julgou", Cedrom é visto, profeticamente, como o Vale do Juízo Final. É aí que o Senhor reunirá todas as nações a fim de julgá-las quanto ao trato que dispensaram a Israel.

O Cedrom nasce junto aos sepulcros dos Juízes, a noroeste de Jerusalém. Avançando aproximadamente 800 metros, abeira-se dos sepulcros dos reis ao sopé do Monte Scopus. Este vale separa Jerusalém do Monte das Oliveiras. Daqui, segue em direção ao sul rumo ao Mar Morto.

VIII. VALE DE HINOM

Localiza-se no Sul de Jerusalém junto à porta do Oleiro (Jr 19.2). Nos tempos bíblicos, o Vale de Hinom servia como fronteira às tribos de Judá e Benjamim. Infere-se ter sido Hinom o antigo proprietário deste vale, que corre de norte para sul a oeste de Jerusalém.

No Vale de Hinom, o rei Davi derrotou os filisteus duas vezes (2 Sm 5.17-25 e 1 Cr 11;14.9-16). Mais tarde, a região, que compreende uma área de dois quilômetros e meio, serviria de palco ao sacrifício de crianças ao deus Moloque (1 Rs 11.7; 2 Rs 16.3).

Finalmente, o Hinom seria reservado para o armazenamento e incineração do lixo da cidade. Como estava sempre a arder, os judeus passaram a ver nele uma perfeita figura do castigo eterno.

IX. VALE DE AIJALOM

O Vale de Aijalom foi palco de um dos maiores milagres já presenciados por qualquer ser humano. Nesta região, deteve-se o sol a uma ordem de Josué, dando condições estratégicas aos israelitas de infligirem fragorosa derrota aos amorreus (Js 10.12-15).

Neste mesmo vale, Judas Macabeu obteve, no século II a. C., decisivo triunfo sobre os exércitos de Antíoco Epífanes, tirano grego da Síria.

Aijalom localiza-se nas imediações de Sefelá, a 24 quilômetros a noroeste de Jerusalém. Com 18 quilômetros de comprimento e nove de largura, o vale abrigou, no ano 70 de nossa era, as tropas do general Tito. Daqui, os romanos saíram a destruir Jerusalém e o Santo Templo.

Em 638, os árabes acamparam-se neste vale para dar combate aos bizantinos. Por essas paragens estiveram também os cruzados que, induzidos por seus reis e por alguns clérigos, vinham reconquistar a Terra Santa. Durante a Primeira Guerra Mundial, os ingleses derrotaram em Aijalom as tropas turcas. E, quando da independência de Israel, aqui foram travadas sangrentas batalhas entre judeus e árabes.

Atualmente, a área é ocupada pela cidade industrial de Yalo.

X. VALE DE ESCOL

Uma região fértil e abundante em vinhedos. Assim é o vale de Escol. John Davis fornece-nos alguns detalhes desse vale: "Celebrizou-se pela exuberância de vinhedos, produtores de dulcíssimos cachos. Ignora-se se este nome era já conhecido antes de Moisés. Como quer que seja, Hebrom relembrava aos israelitas o local onde os espias enviados por Moisés para reconhecer a terra, cortaram o famoso cacho de uvas, que dois deles trouxeram enfiado em uma vara".

O vale de Escol, cujo nome em hebraico significa "cacho", está localizado nas proximidades de Hebrom. Ainda hoje Escol é assinalado pela fertilidade. Quem já não ouviu falar de sua viticultura? Não é raro encontrar aqui cachos de uvas semelhantes àqueles que os espias levaram a Moisés (Nm 13.22-24).

XI. VALE DE HEBROM

Durante suas constantes e árduas peregrinações, Abraão veio a fixar-se, certa feita, no Vale de Hebrom, onde ficava um lugar mui promissor: Manre. Teve aí o nosso pai na fé ricas experiências: construiu um altar ao Senhor e dEle recebeu a promessa de que, não obstante a avançada idade, ainda teria um filho (Gn 18.1-15).

O vale de Hebrom também serviu de sepulcro à família patriarcal. Na sepultura de Macpela, repousam os ossos de Sara, Abraão, Isaque, Lia e Jacó. Os doze patriarcas, segundo Flávio Josefo, aí também repousam.

Localizado a 35 quilômetros ao sul de Jerusalém, o Vale de Hebrom está a quase mil metros acima do nível do Mediterrâneo. O seu nome primitivo era Quiriate Arba (Gn 23.2). Com os seus 30 quilômetros de comprimento, guarda muitos resquícios da era patriarcal como o famoso Terebinto de Moré. Hebrom ainda é conhecido por este nome, e encontra-se sob a tutela da autoridade palestina.

XII. VALE DE SIDIM

No Vale de Sidim, localizado na extremidade meridional do Mar Morto, ficavam as impenitentes Sodoma e Gomorra. A coligação de Quedorlaomer defrontou-se aqui com os exércitos dos cinco reis. A intervenção de Abraão foi decisiva. O piedoso patriarca mostrou que, além de homem de fé, era também um intrépido capitão (Gn 14.1-24).

Recentemente, a arqueologia descobriu, em Sidim, vestígios de antiqüíssimas cidades que, segundo as pesquisas, teriam sido destruídas por uma grande explosão alimentada pelos poços de betume mencionados no texto sagrado. Uma vez mais, a veracidade das Escrituras Sagradas é corroborada pela ciência, ainda que desta possa o Livro Santo prescindir.

Atualmente, o Vale de Sidim mostra-se aridificado e quase sem vida. Nos dias de Ló, contudo, parecia o próprio Éden. Merril F. Unger compendia estes interessantes dados:

"Em algum tempo, por volta da metade do século XXI a.C., o vale de Sidim com suas cidades foi subvertido por uma grande conflagração (Gn 19.23-28). Essa região é mencionada como 'cheia de poços de betume' (Gn 14.10), e depósitos de petróleo podem ainda ser encontrados nela. Toda a região está na longa linha quebrada que formava o vale do Jordão, o mar Morto e o Arabá. Através da história, ela tem sido palco de terremotos, e embora a narrativa bíblica registre apenas os elementos miraculosos, a atividade geológica foi, sem dúvida, um fator partícipe. O sal e o enxofre nativos nessa área, que é agora uma região *queimada* de óleo e asfalto, foram misturados por um terremoto, resultando em violenta explosão. O sal e o enxofre ascenderam aos céus, tornando-o rubro com o seu calor, de forma que, literalmente, choveu fogo e enxofre sobre toda a planície (Gn 18.24,28). Em algum lugar sob as águas do lago cujo nível sobe lentamente, ao sul, nas vizinhanças desse monte, poderão ser encontradas as Cidades da planície. Nas épocas clássicas e neotestamentárias, as suas ruínas ainda eram visíveis não tendo sido cobertas pelas águas."

O vale de Sidim é uma séria advertência à raça humana: de Deus não se escarnece; tudo o que o homem semear isto também ceifará.

XIII. VALE DO SOREQUE

Era a terra natal de Dalila (Jz 16.4). Distante de Jerusalém 21 quilômetros, por este vale passava uma importante via de ligação entre a Cidade Santa e o Mediterrâneo. Atualmente, o trajeto compreende uma estrada de ferro. Soreque separava as tribos de Judá e de Dã. Nessa região, o Espírito do Senhor impelia Sansão, de quando em quando, a lutar contra os filisteus.

XIV. VALE DE ELÁ

Conhecido também como o Vale de Terebintos, Elá fica a sudoeste de Jerusalém entre Azeca e Socó. A região foi testemunha de encarniçadas batalhas entre Israel e a Filística (1 Sm 17.2-19 e 21.9).

Foi no Vale de Elá que Davi matou o soberbo Golias. A história jamais será esquecida. O vale, todavia, quase nunca é lembrado.

XV. VALE DE SIQUÉM

Certa vez, durante o seu ministério terreno, Jesus sentou-se à beira do Poço de Jacó (Jo cap.4). E de forma inconfundível e serena, falou do Reino de Deus a uma pobre samaritana. Daquele inefável diálogo, surgiu um grande avivamento entre os desprezados filhos de Samaria.

O Poço de Jacó fica em Siquém. Com seus 12 quilômetros de comprimento, este vale, localizado entre os montes Gerizim e Ebal, bem no centro de Israel, explode em exuberâncias. Suas muitas nascentes fazem-no uma perfeita imagem dos mananciais da eternidade.

Siquém foi o primeiro lar do patriarca Abraão. Neste lugar, cujo nome em hebraico significa *ombro*, Jacó armou a sua tenda ao voltar de Harã. Aqui foi sua filha, Diná, deflorada por um imprudente e impulsivo príncipe. Por causa disso, os irmãos da jovem, Simeão e Levi, passaram a cidade ao fio da espada. Neste solo, respousa os ossos de José.

OS MONTES DA TERRA SANTA

SUMÁRIO: *Introdução; I. O que é um monte; II. A importância dos montes para Israel; III. Montes de Judá; IV. Montes de Efraim; V. Montes de Naftali; VI. Montes Transjordanianos; VII. Monte Hermon; VIII. Monte Sinai.*

INTRODUÇÃO

Embevecido pela geografia das terras santas, salmodiou certa vez Davi: "Os que confiam no Senhor serão como o monte de Sião, que não se abala, mas permanece para sempre. Como estão os montes à roda de Jerusalém, assim o Senhor está em volta do seu povo desde agora e para sempre" (Sl 125.1,2).

O que teria levado o rei de Israel a referir-se assim aos montes? Suas andanças? Peregrinações e fugas? Somente um romeiro do Senhor poderia valorizar os relevos de sua terra, e destes tirar as mais fortes vibrações da lira.

Os montes sempre exerceram fortíssima influência sobre a alma hebréia. Nas elevações dos termos de Jacó, vislumbravam os israelitas a majestade do grande *Eu Sou*. Outras experiências espirituais tiveram eles nos montes que, em Israel, são bastante comuns.

I. O QUE É UM MONTE

A palavra monte vem do vocábulo latino *monte* e do grego *oros*, e tem o seguinte significado: "Elevação notável de terreno acima do solo que a cerca; serra".

John Davis assim o define: "Elevação natural da terra. Aplica-se geralmente a uma eminência, mais ou menos saliente, menor do que a montanha, e maior do que um outeiro. Estes nomes têm valor relativo; às vezes a mesma elevação é designada, em alguns lugares, por monte e em outros por montanha." A parte da geografia que se dedica a cuidar dos montes é a orografia – *oros,* montes + *graphein,* descrição. Orografia, portanto, é a ciência que se dedica a descrever cientificamente os montes.

II. A IMPORTÂNCIA DOS MONTES PARA ISRAEL

O pastor Enéas Tognini, um dos primeiros geógrafos bíblicos do Brasil, assim se refere à importância da orografia israelita:

"Israel passou 400 anos no Baixo Egito, cujas terras são planas, onde não chove, pois confina com o medonho deserto do Saara. Esse povo passaria, sob o comando de Moisés, para Canaã, terra de montes e vales, e onde a chuva é abundante no inverno. Os montes exerceram poderosa influência no povo que cantou em sua poesia ou prosa os cumes e as elevações. A importância dos montes na Bíblia é muito grande. As tábuas da Lei foram dadas por Deus a Moisés num monte; Arão morreu num monte; também Moisés; a bênção e a maldição foram proclamadas em montes; João Batista nasceu nas montanhas; Jesus nasceu na região montanhosa da Judéia; sua grande batalha com o diabo foi num monte; num monte foi o seu maior sermão; transfigurou-se num monte; agonizou num monte; foi crucificado num monte; e sepultado e ressurrecto num monte, e, ainda, ascendeu

Os montes da Terra Santa

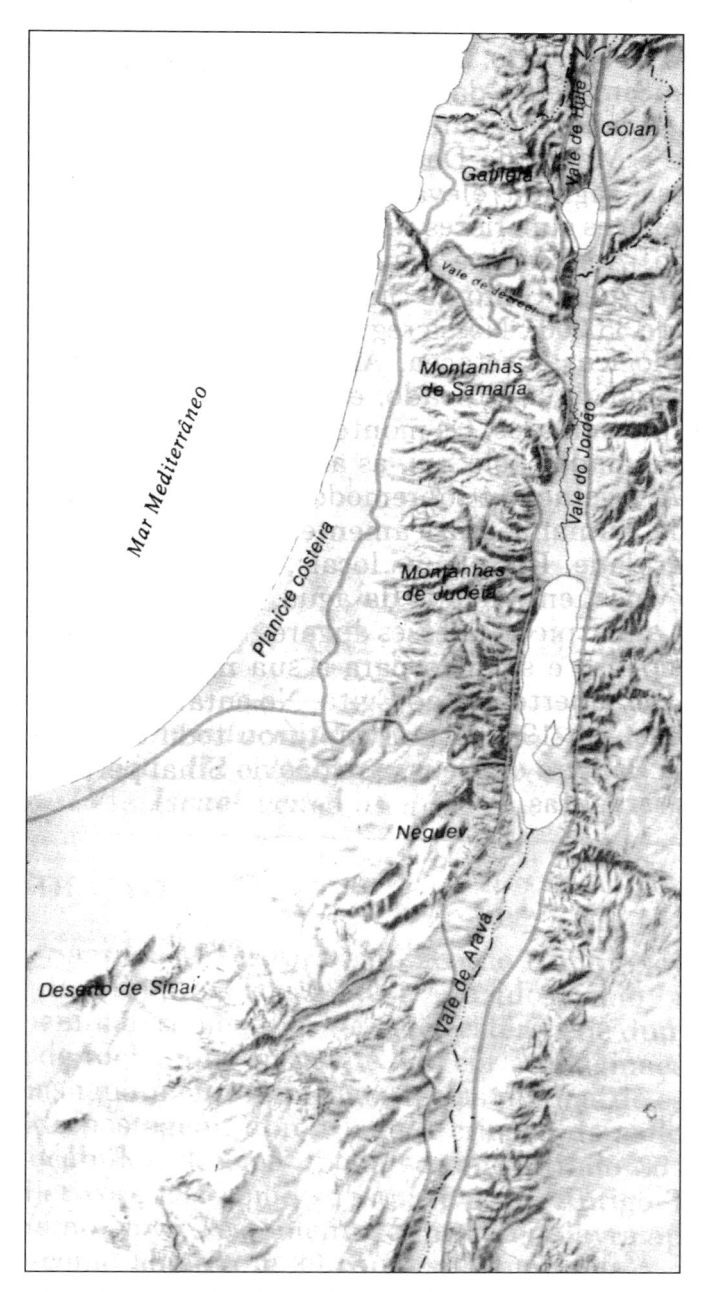

Mapa das montanhas do Estado de Israel

123

ao céu de um monte, e mais: voltará, colocando seus pés no monte das Oliveiras".

Estudemos, pois, os montes de Israel. Eles foram testemunhas de grandes feitos divinos.

III. MONTES DE JUDÁ

Localizando-se ao sul de Efraim, os montes de Judá constituem-se numa série de elevações entre as quais há herbosos vales, e por onde correm riachos que deságuam no Mar Morto e no Mediterrâneo. Eis os mais notórios montes de Judá: Sião, Moriá, Oliveiras e o da Tentação.

1. Monte Sião. O Monte Sião ergue-se altivo e soberano. Localizado na parte Leste de Jerusalém, eleva-se a 800 metros em relação ao Mediterrâneo. É a mais alta montanha da Cidade Santa. Assim se refere Joel a Sião: "E vós sabereis que eu sou o Senhor vosso Deus, que habito em Sião, o monte da minha santidade; e Jerusalém será santidade; estranhos não passarão mais por ela" (Jl 3.17).

Antigamente, o Sião era habitado pelos Jebuseus. Davi, entretanto, ao assumir o governo israelita, resolveu desalojá-los dali. A partir daquele momento, a singular elevação passou a ser a capital do Reino de Israel. Constituía-se ainda o Monte Sião, em virtude de sua localização privilegiada, numa fortaleza natural onde refugiavam-se os moradores de Jerusalém em tempos de calamidade.

Mais tarde, ordenou Davi fosse levada a arca da aliança ao Monte Sião. Em vista disso, foi este considerado santo pelos hebreus. Décadas mais tarde, com a remoção da sagrada urna ao Santo Templo, a área do Sião passou a designar também o sítio onde seria construído o Santo Templo e, por extensão, toda a Jerusalém.

Em Sião, encontra-se a sepultura do rei Davi. Numa de suas lombadas, acha-se um cemitério protestante, onde repousam os ossos do renomado arqueólogo Sir Flinders Petri.

Após o Exílio Babilônico, os judeus começaram a identificarse mais intensamente com a mística Sião. Na soberba e ímpia Babilônia, lembravam-se eles deste nome, e derramavam copiosas lágrimas. Quem não se emociona com o Salmo 137? Nos tempos modernos, os judeus criaram um movimento visando à criação do Estado de Israel, cujo nome é Sionismo. A designação reflete o amor que os israelitas de todas as tribos devotam à sua terra.

Na tipologia do Novo Testamento, a morada dos santos é considerada a Sião Celestial para onde todos os redimidos pelo sangue do Cordeiro seremos levados. Amém! Ora vem Senhor Jesus!

2. Monte Moriá. Moriá é sinônimo de abnegação, renúncia e sacrifício. Neste monte, o patriarca Abraão foi submetido à maior prova de sua vida.

Constrangido pelo Todo-Poderoso, deixou suas tendas e foi em direção ao Monte Moriá, onde deveria oferecer seu filho, Isaque, em holocausto ao Senhor. Já tendo erguido o altar, e já disposto sobre este a lenha e a vítima, e já estimando ter chegado o momento do sacrifício, eis que de repente ouve a voz de Deus:

"Abraão, Abraão! E ele disse: Eis-me aqui. Então disse-lhe o anjo do Senhor: Não estendas a mão contra o moço, e não lhe faças nada; porquanto agora sei que temes a Deus, e não me negaste o teu filho, o teu único" (Gn 22.11,12). Continua a narrativa: "Então levantou Abraão os seus olhos; e eis um carneiro detrás dele, travado pelas suas pontas num mato; e foi Abraão, e tomou o carneiro, e ofereceu-o em holocausto, em lugar de seu filho" (Gn 22.13).

Localizado a leste de Sião, o Moriá tem uma altitude média de 800 metros ao nível do Mediterrâneo. De forma alongada, sua parte mais baixa era conhecida como Ofel. No tempo de Abraão, Moriá não designava propriamente um monte, mas uma região.

Mil anos após a era patriarcal, Salomão construiu neste monte o Santo Templo. A Casa do Senhor, entretanto, seria destruída por Nabucodonosor, em 586 a.C. Reconstruída no tempo de Esdras e Neemias, novamente seria destruída pelo general Tito, no ano 70 de nossa era. Atualmente, sobre o Moriá, encontra-se a

Mesquita de Omar, um dos mais venerados santuários dos muçulmanos.

O que significa Moriá? O professor Zev Vilnay explica: "Os sábios de Israel perguntaram: - 'Por que este monte se chama Moriá?' - Porque vem da palavra 'Morá', que, em hebraico, significa *temor*. Desta montanha o temor de Deus percorreu a terra toda. Outra versão diz que vem de 'ora', que quer dizer *luz*, pois quando o Todo-Poderoso ordenou: 'Haja luz', foi do Moriá que pela primeira vez brilhou a luz sobre a humanidade".

Moriá poderia ser chamado hoje "Montanha das Lágrimas". Do Santo Templo, restou apenas uma muralha, na qual judeus de todo o mundo vêm chorar seus exílios e amarguras. O Muro das Lamentações é o último resquício da glória passada de Israel.

3. Monte das Oliveiras. O Monte das Oliveiras situa-se no setor oriental de Jerusalém. Do Moriá, é separado pelo Vale do Cedrom. Esse monte, denominado "Mons Viri Galilaei", compõe uma cordilheira sem muita expressão, com aproximadamente três quilômetros de comprimento.

Na parte ocidental do Monte das Oliveiras, fica o Jardim do Getsêmani. Nos dias do Antigo Testamento, a sagrada elevação era coberta de oliveiras, vinhedos, figueiras e uma série de outras árvores frutíferas e ornamentais. A fertilidade da região é proverbial. Haja vista que a Festa dos Tabernáculos, logo após o retorno dos exilados de Babilônia, foi realizada com os ramos das árvores do Monte das Oliveiras.

Foi no Jardim do Getsêmani que Jesus enfrentou um dos mais dolorosos momentos de seu ministério. Envolto na sombra da noite, clamou. Pressionado por nossos pecados, chorou. Ali, foi seu corpo esmagado, qual fruto da oliveira, por causa das nossas transgressões. Mas, de seu sofrimento, saiu o óleo que nos pensa todas as feridas da alma.

4. Monte da Tentação. Logo após o seu batismo, foi Jesus levado a um monte, onde passou 40 dias. Em absoluto jejum, foi o nosso Redentor tentado pelo diabo. Depois disso, teve fome

Os montes da Terra Santa

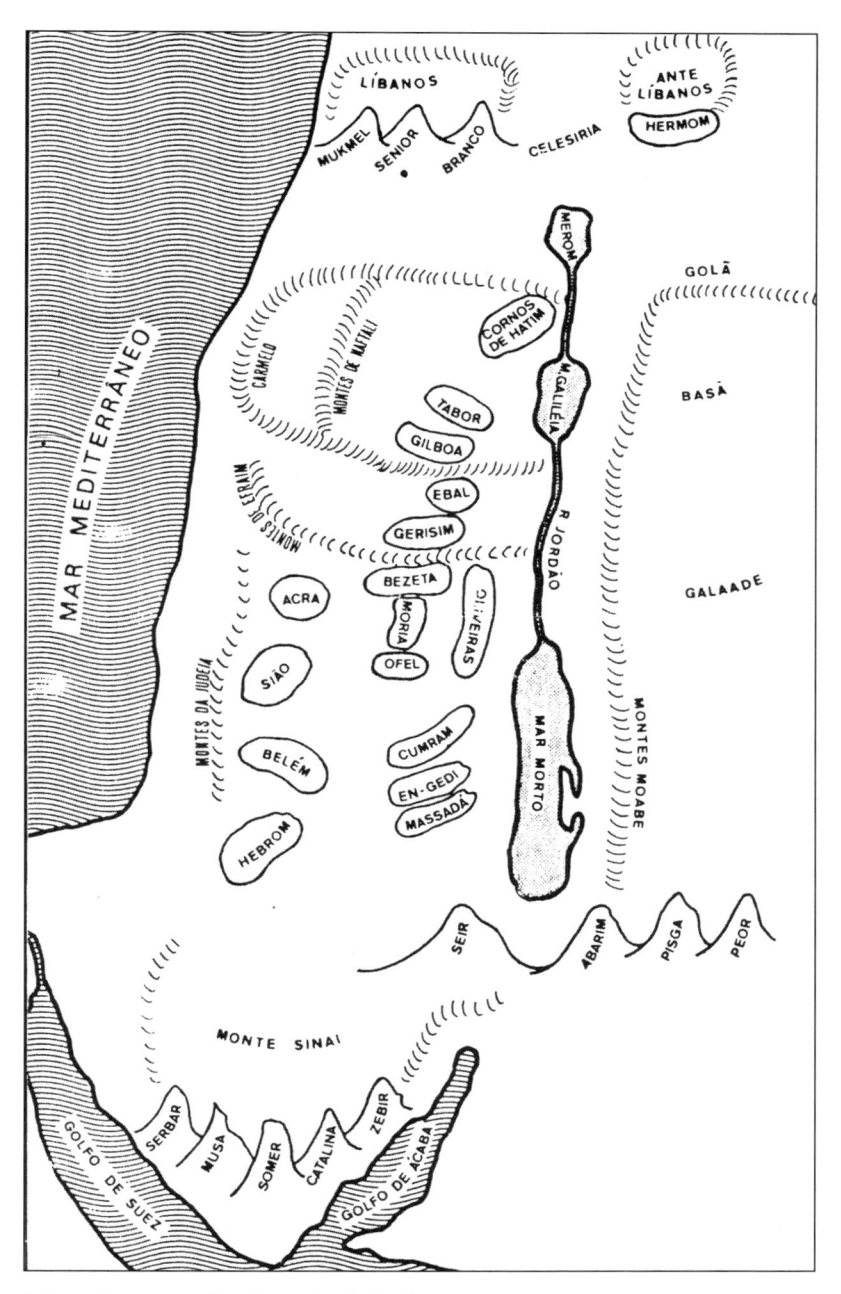

Mapa das montanhas da antiga Palestina

naqueles solitários longes. Por servir de claustro ao Salvador, esta elevação é conhecida como o Monte da Tentação.

Distante 20 quilômetros a leste de Jerusalém, o monte fica a quase 1000 metros acima do nível do mar. Sua altura, contudo, não ultrapassa a 300 metros, por encontrar-se no profundo Vale do Jordão. Caracterizado por ingrata aridez, possui inúmeras cavernas, onde os monges refugiam-se até hoje para meditar.

Na verdade, as Sagradas Escrituras não declinam a localização do monte onde foi o Senhor tentado. Entretanto, o monte conhecido como o da tentação é o único que corresponde ao cenário da vitória de Cristo sobre o maligno.

IV. MONTES DE EFRAIM

A região montanhosa de Efraim abrange a área ocupada pelos efraimitas, pela metade dos manassitas e por uma parcela dos benjamitas. Compreendida no Planalto Central, recebe a área ainda estes nomes: Monte de Naftali, Monte de Israel e Monte de Samaria.

Eis os mais importantes montes de Efraim: Ebal e Gerizim. Sobre estes montes, eram pronunciadas as maldições e as bênçãos sobre os filhos de Israel. Ambas as elevações formam um perfeito anfiteatro.

1. Monte Ebal. Situado a 52 quilômetros ao norte de Jerusalém e 10 quilômetros ao sudoeste de Samaria, o Ebal possui um solo aridificado e pontilhado de escarpas. Tem 300 metros de altura e fica a mais de mil metros acima do Mar Mediterrâneo.

Nesse monte, foram erguidas as pedras que serviriam de memorial à entrada de Israel em Canaã (Js 8.30-32). Aqui punham-se as tribos de Rubem, Gad, Aser, Zebulom, Dan e Naftali a fim de proferirem as maldições que cairiam sobre os israelitas se viessem estes a quebrantar as leis divinas.

Jotão proclamou seu célebre apólogo do cume desse monte, incitando Israel a lutar contra o usurpador Alimeleque (Jz 7.9-21).

Tanto o Ebal como o Gerizim ocupam posição estratégica.

Para se alcançar qualquer parte da Terra Santa, há de se passar necessariamente por ambos os montes.

2. Monte Gerizim. O Gerizim, ao contrário do Ebal, é recoberto por reconfortante vegetação. Sua altura é de 230 metros. Em relação ao Mediterrâneo, está situado a 940 metros de altitude. Nesse monte, foram abertas muitas cisternas para captar as águas da chuva.

Após o exílio babilônico, os samaritanos, instigados por Sambalá, construíram um templo sobre o Gerizim. Visavam eles a empanar a glória do Templo reconstruído por Esdras e Neemias. Em 129 a.C., porém, o santuário dos samaritanos foi destruído por João Hircano. Vestígios desse templo foram descobertos por Salcy no século XX. Conforme descreve o laborioso arqueólogo, tratava-se de um edifício rico e mui suntuoso.

O Monte Gerizim, conhecido atualmente como Jebel-et-Tor, continua a ser reverenciado pelos samaritanos. Segundo dizem, foi nesse monte que Abraão pagou o dízimo a Melquisedeque. Eles acreditam também ter sido aqui o lugar em que Isaque foi levado por Abraão a fim de ser oferecido a Jeová.

V. MONTES DE NAFTALI

A designação abarca todo o conjunto montanhoso do Norte de Israel. Quando da conquista de Canaã, o território foi destinado às tribos de Aser, Zebulom, Issacar e Naftali. Os naftalistas ficaram com uma área mais extensa. Por causa disso, todas essas terras passaram a ser conhecidas como Naftali. Os quatro mais importantes montes dessa região são o Carmelo, o Tabor, o Gilboa e o Hatim.

1. Monte Carmelo. Um dos mais renhidos combates entre a fé e a idolatria foi travado no Carmelo. Cheio do Espírito Santo, Elias desafiou aqui quatrocentos profetas de Baal (1 Rs 18). O monte, em virtude dessa confrontação, é vislumbrado como símbolo de prova e fogo.

O Carmelo não é propriamente um monte. É apenas uma

parte de uma cordilheira de 30 quilômetros de comprimento. Sua largura oscila entre cinco e 13 quilômetros a começar do Mediterrâneo em direção ao sudeste de Israel. O ponto mais elevado do monte não atinge 600 metros. O duelo de Elias com os falsos profetas deu-se exatamente no cume do monte Carmelo.

No lado norte da cordilheira, passa o rio Quisom, onde os vassalos de Baal foram exterminados. Oswaldo Ronis acrescenta-nos mais alguns detalhes acerca do Carmelo: "Este é o único monte que se destaca do planalto central na direção oeste, formando um promontório ao sul da planície do Acre (Accho ou Asher) e é a única parte do território da palestina que avança mar Mediterrâneo adentro, formando, ao Norte, a baía do Acre onde se localiza a cidade de Haifa. Note-se que este monte ou serra forma uma barreira entre as planícies Esdraelom, ao norte e Sarom ao sul, apresentando em seus flancos inúmeras cavernas que, pela sua conformação interna, parece (algumas) terem sido habitadas. Uma delas é conhecida como a "Gruta de Elias", que hoje é um santuário muçulmano."

2. Monte Tabor. Localizado também na Galiléia, o Tabor tem 320 metros de altura. Trata-se de um monte solitário, plantado na luxuriante Esdraelom. Visto do Sul, lembra-nos um semicírculo. Dista a apenas 10 quilômetros de Nazaré e a 16 do mar da Galiléia. Encontra-se a 615 metros acima do nível do Mar Mediterrâneo.

De seu cume avistam-se magníficas paisagens. A alma hebréia embevecia-se com os quadros avistados e formados a partir desse monte. Por isso era o Tabor comparado ao Hermom.

O Tabor é muito importante no Antigo Testamento. Em suas cercanias, os exércitos de Baraque combateram as forças de Sísera. Aí Gideão colocaria em fuga os batalhões dos midianitas.

Nos dias de Oséias, foi construído um santuário pagão sobre o Tabor, contra o qual vociferou o profeta: "Ouvi isto, ó sacerdotes, e escutai, ó casa de Israel, e escutai, ó casa do rei, porque a vós pertence este juízo, visto que fostes um laço para Mizpá, e rede estendida sobre o Tabor" (Os 5.1).

Tempos mais tarde, foi construída uma cidade no topo do

monte. Em 218 a.C., Antíoco conquistou-a, transformando-a numa fortaleza. O Tabor seria cenário de vários conflitos entre romanos e judeus. Haja vista as fortificações que o historiador e militar judeu, Flávio Josefo, mandou fazer nesse monte. Desses baluartes sobraram apenas trechos de um muro.

A partir do século III de nossa era, renomados teólogos começaram a ventilar a hipótese de que a transfiguração do Cristo dera-se no Monte Tabor. Visando a perenizar o importantíssimo momento da vida terrestre de Jesus, a mãe de Constantino Magno, Helena, ordenou fossem construídos três santuários: um para Jesus, e os outros dois para Moisés (representante da Lei) e Elias (representante dos profetas).

Hoje, acredita-se ter a transfiguração de Nosso Senhor ocorrido nas encostas sulinas do Hermom. O Tabor é chamado de *Jabal al-Tur* pelos árabes. Os israelenses continuam a tratá-lo de *Har Tābhôr*.

3. Monte Gilboa. Com 13 quilômetros de comprimento e uma largura que varia entre cinco a oito quilômetros, o Monte Gilboa está situado no Sudeste de Jezreel. De forma alongada, acha-se a 543 metros de altitude.

No Monte Gilboa, cujo nome significa *fonte borbulhante* em hebraico, morreram o rei Saul e seu filho Jônatas, quando combatiam os filisteus. A fatalidade inspirou este cântico davídico:

"Vós, montes de Gilboa, nem orvalho, nem chuva caia sobre vós, nem sobre vós, campos de ofertas alçadas, pois aí desprezivelmente foi profanado o escudo dos valentes, o escudo de Saul, como se não fora ungido com óleo" (2 Sm 1.21).

As colinas do Gilboa são conhecidas hodiernamente como Jebel Fukua.

4. Monte Hatim. Localizado nas proximidades do Mar da Galiléia, o Monte Hatim compõe os chamados Cornos de Hatim. Sua altitude não ultrapassa os 180 metros. É um lugar bastante aprazível. De seu topo, pode-se avistar o Mar da Galiléia. Seus dois picos principais têm a aparência de chifres.

Acredita-se ter sido esse o monte do qual Cristo pronunciou

o Sermão da Montanha. O Hatim é conhecido também como o Monte das Bem-Aventuranças.

VI - MONTES TRANSJORDANIANOS

Os Montes Transjordanianos são conhecidos também como Montes do Planalto. Eis as suas principais elevações: Gileade, Basam, Pisga e Peor.

1. Monte de Gileade. Trata-se de um conjunto montanhoso. Vai do Sul do Rio Yarmuque ao Mar Morto. O Gileade é dividido pelo Ribeiro de Jaboque, onde Jacó lutou com o Anjo do Senhor. Essa foi a primeira região conquistada pelos israelitas; sua posse coube à tribo de Gade. O profeta Elias é originário de Gileade. No tempo de Jesus, o território era conhecido como Peréia.

O nome dessa localidade surgiu em virtude do encontro entre Jacó e Labão. O primeiro designou-a como Jegar-Saaduta. E o segundo, Galeed. Ambas as nomenclaturas significam *montão do testemunho*.

A região era famosa por sua fertilidade. De seu solo, explodiam o trigo, a cevada, a oliveira e os mais diversificados legumes. O seu bálsamo era procuradíssimo. Nos tempos bíblicos, era este um provérbio mui comum: "Por acaso não há bálsamo em Gileade?" Hoje, o território está em poder da Jordânia. Para os judeus ortodoxos, entretanto, Gileade é a eterna possessão dos filhos de Israel.

2. Monte de Basam. Basam é um dilatado e fertilíssimo conjunto de montanhas. Ao norte, limita-se com o monte Hermom. Ao leste, com a região desértica da Síria e da Arábia. A oeste, com o Jordão e o Mar da Galiléia. E ao sul, com o Vale do Yarmuque.

Assim refere-se Davi a este monte: "O monte de Deus é como o monte de Basam, um monte elevado como o monte de Basam" (Sl 68.15).

Em virtude de sua fertilidade, as terras do Basam são, ainda hoje, pródigos celeiros para a Síria e Israel. A região achava-se coberta de cedros e carvalhos nos tempos bíblicos. E incontáveis rebanhos pasciam em suas vicejantes pastagens.

Nos dias de Abraão, o monte de Basam era habitado pelos

temidos refains - um povo de elevada estatura. Ogue foi o último soberano desse país. Sua cama media aproximadamente quatro metros de comprimento e quase dois de largura. Moisés destinou a região à tribo de Manassés.

3. Monte Pisga. Do cimo deste monte, contemplou Moisés a Terra Prometida: "Então subiu Moisés das campinas de Moabe ao Monte Nebo, ao cume de Pisga, que está defronte de Jericó; e o Senhor mostrou-lhe toda a terra, desde Gileade até Dã. Assim morreu ali Moisés, servo do Senhor, na terra de Moabe, conforme o dito do Senhor" (Dt 34.1,6).

O Pisga está localizado na planície de Moabe. Dista 15 quilômetros a leste da foz do Rio Jordão. Moisés vislumbrou o solo da promissão de uma altura de 800 metros. O monte é conhecido também como Nebo. Alguns autores, contudo, dizem haver na região dois montes: o Pisga e o Nebo.

4. Monte Peor. O monte Peor está localizado nas imediações do Nebo. Em hebraico, "Peor" significa *abertura*. Nesse monte era adorado um imoral e abominável ídolo.

Do Peor, tentou Balaão amaldiçoar os filhos de Israel. No entanto, seus esforços foram todos baldados. Como amaldiçoar uma gente que o próprio Deus abençoou?

O profeta estrangeiro resolveu, então, aconselhar Balaque a introduzir prostitutas no arraial hebreu. Estas, por sua vez, induziram os varões israelitas à idolatria e à devassidão. Não fosse a pronta e enérgica ação de Moisés, os hebreus teriam se corrompido de todo. Do lamentável episódio, falaria mais tarde o profeta: "Os vossos olhos têm visto o que Deus fez por causa de Baal-Peor: pois a todo o homem que seguiu a Baal-Peor o Senhor teu Deus consumiu no meio de ti" (Dt 4.3).

VII. MONTE HERMOM

Hermom significa mui provavelmente "sagrado" ou "proibido". Este monte domina toda a Terra Santa. Sua coroa de neve pode ser vista a milhares de quilômetros. Era no Hermom que ficava o santuário-mor de Baal. Por isso Israel via-o com muitas reservas, apesar de ser mencionado poeticamente por Davi: "Como o orvalho do Hermom, que desce sobre os montes de Sião; porque ali o Senhor ordenou a bênção, a vida para sempre" (Sl 133.3).

Segundo a tradição, foi no Monte Hermom que o Senhor Jesus transfigurou-se diante de seus discípulos.

Seu orvalho é de tal forma abundante que as tendas levantadas ao seu redor parecem ter estado sob forte chuva. O monte é conhecido ainda por dois outros nomes: Siriom, em fenício, e Senir, na antiga língua dos amorreus. Ambas as palavras significam "esplendor, majestade, beleza".

Sobre o mais alto dos três cimos do Monte Hermom jazem os restos de um templo de Baal que, provavelmente, foi destruído pelos israelitas em obediência a ordem divina: "Destruireis por completo todos os lugares, onde as nações... serviram os seus deuses, sobre as altas montanhas" (Dt 12.2). Do cimo do Hermom, os sacerdotes de Baal obtinham uma perfeita vista do curso do Sol. E ao Sol dirigiam as suas adorações.

VIII. MONTE SINAI

O Sinai é, na verdade, uma península montanhosa, localizada entre os golfos de Sues e Acaba. Nessa região, Deus apareceu a Moisés e o comissionou a libertar Israel do jugo faraônico. Da sarça ardente, clamou o grande Jeová: "Eu sou o que sou". Em frente ao monte, ficaram os israelitas acampados por quase um ano. Aqui, o Senhor entregou a Lei aos filhos de Israel (Êx 19; Nm 10).

Conhecido também como Horebe, o Monte Sinai serviu de refúgio a Elias. Nele, o ardente profeta de Jeová, pôde esconder-se da perversa Jezabel.

A palavra Sinai tem duas significações possíveis: *sarça ardente* e *fendido*. Dizem alguns ser o nome uma evocação a Sin, deusa da Lua. Nas Sagradas Escrituras, recebe o monte três diferentes designações: Sinai, Horebe e Monte de Deus.

O Monte Sinai tem uma forma triangular. Seus vértices superiores repousam em dois continentes: África e Ásia. Ao leste, é banhado pelo Golfo de Acaba. Ao ocidente, pelo Golfo de Suez. A área da Península do Sinai mede 35.000 quilômetros quadrados. A região é composta por três zonas geológicas: Cretácea, Arenística e Granítica.

Apesar de aridificado, o território tem os seus encantos particulares. Os montes erguem-se soberanos e altivos. As areias, queimadas pelo sol, mostram-se multicoloridas.

Escassa, a vegetação do Sinai torna a sobrevivência humana praticamente impossível. Os oásis são uma raridade. Em alguns locais, todavia, vislumbram-se verdes vales em virtude da água oriunda da neve que desce dos picos montanhosos. Nessas paragens, os anacoretas encontram repouso e silêncio para a sua meditação.

O Sinai foi conquistado por Israel na Guerra dos Seis Dias, em 1967. Devido às conversações de paz de Camp David, nos Estados Unidos, a região voltou à soberania egípcia.

OS DESERTOS DA TERRA SANTA

SUMÁRIO: *Introdução; I. O que é o deserto; II. As características do deserto; III. Os desertos bíblicos; IV. Deserto do Sinai; V. Deserto da Judéia; VI. Desertos de Jericó, Bete-Áven e Gabaom; VII. Israel vence os desertos.*

INTRODUÇÃO

Ao prometer Canaã a Abraão, desenhou-lhe o Senhor uma terra boa, ampla e pródiga. Uma terra que, conforme cantariam os poetas hebreus, manava leite e mel. Nestas plagas de promissões, contudo, há vários desertos. O que dizer do Neguev?

Não obstante, a terra mana leite e mel.

O deserto faz parte de Israel. Se a Terra Santa é uma síntese do mundo, haverá de ter desertos e ermos. Se no Norte a neve aparece, a seca no Sul é uma constante. Assim é Israel.

Neste capítulo, veremos as principais características dos desertos das terras bíblicas. Perceberemos que nem sempre o deserto em Israel tem as mesmas características que encontramos no restante do mundo.

I. O QUE É O DESERTO

A palavra deserto é originária do vocábulo latino *desertu* e significa, entre outras coisas, "lugar desabitado, despovoado e ermo". Segundo Aurélio, é uma "região natural caracterizada por terreno arenoso e seca quase absoluta, e que apresenta, por isso, pobreza de vegetação e fraca densidade populacional".

Nas Sagradas Escrituras, os vocábulos traduzidos como "deserto" incluem não somente as dunas, mas designam igualmente as terras plainas, as estepes e as áreas apropriadas à criação de gado.

O vocábulo "deserto" pode ser encontrado 36 vezes como adjetivo e 284 como substantivo no Antigo Testamento. Já no Novo Testamento, a mesma palavra aparece 12 vezes como adjetivo e 36 como substantivo.

A palavra hebraica mais traduzida como deserto é "midbar". Ela tem vários significados: região plana e apropriada à criação de gado; área meio fértil e meio árida; e deserto propriamente dito. Eis mais alguns termos hebraicos traduzidos como deserto: "yesimon" – *território desértico;* "orbáh" – *aridez, desolação, ruína* (castigo divino); "tohu" – *vazio;* "siyyah" – *terra árida*.

II. AS CARACTERÍSTICAS DO DESERTO

Segundo a Enciclopédia Mirador, deserto são regiões de escassas precipitações e nas quais a cobertura vegetal é praticamente nula ou reduzida a algumas plantas isoladas:

"A insuficiência das precipitações, quer sob o aspecto quantitativo, quer do ponto de vista de sua distribuição no decorrer do ano, é a característica mais importante das regiões secas. É difícil encontrar um limite numérico para especificar as regiões secas, por causa da complexidade dos fatores atuantes. Tentou-se delimitar o Saara pelo índice de 10 mm e as regiões áridas pela de 250 mm. Mas tais cifras não possuem valor geral, porque a aridez e, principalmente, a semi-aridez se manifestam em regiões com 50 mm ou mais de precipitações, como o Nordeste brasileiro, que recebe, por vezes, quantidades superiores a 750 mm. Há uma graduação de aridez, que se estende desde os desertos quase absolutos, denominados de 'tonezrouft' no Saara, até os desertos relativos, localizados nas áreas limítrofes com as regiões úmidas. Além da deficiência das precipitações, é preciso lembrar a sua irregularidade, que se torna maior à medida que a região é mais árida. A presença de camadas de ar geralmente muito seco e sem nuvens, e o solo desnudo, cujo aquecimento aumenta a radiação (e, em conseqüência, provoca intensa evaporação), são as causas principais do *déficit* que caracteriza a aridez."

Os desertos bíblicos, porém, nem sempre apresentam as características acima descritas.

Aurélio explica o que significa deserto para a botânica: "É uma região, fria ou quente, onde a água falta para as manifestações vitais durante a maior parte do ano, e em que a vegetação se caracteriza pela xerofilia. Ao lado das plantas xerófilas típicas, medeiam no deserto numerosas espécies anuais, que só vegetam quando chove, e durante a seca o solo permanece desnudo por entre a esparsa vegetação".

III. OS DESERTOS BÍBLICOS

Os principais desertos mencionados nas Sagradas Escrituras localizam-se no Sul e no Oriente de Israel. Agrupam-se os primeiros na Península do Sinai. Os demais encontram-se nas outras regiões do país. Vejamos as características dessas áreas.

IV. DESERTO DO SINAI

Os filhos de Israel caminharam pelo Sinai durante quarenta anos. Nesse período, aprenderam a conviver com as agruras do deserto. Não obstante a aridez daquele solo, nada lhes faltou. Supriu-lhes o Senhor todas as necessidades. Durante o dia, eram amparados pela coluna de nuvem; durante a noite, acompanhava-os a coluna de fogo. Naquelas quatro décadas, os israelitas deixaram de ser um bando de escravos e transformaram-se numa forte e robusta nação. Quem poderia imaginar que uma das mais sólidas civilizações seria forjada em pleno deserto!

Foi no Sinai que Deus entregou as tábuas da Lei a Moisés. A palavra Sinai é proveniente do culto a Sin, deus da Lua, uma das mais celebradas e abomináveis divindades do Oriente Médio. O Sinai recebe, ainda, estes nomes: Sur, Parã, Cades, Zim e Berseba.

A península do Sinai localiza-se na faixa árida que cruza o norte da África e o sudoeste da Ásia, ocupando uma área triangular de 61.000 km^2 em pleno território egípcio. Situa-se entre o golfo e o canal de Suez, a oeste; e o golfo de Aqaba e o deserto de Neguev, a leste. Ao norte, faz fronteira com o Mar Mediterrâneo e ao sul, com o Mar Vermelho.

O Sinai divide-se em duas regiões. A zona montanhosa no sul inclui os montes Katrinah, Umm Shaawmar e Sinai, todos com mais de dois mil metros de altitude. O planalto, no norte, ocupa cerca de dois terços da península, atingindo 900 m de altitude, descendo em direção ao Mediterrâneo.

A aridez da região evidencia-se pela ocorrência de dunas e *uédis* (rios intermitentes) e pela salinização. A região apresenta também depósitos aluviais e lacustres. Há grandes lençóis d'água subterrâneos; a umidade relativa do ar é alta no litoral. A vegetação é escassa. A fauna do Sinai é relativamente modesta; entre os animais se acham ouriços, gazelas, leopardos, chacais, lebres, falcões e águias.

A região é habitada desde tempos imemoriais. Em 3000 a.C., os egípcios já registravam suas expedições à região em busca de cobre. No início da era cristã, o Sinai abrigou vários monastérios. No ano 530, o imperador bizantino Justiniano I construiu, na parte inferior da encosta do Sinai, o mosteiro de Santa Catarina. Em 1517, o Sinai foi integrado ao Império Otomano. Terminada a Primeira Guerra Mundial, o território foi anexado ao Egito. A partir de 1949, gerou diversos confrontos entre egípcios e israelenses. Israel ocupou a península em 1967, devolvendo-a ao Egito em 1982 em decorrência do tratado de paz arquitetado em Camp David nos Estados Unidos.

A escassa população, formada por beduínos nômades, concentra-se no Norte, onde há suprimento de água, e no oeste, onde há indústrias de processamento de manganês e petróleo. A economia da região é basicamente agropastoril. A irrigação, que utiliza a água dos lençóis freáticos e do Nilo, possibilitou a cultura de largas faixas de terra no litoral. Eis os principais produtos da região: trigo, azeitona, frutas, legumes e árvores para a extração de madeira.

V. DESERTO DA JUDÉIA

As áreas localizadas desde o Leste dos Montes de Judá até ao Rio Jordão e ao Mar Morto formam o deserto da Judéia. Subdivide-se este em vários desertos sem importância: Maon, Zife e En-Gedi. Nessas paragens, perambulou Davi, perseguido pelo rei Saul.

Eis mais alguns desertos de Judá: Técoa e Jeruel. Nesse território, o rei Josafá obteve estrondosa vitória sobre as forças moabitas e amonitas. Foi aqui que o profeta Amós exerceu o seu ministério, e João Batista clamou contra seus contemporâneos.

VI. DESERTOS DE JERICÓ, BETE-ÁVEN E GABAOM

O deserto de Jericó localiza-se no território benjamita. A região forma um longo desfiladeiro de aproximadamente 15 quilômetros que desce de Jerusalém a Jericó. Nessa área, há muitas cavernas, onde se escondiam os malfeitores. A região serviu de cenário para a Parábola do Bom Samaritano narrada por Jesus Cristo.

Bete-Áven e Gabaom são outros importantes desertos de Jericó. Em Gabaom obteve Josué irretocável vitória sobre os primitivos habitantes de Canaã.

VII. ISRAEL VENCE OS DESERTOS

Cinqüenta por cento das terras israelenses compõem o Deserto do Neguev. O moderno Estado de Israel, porém, está vencendo a aridez de seu território, transformando-o num inacreditável vergel.

O pastor Abraão de Almeida compendia estas informações acerca do reflorescimento das áreas desérticas da Terra Santa: "Os progressos obtidos por Israel na transformação do Neguev em um jardim regado são, de fato, impressionantes. Desde do início da década de 80 vêm sendo aplicados mais de três bilhões de dólares na construção de estradas, aquedutos e linhas de comunicação, a fim de abrigar novas instalações militares e cerca de uma centena de novos povoados agrícolas. E a chave para toda essa revitalização do deserto reside no aumento das fontes hidrológicas. Há inclusive, um projeto arrojado, que objetiva conduzir mais de um bilhão de toneladas de água por ano do Mediterrâneo para o mar Morto, através de um canal cortando o Neguev. Esse grande canal levaria água fresca à indústria local e água dessalinada aos agricultores, além de resolver um sério problema: a alarmante evaporação das águas do mar Morto, que pode mesmo morrer, se providências sérias não forem tomadas."

O florescimento de Israel é um milagre que somente a fé pode explicar.

A HIDROGRAFIA DA TERRA SANTA

SUMÁRIO: *Introdução; I. O que é a hidrografia; II. Mares da Terra Santa; III. Rios da Terra Santa; IV. Lago de Merom; V. Golfo Pérsico.*

INTRODUÇÃO

Não é preciso enfatizar ser a água de suma importância para o Estado de Israel. Além disso, 75% dos recursos hídricos têm de ser empregados na irrigação; o que sobra é destinado às indústrias e às cidades. A insuficiência hídrica, porém, não consegue estrangular o desenvolvimento social e econômico da jovem nação hebréia.

Não fosse o eficiente sistema de irrigação israelense, os 5.000 km^2 de campos aráveis seriam insuficientes para o abastecimento interno. As áreas de plantio, embora comparadas ao Éden, poucos benefícios recebem das chuvas. Leve-se em conta, também, o seu elevado índice de evaporação. Na realidade, o verdadeiro potencial agrícola de Israel é composto por menos de 2.000 km^2 de terras intensivamente irrigadas.

Um especialista em assuntos do Oriente Médio escreve: "A produtividade das terras só podem melhorar caso haja maior aproveitamento dos recursos hídricos. Como estes não admitem ampliação, a única solução para elevar a produtividade do solo de Israel – ou pelo menos conservar o nível alcançado – é fornecer menos água para as terras já irrigadas, liberando, desta forma, recursos para a irrigação de novas áreas".

A fim de compensar a má distribuição de água, já que a maior parte dos recursos hídricos está no Norte do país, o governo israelense concluiu, em 1964, o Conduto Nacional que abastece o centro e o sul de Israel. O sistema é dotado de gigantescos aquedutos, canais abertos, reservatórios, túneis, represas e estações de bombeamento.

I. O QUE É A HIDROGRAFIA

Etimologicamente, a palavra hidrografia é formada por dois vocábulos gregos: "hidro" – *água*; e, "graphein" – *descrever*. A hidrografia, portanto, é a ciência que estuda todos os corpos de água que há na superfície do globo. São objetos de seu estudo os oceanos, mares, rios, lagos e geleiras. Ela detém-se, ainda, nas propriedades físicas e químicas das águas.

A hidrografia encarrega-se, também, de elaborar cartas referentes às bacias fluviais, leitos de rios e lagos e fundos de mares e oceanos.

II. MARES DA TERRA SANTA

A hidrografia de Israel é composta por três mares: Mediterrâneo, Morto e da Galiléia. Este último, conforme veremos mais adiante, não é propriamente um mar. Antes de mais nada, porém, definamos a palavra mar. Estaremos a ver também o Mar Vermelho.

A hidrografia da Terra Santa

1. O que é o mar. Entre os hebreus, o "mar" compreendia qualquer grande massa de água. Eles o consideravam criação do Senhor: "Do Senhor é a terra e a sua plenitude, o mundo e aqueles que nele habitam. Porque ele a fundou sobre os mares, e a firmou sobre os rios" (Sl 24.1,2). Ao patriarca Jó, declarou o Todo-Poderoso: "Ou quem encerrou o mar com portas, quando transbordou e saiu da madre, quando eu pus as nuvens por sua vestidura, e a escuridão por envolvedouro? Quando passei sobre ele o meu decreto, e lhe pus portas e ferrolhos, e disse: Até aqui virás, e não mais adiante, e aqui se quebrarão as tuas ondas empoladas?" (Jó 38.8-11).

Tecnicamente, o mar pode ser definido, de acordo com Aurélio, como "a massa de águas salgadas do globo terrestre; cada uma das porções em que está dividido o oceano; e, grande massa de água salgada situada no interior dum continente".

No *Dicionário de Geografia Melhoramentos*, temos esta definição: "Parte dos oceanos que se caracteriza pela forma particular de suas costas, pelo tamanho e modelo do relevo".

2. Mar Mediterrâneo. O Mediterrâneo aparece nas Sagradas Escrituras com outros nomes: Mar Grande, Mar Ocidental, Mar dos Filisteus, Mar de Jafa. Biblicamente, é tratado simplesmente de o Mar. Sua importância é incontestável. Afirma Paul Valéry: "O Mediterrâneo tem sido uma verdadeira máquina de fabricar civilização". Também este é o pensamento de E. M. Forster: "O Mediterrâneo é a norma humana. Quando as pessoas deixam esse lago encantador, através do Bósforo ou dos Pilares de Hércules, aproximam-se do monstruoso e do extraordinário; e a saída meridional leva às mais estranhas experiências".

Com uma extensão de 4.500 km e uma superfície de três milhões de quilômetros quadrados, o Mediterrâneo é o maior dos mares internos. Suas águas banham a Europa Meridional, a Ásia Ocidental e a África Setentrional. Famosos rios, como o Nilo, o Pó, o Ródano, e Ebro e o Danúbio, deságuam-se em sua histórica e milenar grandeza.

Acredita-se tenham sido os fenícios, os maiores navegadores do mundo antigo, os primeiros a explorarem o Mediterrâneo. Amantes do comércio, fundaram colônias em todo o lado oriental do Grande Mar e ao longo da África do Norte.

As mais antigas civilizações do Oriente Médio e da Europa escreveram suas histórias sobre as águas do Mar Mediterrâneo: micena, grega, fenícia, romana, turca, francesa, italiana. Durante os dois séculos que antecederam a era cristã, Roma conseguiu a sua unidade política em todo o Mediterrâneo.

Atualmente, o Mediterrâneo continua a ser de vital importância para diversos povos. Suas rotas incluem portos estratégicos como o de Gênova, Nápoles, Barcelona, Trieste, Salônica, Beirute, Esmirna, Porto Saide, Alexandria, Constantinopla, Haifa etc.

O Mar Mediterrâneo banha toda a costa ocidental de Israel. Nessas imediações, suas águas são rasas tornando impossível a aproximação de navios de grandes calados. Por isso, não era usado pelos judeus como via de transporte. Aliás, sentiam-se eles isolados pelo Mediterrâneo.

Jope era o único porto do Grande Mar utilizado pelos israelitas. Entretanto, por causa de seus arrecifes e bancos de areia, os navegantes não se aventuravam a procurá-lo com freqüência. Compensando tais deficiências, o Mediterrâneo formava uma vastíssima área defensável à pequena nação hebréia.

Através do Mediterrâneo, Salomão recebeu os valiosos cedros do Líbano para a construção do Templo. Em suas águas, foi Jonas lançado, quando fugia da presença do Senhor. Ao contrário do profeta engolido pelo grande peixe, Paulo utilizou-se do Grande Mar para universalizar o Evangelho.

No século XVI, com as grandes navegações, foi aberto um novo caminho para a Ásia através do Cabo da Boa Esperança na África do Sul. Era o apogeu da Europa Atlântica. Por causa disso, o Mediterrâneo teve sua importância reduzida até 1869, ano em que foi viabilizado o Canal de Suez.

3. Mar Morto. O Mar Morto não é assim designado nas Sagradas Escrituras. Em virtude da alta densidade de sal em suas águas, é chamado de Mar Salgado pelos escritores bíblicos. Assim Josué o menciona: "Pararam-se ás águas que vinham de cima; levantaram-se um montão, mui longe da cidade de Adã, que está da banda de Sartã; e as que desciam ao mar das campinas, que é o *mar Salgado*, faltavam de todo e separaram-se: então passou o povo defronte a Jericó" (Js 3.16; grifo meu).

No Mar Morto, há mais de 300 partes de sal para cada mil de água; é a maior taxa de salinidade do mundo. É praticamente impossível mergulhar em suas águas. Alguns turistas aproveitam-se para se fotografarem confortavelmente boiando no Mar Morto lendo seus jornais e revistas.

O Mar Morto recebe ainda os seguintes nomes: Mar de Arabá, Mar Oriental, Mar do Sal, al-Bahr-al-Mayyit em árabe e Yam há-Melah em hebraico. Flávio Josefo cognomina-o de Lago do Asfalto devido aos fragmentos de betume que flutuam em sua superfície. Para os árabes, ele é o Mar Pestilento. No Talmude, é denominado de Mar de Sodoma. Os povos vizinhos de Israel colocaram-lhe outros apelidos: Mar de Sodoma e Gomorra, Mar de Zegor, Mar de Ló etc.

Localizado na foz do Rio Jordão, entre os montes de Judá e Moabe, o Mar Morto constitui-se na mais profunda depressão da Terra. Encontra-se a mais de 400 metros abaixo do nível do Mediterrâneo. Com 80 quilômetros de comprimento por 17 de largura, o Mar do Sal ocupa uma área de 1.020 km^2. A bacia do lago é dividida em duas pela península de Lisan ("língua"): A maior, ao norte, abrange três quartos da superfície total e chega a 400 metros de profundidade, enquanto que a outra mal chega a quatro metros.

Na região ocupada pelo Mar Morto, ficavam provavelmente as impenitentes Sodoma e Gomorra destruídas pelo Todo-Poderoso (Gn 19). Em suas águas salgadas, não há qualquer espécie de vida. O Mar Morto é o símbolo da conseqüência do pecado. Nenhum peixe consegue aproximar-se desse cemitério aquático.

Do Mar Morto, o Estado de Israel extrai formidáveis divisas em sal e minérios. Sua riqueza é avaliada em 22 trilhões de toneladas de cloreto de magnésio; 11 trilhões de toneladas de cloreto de sódio; 7 trilhões de toneladas de cloreto de cálcio; 2 trilhões de toneladas de cloreto de potássio e 1 trilhão de toneladas de brometo de magnésio. Essas cifras foram extraídas do livro *Geografia da Terra Santa* do eminente pastor Enéas Tognini.

Júlio Minhan fala sobre as fabulosas riquezas do Mar Morto: "Como estão estas riquezas? Estão em sais que as indústrias de todo o mundo procuram desesperadamente. Incluindo as inúmeras toneladas de sais e dos metais preciosos, há muitos outros, e como seria cansativa sua enumeração! Limitar-nos-emos a dizer que a fortuna que pode ser retirada do mar Morto daria para comprar todos os países de influência muçulmana da Ásia, Europa e África em contrapeso".

Tendo em vista sua posição geográfica, o Mar Morto não tem nenhum escoadouro. O problema é solucionado pela descomunal evaporação de suas águas. Aproximadamente oito milhões de toneladas de águas são-lhe evaporadas diariamente. Na região, a temperatura pode chegar a 50º centígrados, levando o Mar Morto a parecer um gigantesco tacho em ebulição. Sua perda de umidade é compensada em parte pelas águas dos rios Jordão, Hasa, Muhib e Zarqa, e pelos lençóis freáticos.

Nas proximidades do Mar Morto, ficava a Fortaleza de Maquerus, construída por Alexandre Janeu em 88 a.C. Arrasada pelos romanos em 56 a.C, seria posteriormente reconstruída por Herodes, o Grande. Nela, foi supliciado o profeta João Batista. Herodes mandou construir ainda, na margem ocidental do Mar Salgado, a cidadela de Massada, último reduto da resistência judaica ao domínio romano. Ao Norte, situam-se as ruínas da comunidade essênia, onde foram encontrados os manuscritos do Mar Morto.

4. Mar da Galiléia. O Mar da Galiléia não é propriamente um mar. Trata-se na verdade de um grande lago de água doce alimentado pelo Rio Jordão. No Novo Testamento, recebe os seguintes nomes: Mar de Quinerete, Mar de Tiberíades e Lago de Genezaré.

A hidrografia da Terra Santa

Por que então os judeus o tratam de mar? Por causa de seu tamanho e das violentas borrascas que o acometem. O Mar da Galiléia tem 24 quilômetros de comprimento por 14 de largura. Com uma profundidade média de 50 metros, encontra-se a quase 230 metros abaixo do nível do Mediterrâneo. Tendo em vista sua posição, serve de ponto de equilíbrio às águas do Jordão.

O Mar da Galiléia encontra-se a 45 quilômetros a leste do Mediterrâneo, e a 100 quilômetros a nordeste de Jerusalém. Em sua margem oriental, encontram-se altas montanhas. Já em seu lado ocidental, acham-se férteis planícies e importantes cidades como Genezaré, Betsaida, Tiberíades, Cafarnaum, Corazim e Magdala.

Nessa região, Jesus desenvolveu importantes etapas de seu ministério. Aí, ensinou, fez prodígios e maravilhas, repreendeu a fúria das águas e com intrepidez anunciou o Reino dos Céus.

Sobre as águas do grande lago, andou o Divino Mestre.

Ao norte do Mar da Galiléia, o clima é agradável e propício ao desenvolvimento de grandes projetos agropecuários. Eis as impressões de W. J. Goldsmith: "Na Galiléia, vimos sete feições salientes: sua dependência do Líbano, abundância de água dele provenientes, fertilidade e fartura, características vulcânicas, grandes estradas atravessando a região, população densa e operosa, e a proximidade do mundo exterior. Pois bem: essas sete feições da Galiléia em geral, vemo-las concentradas no lago e suas margens. O lago da Galiléia era, efetivamente, o centro focal da província. Imaginemos aquela abundância de água, fertilidade, influência vulcânica, estradas, população numerosa, comércio, indústria e forte influência grega - imaginemos tudo isto reunido em um profundo vale, sob um calor quase tropical, e temos o cenário onde surgiu o cristianismo e onde o próprio Cristo trabalhou".

No período neotestamentário, havia nove cidades em redor do Mar da Galiléia com uma população estimada de 150 mil habitantes. Goldsmith fornece-nos outras informações: "Betsaida e Cafarnaum ficavam ao norte, atravessadas pela estrada galiléia de maior movimento, a Vila Maris, porém não podemos precisar-lhe o local. O sítio mais provável de Cafarnaum, onde Jesus morava e onde viu Mateus 'sentado na coletoria', é o que hoje se denomina Tel Hum".

Com o seu formato oval, o Mar da Galiléia é muito piscoso. Nesse lago, há 22 espécies de peixes, entre as quais: carpas, sardinhas, peixe-gato, peixe-galo e o famoso "chromis simonis", ou peixe de São Pedro. No tempo de Jesus, a pesca era uma rendosa indústria em Cafarnaum.

George Adam Smith descreve o famoso e bíblico lago de Israel: "Águas doces, cheias de peixes, uma superfície de cintilante azul. O lago de Galiléia é, ao mesmo tempo, comida, bebida e ar; um descanso para os olhos, um suavizante do calor e um refúgio do ruído e da multidão".

5. Mar Vermelho. Embora não pertença à Terra Santa, encontra-se o Mar Vermelho estreitamente ligado à história do povo israelita. Ele é conhecido nas Sagradas Escrituras como "Yam Suph", que significa Mar de Juncos.

No Mar Vermelho encontra-se, em grande quantidade, a alga conhecida como *trichodesmium erythraeum* que, ao morrer, assume uma tonalidade marrom-avermelhada, justificando assim o nome do mar.

O Mar Vermelho separa os territórios egípcio e saudita. Na parte setentrional, divide-se em dois braços pela Península do Sinai. O braço ocidental é conhecido como Golfo de Suez. O oriental, Golfo de Akaba.

Com quase dois mil quilômetros de comprimento, entre o estreito de Bab al-Mandeb e o Suez, no Egito, e cerca de 300 quilômetros de largura, somando uma área de 450.000 km^2, o Mar Vermelho banha o Sudão, o Egito, e a Eritréia, a oeste; e a Arábia Saudita e o Iêmem, a leste. Uma apequena faixa do Golfo de Aqaba banha Israel e a Jordânia.

No Mar Vermelho, encontramos o estreito de Bab al-Mandeb, que liga o extremo sul do mar ao oceano Índico. Esta passagem, que faz do Mar Vermelho uma rota entre a Europa e a Ásia, é mantida aberta por meio de explosões e dragagens.

Sobre o Golfo de Suez, discorre Buckland: "O golfo de Suez gradualmente se tem estreitado desde a era cristã (Is 11.15 e 19.5), secando-se a língua do mar Vermelho em uma distância de 50 milhas. Por isso vai-se tornando maior a dificuldade de determinar onde atravessaram os israelitas o mar Vermelho; mas provavelmente devia ter sido perto dos atuais lagos Amargos. À entrada do Golfo de Akaba estavam os dois únicos portos do mar Vermelho, mencionados na Bíblia: - Elate e Eziam-geber. A parte mais larga do mar Vermelho, até o sítio onde se fende em dois Golfos, é de 200 milhas, e a parte mais estreita é de 100 milhas, pouco mais ou menos. A largura do golfo de Suez é, em média, de 18 milhas, sendo a do golfo de Akaba consideravelmente menor. O primeiro comunica com o mar Mediterrâneo, pelo Canal de Suez. É provável que os israelitas tivessem atravessado o mar Vermelho, num ponto que fica cerca de 30 milhas ao norte da atual entrada do golfo do Suez, isto é, na extremidade setentrional do mar Vermelho, como ele então era. Como todo o exército egípcio pereceu nas águas, devia neste lugar o mar Vermelho ter tido pelo menos a largura de 12 milhas. O livramento dos israelitas, na travessia do mar Vermelho, tornou-se, no espírito da nação judaica, o maior fato da sua história".

6. Mar Adriático. Em Atos 27, encontramos o apóstolo Paulo, já prisioneiro de Roma, sendo transferido à capital do império. Foi uma viagem turbulenta. Nos versículos de 9 a 26, somos inteirados das dificuldades enfrentadas pela tribulação do navio adramitino (de Adramítio, porto da Ásia Menor, próximo a Trôade). No versículo 27, vemos que o mar encontrava-se revolto: "Quando chegou a décima quarta noite, sendo nós batidos de um lado para outro no mar Adriático".

O Mar Adriático tomou o seu nome emprestado da antiga cidade romana de Ádria, localizada na região italiana do Vêneto. No Novo Testamento, a sua denominação era aplicada indistintamente a todo o mar aberto entre a Grécia e a Silícia.

Localizado entre a península italiana e a balcânica, o Adriático é um dos pequenos mares que formam o Mediterrâneo. Abrange

Geografia Bíblica

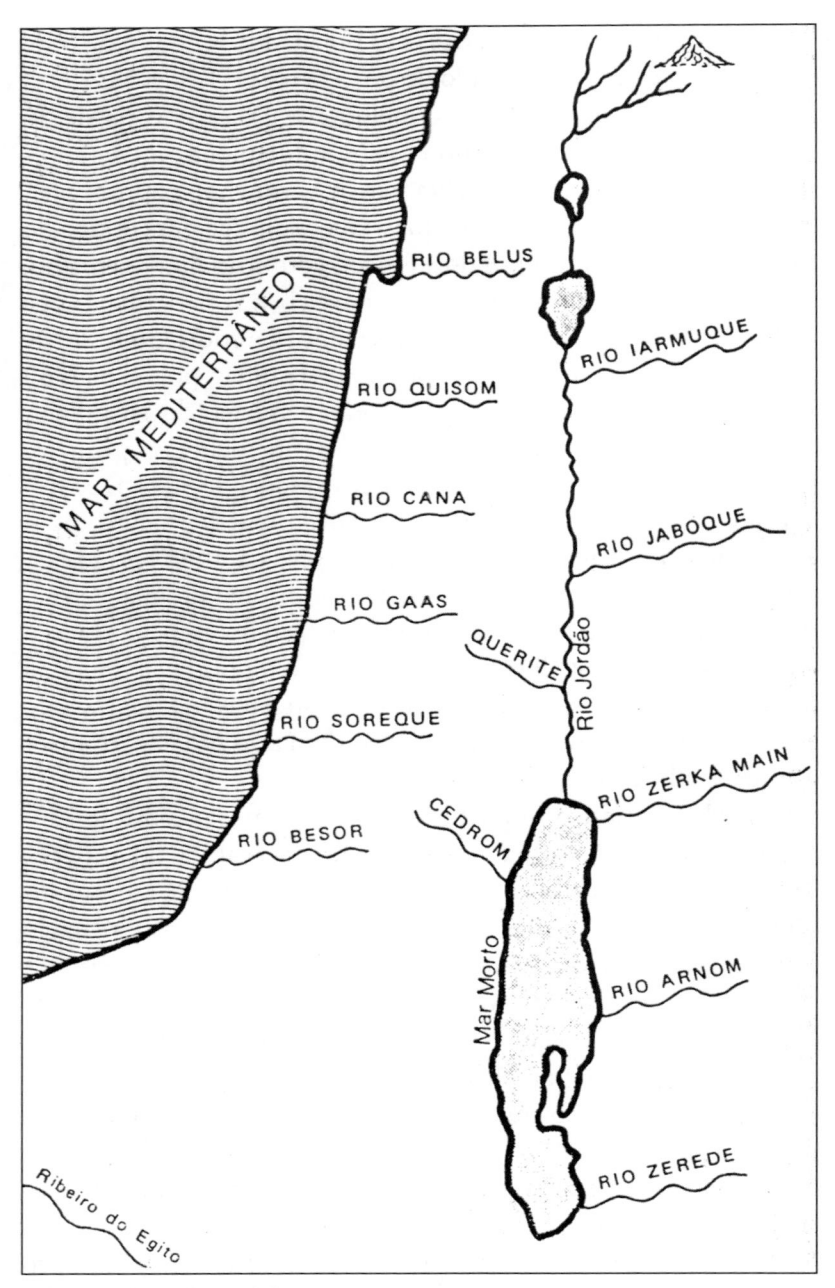

Afluentes do Jordão, Mediterrâneo e Mar Morto

uma área de aproximadamente 130.000 km², com extensão de 800 km e largura média de 180 km.

Caracteriza-se o Adriático pelo baixo nível de salinidade, sobretudo ao norte, onde recebe os rios Adigio, Pó e outros. Durante o Império Romano e por toda a Idade Média, o Adriático era o caminho mais curto para o Oriente. No século XVII, sua função econômica reduziu-se à cabotagem. Mas, por volta de 1950, o turismo aqueceu a economia nas costas adriáticas.

7. Mar Cáspio. O Cáspio, assim chamado devido aos antigos habitantes da região (os caspis), ocupa o extremo nordeste do mundo bíblico. Possui uma rica bacia petrolífera, uma estratégica via de comunicação entre os países que o cercam e uma abundante fauna ictiológica, aumentando consideravelmente sua importância econômica.

Situado entre a Ásia e a Europa, o Mar Cáspio é limitado ao norte pela Rússia e ao sul pelos montes iranianos do Elburs. A leste encontramos o Casaquistão, e a oeste a vertente oriental da cordilheira do Cáucaso. Ocupando uma superfície de 371.000 km², estende-se no sentido norte-sul por 1.220 quilômetros, e de leste para oeste, apresenta uma largura média de 320 quilômetros.

Longitudinalmente, há uma bacia centro-meridional, originada por uma falha tectônica, que vai se estendendo em direção ao sul, onde já se aproxima dos mil metros. No Cáspio, há mais de cinqüenta ilhas de dimensões insignificantes.

Embora não tenha saída para outros mares e receba águas de vários rios, entre os quais o Volga e o Terek, o Mar Cáspio vem apresentando um lento, porém contínuo decréscimo de seu nível.

8. Mar Negro. O Mar Negro, ou Ponto Euxino, como era conhecido, foi palco da aventura da mitológica nau Argo. Nesta viagem, Jasão e os argonautas empenharam-se até à exaustão pelo achamento do velo de ouro.

Importante canal de comunicação entre a Europa Oriental e o Mediterrâneo, o Mar Negro estende-se, em forma ovalada, por 461.000 km². Sua largura chega a 1.200 quilômetros.

Embora não seja citado nas Escrituras Sagradas, o Mar Negro aparece em todos os mapas bíblicos devido a sua proximidade com as terras que serviram de cenário à História Sagrada.

No Mar Negro, há uma zona entre 70 e 100 metros de profundidade, localizada em seu centro, e entre 150 e 250 metros nas margens, onde o oxigênio simplesmente inexiste, e onde concentra-se uma enorme quantidade de ácido sulfídrico em dissolução, o que impede o surgimento de vida. Logo acima destas camadas, porém, a água é hiperoxigenada e rica em plantas e animais marinhos.

Outro fato que ressalta a importância do Mar Negro são as cidades à sua volta: Odessa, na Ucrânia; e Istambul, antiga Constatinopla, na Turquia. Esta última desempenhou importante papel na história do Cristianismo.

III. RIOS DA TERRA SANTA

Quando da descoberta do Brasil, escreveu Pero Vaz de Caminha ao rei de Portugal: "As águas são muitas". Não exagerava o escrivão de Dom Manuel I. Na Terra Santa, porém, conforme já o dissemos, os recursos hídricos são escassos. Uma das maiores preocupações do governo israelense é manter estável o abastecimento de água no país.

Dos rios existentes em Israel, somente o Jordão merece, de fato, esse nome. Os outros seriam chamados de arroios e riachos por qualquer geógrafo brasileiro ou americano. Vejamos, pois, como são os rios israelitas. Em primeiro lugar, estudaremos os que compõem a Bacia do Mediterrâneo. Depois, os que formam a Bacia do Jordão.

1. O que é um rio. Recorramos uma vez mais ao Dicionário Aurélio. Eis a sua definição: "Curso de água natural, de extensão mais ou menos considerável, que se desloca de um nível mais alto para outro mais baixo, aumentando progressivamente o seu volume até desaguar no mar, num lago, ou noutro rio, e cujas características dependem do relevo, do regime de águas, etc".

A hidrografia da Terra Santa

O hebraico possui diversos vocábulos usados para descrever um rio. *Nahal* significa, segundo o Novo Dicionário da Bíblia, um *wadi* ou vale dotado de uma corrente de água; no verão, transforma-se num leito seco ou ravina, ainda que no inverno seja uma correnteza copiosa. Acrescenta o mesmo dicionário: "O segundo termo, 'nāhār', é a palavra regular com o sentido de 'rio' na língua hebraica."

2. A Bacia do Mediterrâneo. É composta pelos seguintes rios: Belus, Quisom, Caná, Gaás, Serec e Besor.

a) Rio Belus. Correndo ao sudoeste do território asserita, o Rio Belus caminha em direção ao Mediterrâneo. Nas Sagradas

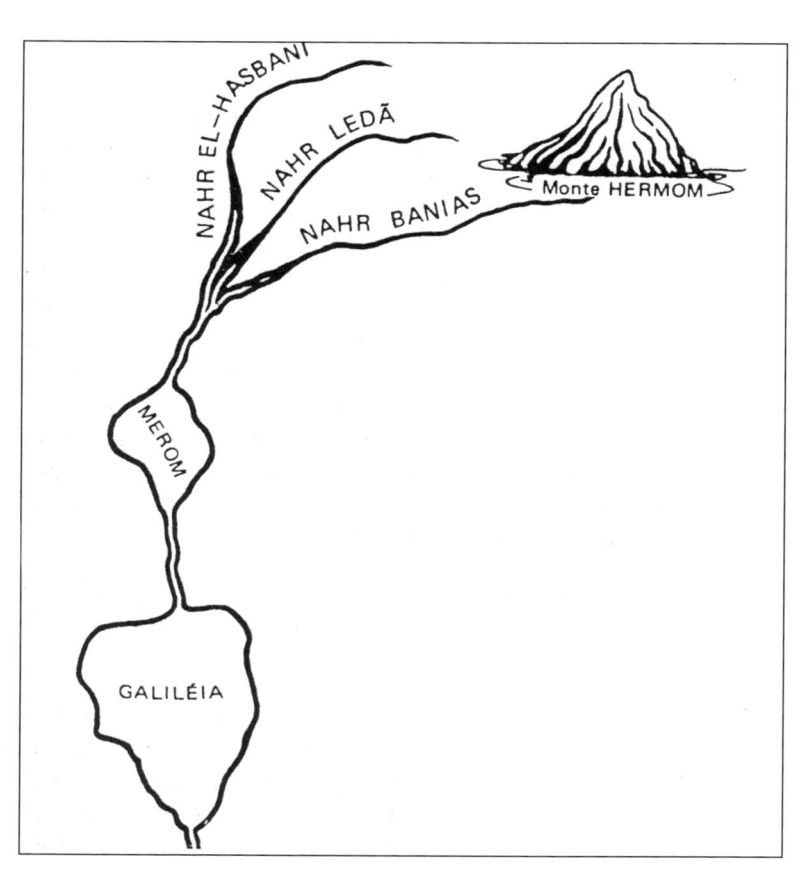

Mapa das cabeceiras do rio Jordão

Geografia Bíblica

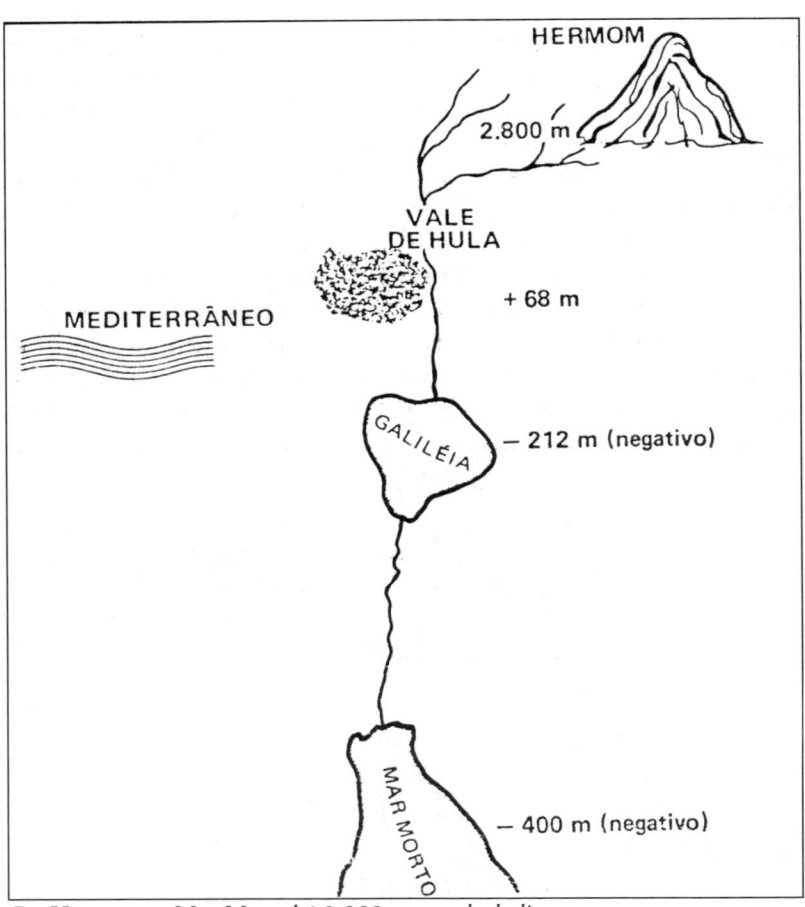

Do Hermom ao Mar Morto há 3.200 metros de declive

Escrituras, ele aparece com o nome de Sior-Libnate, conforme lemos em Josué 19.26: "E Alameleque, e Amade, e Misal: e chega ao Carmelo para o ocidente, e a Sior-Libnate".

As águas do Belus são despejadas na baía do Acre, nas proximidades da cidade de Acco. Durante dois terços do ano, o rio permanece seco, constituindo-se num dos numerosos *wadis* da região. Hoje, o Belus é chamado de Namã por israelenses e árabes.

b) Rio Quisom. O Quisom é o maior rio da bacia do Mediterrâneo e o segundo em importância de Israel. Chamam-no os árabes de *Nahr Makutts*. Nascendo em Esdraelom, recebe inúmeras vertentes durante o seu curso. Nas imediações do Tabor e do Pequeno Hermom, ele já é bem caudaloso.

Nas proximidades do Quisom, ficava a cidade de Tminate, onde morava Dalila, a meretriz filistéia que causou a desgraça de Sansão. O rio deságua no Mediterrâneo, entre Jope e Ascalom. Ao contrário do Belus, o Quisom é perene; suas águas não secam nem no verão.

c) Rio Caná. O Rio Caná é citado apenas no Antigo Testamento. Constituía-se em fronteira natural entre as tribos de Efraim e Manassés. Ele nasce nas imediações de Siquem, e atravessa a planície de Sarom. Suas águas também são despejadas no Mediterrâneo.

Seu nome decorre do fato de ele correr nas proximidades da cidade de Caná de Efraim. Na Antigüidade, havia abundância de juncos em suas margens. O Rio Caná é também um wadi; possui água apenas nos meses chuvosos.

d) Rio Gaás. Josué, general de Israel e sucessor de Moisés, foi sepultado no monte Gaás. Nas proximidades deste, corre um rio também chamado Gaás. Um rio? Não, um ribeiro! À semelhança dos outros *wadis*, só possui água em determinados períodos do ano.

As águas do Rio Gaás banham a planície de Sarom, e desembocam no Mediterrâneo nas imediações de Jope. "Gaás", em hebraico, significa *terremoto*.

e) Rio Sorec. O Sorec despeja suas águas no Grande Mar, entre Jope e Ascalom, ao norte do antigo território filisteu. Suas nascentes ficam nas montanhas de Judá a sudoeste de Jerusalém. No vale, por onde corre esse rio, morava a noiva de Sansão.

Em hebraico, "Sorec" quer dizer *vinha escolhida*, em virtude dos vinhedos existentes nas margens desse rio.

f) Rio Besor. O Besor não é propriamente um rio, mas um ribeiro que se acha nas imediações de Ziclaque, no Sul de Judá. É o mais caudaloso dos *wadis* que deságuam no Mediterrâneo.

O atual nome desse rio é Sheriah. Nas redondezas de Besor, o bravo Davi libertou os habitantes de Ziclaque das garras dos amalequitas. Foi um dos maiores feitos do filho de Jessé e antecessor real de Jesus. Besor é sinônimo de refrigério.

3. A Bacia do Jordão. A Bacia do Jordão é formada pelos seguintes rios: Jordão, Querite, Cedrom, Iarmuque, Jaboque e Arnom. Alguns desses afluentes são bastante pequenos, quase inexpressivos.

a) Rio Jordão. O Jordão tem três fontes: Banias, Dan e Hasbani. Elas não nascem em território israelense; começam a correr a partir do monte Hermom, localizado na Síria. Em hebraico, Jordão significa *declive* ou *o que desce*, por causa de seu vertiginoso curso: do cume do Hermom à mais profunda depressão do planeta – o Mar Morto.

Apesar de sua importância histórica, o Jordão é um rio pequeno. Tem 252 quilômetros de extensão, levando-se em conta os seus inúmeros meandros.

Oswaldo Ronis fala acerca do estranho curso desse rio: "Costuma-se dividir o curso do Jordão em três trechos para um estudo mais detalhado: - O PRIMEIRO TRECHO, ou seja, *a região das nascentes*, é a que acabamos de descrever nos seus aspectos mais setentrionais e que vai até o lago de Merom. Depois da junção das quatro nascentes, o Jordão atravessa uma planície pantanosa em uma extensão de 11 quilômetros e entra no lago de Merom. Neste trecho, a sua largura varia muito e a profundidade vai a 3 e 4 metros - O SEGUNDO TRECHO também chamado *o Jordão superior*, compreende o rio entre o lago de Meron e o mar da Galiléia, extensão esta de cerca de 20 quilômetros. É um trecho quase reto, com um declive de 225 metros, o que forma as suas águas impetuosas e provoca um enorme trabalho de erosão. A força da impetuosidade das águas do Jordão neste trecho é tanta que quase 20 quilômetros mar da Galiléia adentro ainda se percebe a sua correnteza. Nestre trecho, o terreno é rochoso, de vegetação média, e a largura do rio varia entre 8 e 15 metros. - O TERCEIRO TRECHO, ou *o Jordão interior* estende-se do mar da Galiléia ao mar Morto numa distância de 117 quilômetros em linha reta e cerca de 340 quilômetros pelo leito sinuoso do rio, tendo uma largura que varia entre 25 e 35 metros, e 1 a 4 metros de profundidade. Este trecho sofre um declive de 200 metros pelo qual o rio desce precipitadamente, formando numerosos meandros e cascatas e alargando o vale até 15 quilômetros, como ocorre na altura de Jericó. Este vale é limitado quase em toda a sua extensão por verdadeiras muralhas de rocha calcária, o que torna muito difícil a sua travessia. Até o tempo dos romanos, não havia pontes sobre o Jordão. De modo que a sua travessia era feita em certos lugares de margens mais rasas e águas menos profundas, chamados vaus. Um desses vaus ficava defronte de Jericó, outro perto da desembocadura do rio Jaboque, e o terceiro nas proximidades de Sucot".

Havia, nos tempos bíblicos, grandes florestas às margens do Jordão. Segundo depreendemos de alguns textos bíblicos, nesses bosques havia até leões. Hoje, porém, a região encontra-se desnuda e praticamente morta. As palmeiras, tamareiras e tamargueiras aí encontradas são apenas um pálido reflexo da exuberância de outrora.

Eis como a área do Jordão era vista nas Sagradas Escrituras: "E levantou Ló os seus olhos, e viu toda a campina do Jordão, que era toda bem regada, antes de o Senhor ter destruído Sodoma e Gomorra, e era como o jardim do Senhor, como a terra do Egito quando se entra em Zoar. Então Ló escolheu para si toda a campina do Jordão, e partiu Ló para o Oriente, e apartaram-se um do outro" (Gn 13.10,11).

Abraão, Isaque e Jacó tornaram-se íntimos do Jordão. Suas águas abriram-se a fim de que o povo de Deus conquistasse Canaã. Mostrando-se perene e resistindo a todas as intempéries, o Jordão sempre esteve ligado à História Sagrada. Foi em seu leito que Naamã viu-se livre da lepra. Em suas margens, João Batista batizou o Filho de Deus.

O Jordão não é um rio atraente. Do ponto de vista humano, Naamã tinha toda a razão em não querer banhar-se em suas escuras e barrentas águas. Afinal de contas, na terra natal desse corajoso general, havia cristalinos riachos. Além disso, o clima nessa área é quente e sufocante.

El-Seri-Ah al-Kabirah é o nome árabe do rio Jordão. Eis o seu significado: *o grande bebedouro*. Por que essa designação? Em virtude, talvez, do grande volume de águas que lança no Mar Morto: 17.280.000 metros cúbicos por dia. O Jordão não é navegável, mas era uma excelente área defensável a Israel nos tempos antigos.

b) Rio Querite. Perseguido pela indecente e diabólica Jezabel, o profeta Elias recebeu do Senhor a seguinte ordem: "Vai-te daqui, e vira-te para o Oriente, e esconde-te junto ao ribeiro de Querite, que está diante do Jordão. E há de ser que beberás do ribeiro: e eu tenho ordenado aos corvos que ali te sustentem. Foi pois, e fez conforme a palavra do Senhor: porque foi, e habitou junto ao ribeiro de Querite, que está diante do Jordão" (1 Rs 17.3-5).

O Querite também não é propriamente um rio. Trata-se de mais um dos numerosos *wadis* existentes na Terra Santa. Para alguns autores, não passa este riacho de um filete de água que, na maior parte do ano, jaz-se completamente seco.

Tendo sua nascente nos montes de Efraim, o Querite deságua no rio Jordão. Esse ribeiro fica na Transjordânia.

c) Rio Cedrom. O Monte das Oliveiras é separado do Moriá por um rio. Eis o seu nome: Cedrom. A designação significa *escuro* em hebraico. Nascendo a dois quilômetros e meio de Jerusalém, corre para o sudoeste. Em seu curso, o rio acompanha os muros da Cidade Santa. Antes de despejar suas águas no Mar Morto vagueia durante 40 quilômetros.

Pelo Cedrom passou o rei Davi quando fugia de seu demagogo e ambicioso filho: "E toda a terra chorava a grandes vozes, passando todo o povo: também o rei passou o ribeiro do Cedrom, e passou todo o povo na direção do caminho do deserto" (2 Sm 15.23).

Séculos mais tarde, Jesus, o maior descendente do rei Davi, passou por essa região: "Tendo Jesus dito isto, saiu com os seus discípulos para além do ribeiro de Cedrom, onde havia um horto, no qual ele entrou e seus discípulos" (Jo 18.1).

d) Rio Iarmuque. Constituindo-se no maior afluente oriental do Jordão, o Iarmuque é formado por três braços. Quando da conquista de Canaã, serviu de fronteira entre a tribo de Manassés e a região de Basã. Após deslizar pelos montes, o rio penetra no Jordão, a 200 metros abaixo do nível do mar.

O rio não é mencionado nas Sagradas Escrituras. Os gregos o conheciam como Ieromax. Atualmente, é chamado de Sheriat-el-Man-jur.

e) Rio Jaboque. O Jaboque nasce ao Sul da Montanha de Gileade. Tributário oriental do Jordão, o rio corre em três distintas direções: Leste, Norte e Noroeste. Antes de desembocar no Jordão, descreve, entre o Mar da Galiléia e o Mar Morto, uma semi-elipse. Seu curso tem aproximadamente 130 quilômetros.

O Jaboque é perene. No passado, servia de fronteira entre as tribos de Rubem e Gade. Em suas imediações, o patriarca Jacó lutou com o Anjo do Senhor. Foi um combate acirrado. Mas, no final, o piedoso hebreu recebe inefável bênção. No Vale do Jaboque, a semente de Abraão passa a ser alcunhada de Israel.

Jaboque significa *o que derrama*. Os árabes, entretanto, chamam-no de Nahar ez-Zerka - *rio azul*.

f) Rio Arnom. Em 1868, o missionário alemão F. A. Klein encontrou em Dibom, nas imediações do Rio Arnom, a famosa Pedra Moabita, que trazia uma inscrição em hebraico e fenício. A escritura bilíngüe confirmaria, para espanto de muitos incrédulos, a historicidade do trecho bíblico de segundo Reis 3.4-27. A descoberta arqueológica de Klein mostra quão importante é o rio Arnom (que significa *rápido* e *tumultuoso*) para a história da Terra Santa.

O Arnom nasce nos montes de Moabe e desemboca no Mar Morto. Durante séculos, esse afluente serviu de fronteira natural entre os moabitas e amorreus. Mais tarde, com a conquista de Canaã, passou a separar os israelitas dos moabitas.

Isaías e Jeremias falaram do Arnom. Profetizou o primeiro: "Doutro modo sucederá que serão as filhas de Moabe junto aos vaus de Arnom como o pássaro vagueante, lançado fora do ninho" (Is 16.2).

Atualmente, o Arnom é conhecido como Wadi el-Modjibe. Nas épocas de chuva, esse rio é volumoso. Entretanto, depois da primavera, começa a secar.

IV. LAGO DE MEROM

Encontramos apenas um lago na Terra Santa. Trata-se do Lago de Merom. Rigorosamente falando, até o Mar da Galiléia é tido como um lago. No entanto, por causa de suas avantajadas dimensões, não é assim classificado pela geografia bíblica.

Antes de mais nada, vejamos como os lagos são definidos.

1. O que é um lago. A palavra portuguesa *lago* vem do latim 'lacus' e significa *reservatório de água*. O termo latino, contudo, é oriundo deste vocábulo grego: "Lakkos" – *fosso, poço*.

Geograficamente, os lagos são constituídos de grandes massas de água concentradas em depressões topográficas, cercadas de terra por todos os lados. Eles encontram-se com mais freqüência em zonas de latitudes elevadas. No que tange às dimensões, não há uniformidade. Os lagos geralmente são alimentados por riachos ou rios. O escoamento de suas águas é feito por meio de um ou mais emissários.

2. O Lago de Merom. O lago de Merom é conhecido também como águas de Merom, conforme registra o livro de Josué: "Todos estes reis se ajuntaram, e vieram e se acamparam junto às águas de Merom, para pelejarem contra Israel. E disse o Senhor a Josué: Não temas diante deles; porque amanhã a esta mesma hora eu os darei todos feridos diante dos filhos de Israel; os seus cavalos jarretarás, e os seus carros queimarás a fogo. E Josué, e toda a gente de guerra com ele, veio apressadamente sobre eles às águas de Merom: e deram neles de repente" (Js 11.5-7).

Formado pelas águas do Jordão, o Lago de Merom tem 10 quilômetros de comprimento por seis de largura. Acha-se a dois metros acima do Mediterrâneo. Sua profundidade varia entre três e quatro metros. Hoje, o lago já não possui a sua antiga forma por ter sido adaptado pela engenharia israelense às necessidades do país. Merom fica a 20 quilômetros do Mar da Galiléia.

V. GOLFO PÉRSICO

Alguns estudiosos defendem a idéia de que a cidade de Ur, cuja ruínas estão a 240 km das praias setentrionais do Golfo, estava localizava nas costas deste.

Localizado a este da Península Arábica, o Golfo Pérsico compõe a fronteira ocidental da Pérsia, onde se encontra com os vales dos rios Tigre e Eufrates. O Golfo Pérsico é uma porção de mar do Oceano Índico, localizado entre a península arábica e o sudeste do Irã. Tem uma superfície de 239.000 km^2, e estende-se por 900 quilômetros pelo continente.

As únicas águas fluviais que recebe vêm-lhe dos rios Karum, Tigre e Eufrates. Levando-se em conta ainda a rápida evaporação de suas águas, em virtude da alta temperatura da região, entende-se o porquê de sua elevada salinidade; algo em torno de 37 a 41 gramas de sal por litro de água.

Mais da metade das reservas mundiais de petróleo encontram-se na região do Golfo Pérsico. Embora não seja mencionado na Bíblia, o seu nome acha-se presente em qualquer mapa do mundo bíblico.

O CLIMA DA TERRA SANTA

SUMÁRIO: *Introdução; I. O que é o clima; II. O clima na Terra Santa; III. O clima nas montanhas; IV. O clima no litoral; V. O clima no deserto; VI. Ventos; VII. Estações; VIII. Chuvas.*

INTRODUÇÃO

Apesar de suas exíguas dimensões territoriais, Israel apresenta uma impressionante variedade de climas. Não exageraríamos se disséssemos ser a Terra Santa a síntese meteorológica do mundo. Se em Jerusalém temos a neve cantada nos salmos, no Neguev encontramos um deserto tão causticante quanto o Saara. Que outro país tem uma diversidade climática como Israel?

Antes, porém, de estudarmos esse importantíssimo aspecto das terras bíblicas, daremos algumas noções elementares acerca do que convencionamos chamar de clima.

I. O QUE É O CLIMA

Maximilien Sorre assim discorre sobre o clima: "O clima é modernamente definido como a síntese do tempo ou o ambiente atmosférico constituído pela série de estados da atmosfera acima de um lugar, em sua sucessão habitual".

A Enciclopédia Mirador Internacional fala acerca da importância do clima na vida do planeta:

"O clima está de tal forma ligado ao mundo biológico do planeta, que a atual repartição geográfica das espécies animais e vegetais não pode ser bem compreendida sem o seu estudo; intervém ainda na formação dos solos, na decomposição das rochas, na elaboração das formas do relevo, no regime dos rios e das águas subterrâneas, no aproveitamento dos recursos econômicos, na natureza e ritmo das atividades agrícolas, nos tipos de cultivo praticados, nos sistemas de transportes e na própria distribuição dos homens sobre o globo."

II. O CLIMA NA TERRA SANTA

Israel localiza-se na faixa subtropical. Explica-se, portanto, a variedade de seu clima. Genericamente, contudo, apenas duas estações sobressaem na Terra Santa: a chuvosa e a seca. Ambas são acompanhadas, respectivamente, de muito frio e calor.

III. O CLIMA NAS MONTANHAS

Um país montanhoso. Assim é Israel. Hebrom é o ponto mais elevado do território israelita, com mais de mil metros acima do nível do Mediterrâneo. Jerusalém encontra-se a 800 metros de altura em relação ao mesmo mar.

Nas montanhas, o clima é fresco e bastante ventilado. No verão, o quadro altera-se um pouco em conseqüência das correntes de ar quente vindas do Sul e do Ocidente. Na Cidade Santa, durante o inverno, a temperatura chega a seis graus negativos com nevadas e geadas freqüentes. No verão, os termômetros oscilam entre 14 e 29 graus.

IV. O CLIMA NO LITORAL

Localizando-se ao ocidente do Mar Mediterrâneo, Israel conta com o refrigério de brisas constantes, principalmente à noite. Durante o inverno, a temperatura baixa para menos de 14 graus em Gaza e Jafa. No pico do verão, os termômetros chegam a registrar 34 graus! Em algumas localidades situadas mais ao norte, o inverno torna-se insuportável.

V. O CLIMA NO DESERTO

Nos desertos de Israel, as temperaturas oscilam, no verão, entre $43°$, $47°$ e $50°$. Nessa classificação, acha-se incluído o Vale do Jordão.

VI. VENTOS

As correntes de ventos que varrem o Oriente Médio encarregam-se da formação do clima da Terra Santa: as úmidas, do Mar Mediterrâneo; as frias, dos montes do Norte; e as quentes, das regiões desérticas.

Eis como os hebreus classificavam os ventos: Safon, portador de geadas; Quadim, propício à vegetação; o do Oeste encarrega-se das chuvas; e Darom, mensageiro do calor. Há também uma corrente de ar proveniente da Arábia cognominada Sirô. Esses ventos são tão quentes que chegam a queimar a lavoura.

VII. ESTAÇÕES

De algumas passagens bíblicas, inferimos que, no Oriente Médio, havia somente duas estações: inverno e verão. Diz o profeta Isaías: "Eles serão deixados juntos às aves dos montes e aos animais da terra e sobre eles veranearão as aves de rapina, e todos os animais da terra invernarão sobre eles" (Js 18.6).

Começava o inverno em outubro e estendia-se até o mês de março. Nessa época, os montes cobriam-se de neve. O verão tinha o seu início em abril e ia até setembro. Os agricultores aproveitavam bem essa estação para colher e preparar a terra.

VIII. CHUVAS

Ao contrário do Egito, as chuvas em Israel são abundantes. As primeiras chuvas começam em outubro e traduzem-se em fortes aguaceiros, principalmente no litoral. Nas montanhas, as precipitações são fracas e finas.

No deserto de Israel as chuvas são raríssimas. Alguns estudiosos, porém, acreditam que, no tempo de Herodes, o Grande, as chuvas não eram tão escassas nas regiões desérticas. Isto porque, ele construiu uma fortaleza em Massada com grandes cisternas, para captar a água proveniente das chuvas.

Eis a média das precipitações pluviais em Israel como um todo: 1090 mm por ano.

O orvalho continua a cair na Terra Santa. Quem pode esquecer o orvalho do Hermom?

A GEOGRAFIA ECONÔMICA DA TERRA SANTA

SUMÁRIO: *Introdução; I. O que é a Geografia Econômica; II. Uma terra que mana leite e mel; III. A flora da Terra Santa; IV. A fauna da Terra Santa; V. Os minerais da Terra Santa.*

INTRODUÇÃO

As riquezas de Israel são proverbiais. Em suas exíguas fronteiras, acha-se uma perfeita síntese dos recursos naturais do planeta. Da fértil Galiléia ao causticante Neguev, a natureza parece brotar de todas as desolações.

Israel é uma terra pródiga.

Antes de relacionar algumas das formidáveis riquezas do território israelita do Antigo Testamento, vejamos o que é a Geografia Econômica.

I. O QUE É A GEOGRAFIA ECONÔMICA

Neste tópico, é imperioso que conceituemos alguns termos

usados nas ciências econômicas. Afinal, a economia acha-se estreitamente relacionada à geografia.

1. O que é a economia. Origina-se a palavra economia de dois vocábulos gregos: *oikos* – casa + *nomos* – governo. Economia, portanto, detém, segundo Silvio Barreti, este significado: governo ou administração do lar, no sentido de zelar pelos seus pertences, pelo patrimônio familiar.

2. Evolução do termo. O grego Xenofonte foi o primeiro a usar o vocábulo *economia*. Séculos mais tarde, o francês Antoine Montechretien criaria a locução *economia política*.

3. As implicações da economia na riqueza das nações. As riquezas de um país estão diretamente ligadas à produção de bens úteis com o aproveitamento da matéria-prima extraída da natureza. Explica-nos o professor Barretti: "Produção é, pois, a transformação, pelo homem, através de trabalho consciente, das coisas existentes na natureza, em bens econômicos, capazes de satisfazer às necessidades presentes e futuras das pessoas. Assim age o homem porque os bens naturais, isto é, aqueles oferecidos pela natureza, são insuficientes qualitativa e quantitativamente, além de distribuídos irregularmente na superfície da terra, para a satisfação de todas as necessidades humanas. Sendo os bens naturais insuficientes, compete ao homem adaptá-los ao consumo, aumentando-lhes as utilidades, ou seja, produzindo os bens artificiais (ou industrializados)".

4. Geografia Econômica. É o ramo da Geografia que se dedica ao estudo das atividades econômicas dos diversos países e grupamentos humanos.

II. UMA TERRA QUE MANA LEITE E MEL

Assim o Senhor Deus falou das riquezas da Terra Santa: "Ele o fez cavalgar sobre as alturas da terra, e comeu as novidades do campo, e o fez chupar mel da rocha e azeite da dura pederneira. Manteiga de vacas, e leite do rebanho, com a gordura dos cordeiros e dos carneiros que pastam em Basã, e dos bodes, com gordura dos rins do trigo; e bebeste o sangue das uvas, o vinho puro" (Dt 32.13,14).

Já às bordas da Terra Prometida, os hebreus enviaram para ali os seus espias, e estes lhes trouxeram um impressionante relatório: "Fomos à terra a que nos enviaste; e verdadeiramente mana leite e mel" (Nm 13.27). Realçando a veracidade de suas palavras, os agentes secretos mostraram a Moisés e ao povo um enorme cacho de uvas colhido no Vale do Escol. O tamanho e a aparência dos produtos de Canaã levaram os israelitas a uma singular admiração.

Era Israel uma terra sem igual. As chuvas caíam com regularidade; as colheitas jamais mentiam. A flora e a fauna eram exuberantes. Os minerais podiam ser achados por toda a parte.

III. A FLORA DA TERRA SANTA

A flora da Terra Santa, mencionada nas Sagradas Escrituras, era singularmente pródiga. Os escritores hebreus mencionam mais de cem espécies vegetais. Tendo como parâmetro o relato sagrado, o governo israelense envida generosos recursos a fim de recuperar o primitivo reino vegetal de seu território.

Eram estes os produtos encontrados com mais abundância no período veterotestamentário: trigo, oliva e uva. Estes alimentos formavam a dieta básica dos israelitas, constituindo-se no trinômio repetido amiúde na Bíblia: pão, azeite e vinho. Eis mais algumas iguarias usadas pelos filhos de Israel: cevada, lentilha, mostarda, pepino, cebola, alho, romã, melão e tâmara.

As plantas silvestres dos tempos bíblicos eram o cedro, a faia, o pinheiro, a acácia, a palmeira, o carvalho, a murta. Das flores, eis as mais famosas: o lírio do campo e a rosa de Sarom.

W. J. Goldsmith fala acerca da flora de Israel: "Se a Palestina não é terra de florestas, é terra de pomares. O abricó, o figo, a cidra, a romã, a amora e a tâmara (está no Baixo-Jordão) são encontrados, mas a oliveira e a parreira foram sempre as duas principais árvores frutíferas da Palestina. Hoje, estendem-se os laranjais sobre largas áreas das colônias judaicas. O cultivo dos cereais era limitado aos planaltos menos elevados, aos vales mais abertos e às planícies. Os melhores trigais são os da Filistia, do Esdrelon, do Mukneh (a leste de Nabus) e do haurã. A cevada, alimento dos animais e dos camponeses mais pobres, tornava-se o alimento dos israelitas em geral quando, perseguidos, eram obrigados a abandonar as planícies. Assim, foi como um pão de cevada que o midianita viu em sonho o israelita, rodando colina abaixo e derribando sua tenda" (Jz 7.13).

Através de intensos programas de irrigação, o governo israelense está reflorestando todo o seu território. Do livro *Este é Israel*, extraímos este trecho para mostrar o que os judeus, com a ajuda do Todo-Poderoso, estão fazendo para tornar o seu árido solo num jardim: "Nos tempos bíblicos, as terras de Israel eram cobertas de florestas. Nos séculos subseqüentes, especialmente durante a Idade Média, muitas florestas foram destruídas pelos nômades e suas cabras e outras pelos turcos que as usavam como combustível para seus trens militares. Grande parte do reflorestamento tem sido realizado pela comunidade judaica, sendo que a maioria das florestas que cobrem hoje o solo de Israel foram plantadas durante os últimos 50 anos. Das poucas florestas antigas sobrevivem principalmente os bosques da Galiléia. Em 1948, havia 4.388.000 árvores em Israel. Quase 30 anos depois, havia 103.000.000 árvores, quase todas plantadas pelo Fundo Nacional Judaico."

IV. A FAUNA DA TERRA SANTA

As Sagradas Escrituras mencionam quase 130 nomes de animais selvagens e domésticos. *La Enciclopedia de la Biblia* cataloga 50 espécies de mamíferos, 42 de invertebrados, 46 de aves e 19 répteis, peixes e anfíbios.

Relacionaremos, a seguir, os animais encontrados com mais freqüência nos tempos bíblicos: 1) Selvagens: leão, urso, leopardo, hiena, víbora, corça, lebre, chacal, lobo, raposa, camaleão; 2) Domésticos: ovelha, vaca, cabra, mula, camelo, cavalo, jumento e cão; 3) Aves: perdiz, codorniz, pombo, galinha, avestruz, cegonha, rola, corvo, pelicano, etc; 4) Insetos: abelhas e gafanhotos de diversas espécies, formigas, mosquitos e moscas; 5) Peixes: 43 espécies, sendo o mais famoso o peixe de São Pedro.

Entre os insetos mencionados, os gafanhotos são consumidos até o dia de hoje. A estranha iguaria é bastante apreciada pelos beduínos e pobres.

O que aconteceu com a fauna hebréia?

Em conseqüência dos muitos incêndios provocados por exércitos conquistadores, a fauna da Terra Santa sofreu enormes prejuízos. O governo israelense buscando reconstruir a ecologia de seu território, acha-se a carrear recursos para recompor o ambiente dos tempos bíblicos. Nesse programa, está gastando milhões de dólares com o reflorestamento de seu território.

V. OS MINERAIS DA TERRA SANTA

Os israelitas, de acordo com a Palavra do Senhor, herdariam uma terra, cujas pedras são ferro e, em cujos montes, achariam o cobre (Dt 18.7-9). A Terra Santa, de fato, possui gigantescas reservas minerais.

Eis os minérios encontrados com mais freqüência em Israel: ouro, prata, ferro, enxofre, cobre, estanho e chumbo.

O Mar Morto, conforme já dissemos, é uma fonte de inesgotáveis riquezas. Suas reservas em sais e minerais são orçadas em bilhões e bilhões de dólares.

Segundo alguns textos bíblicos, em Israel há abundância de pedras preciosas. Há, pelo menos, duas relações delas nas Sagradas Escrituras. O diamante, por exemplo, gera muitas divisas. Aliás, grande parte da produção diamantífera do mundo passa pelas oficinas de lapidação israelenses.

A GEOGRAFIA HUMANA DA TERRA SANTA

SUMÁRIO: *Introdução; I. A família hebraica; II. A vida social hebraica; III. Moradia; IV. Mobília; V. Alimentação; VI. Indumentária; VII. Dinheiro da Terra Santa; VIII. A população do Estado de Israel no século XXI.*

INTRODUÇÃO

A geografia humana do Israel dos tempos bíblicos é particularmente interessante. Revela-nos como viviam os hebreus, cuja existência era orientada religiosa e civilmente pela Lei de Moisés. Em seus usos e costumes, demonstravam quão apegados estavam à sua religiosidade, tradições e raízes históricas. Que outro povo soube conservar com tanto zelo suas raízes?

Não obstante suas agruras, exílios e perseguições, os filhos de Abraão têm preservado sua herança cultural e espiritual. Com muita razão escreveu Lacordaire: "O povo judeu tem sido o historiador, o sábio, o poeta da humanidade".

Não fosse esse desmedido amor às suas origens, a nação hebraica de há muito já teria desaparecido.

I. A FAMÍLIA HEBRAICA

Para os hebreus, a família é de origem divina. E, de fato, o é. Declarou o Senhor ao criar nossos primeiros pais:

"Façamos o homem à nossa imagem, conforme a nossa semelhança; e domine sobre os peixes do mar, e sobre as aves dos céus, e sobre o gado, e sobre toda a terra, e sobre todo o réptil que se move sobre a terra. E criou Deus o homem à sua imagem; à imagem de Deus o criou; macho e fêmea os criou. E Deus os abençoou e Deus lhes disse: Frutificai e multiplicai-vos, e enchei a terra, e sujeitai-a; e dominai sobre os peixes do mar, e sobre as aves dos céus, e sobre todo o animal que se move sobre a terra" (Gn 2.26-28).

A importância da família para o judeu é indiscutível. Ele a considera mais importante que o próprio indivíduo. Nesse sentido, o escritor francês Honoré de Balzac parece estar de pleno acordo com o sentimento judaico: "Por isso considero a família e não o indivíduo o verdadeiro elemento social. Sob esse ponto de vista, arriscando ser olhado como um espírito retrógrado, tomo lugar ao lado de Bossuet e de Bonald, em vez de andar com os inovadores modernos".

Henri Daniel-Rops ressalta o valor da unidade familiar em Israel:

"Quando o jovem Jacó foi procurar seu tio Labão em Harã, a fim de encontrar trabalho e uma esposa; Labão, ao reconhecê-lo como membro de sua família, exclamou: 'É meu osso e minha carne'. Este símbolo, tão típico do estilo bíblico, era muito usado pelo povo do Livro, e correspondia à realidade. A família era em Israel a base vital da sociedade, a pedra fundamental de todo o edifício. Nos primeiros tempos ela formava até mesmo uma entidade separada sob o ponto de vista da Lei, uma parte da tribo; na época de Cristo era talvez mais frágil do que nos dias dos patriarcas, quando o indivíduo não tinha valor algum em comparação, mas era ainda muitíssimo importante. Os membros da família sentiam-se realmente como sendo da mesma carne e sangue; e ter o mesmo sangue significava ter a mesma alma. A legislação tomara este princípio como base, desenvolvendo-se a partir dele. A Lei multiplicara, também, suas ordens, a fim de manter a permanência, a pureza e a autoridade da família. Enquanto os judeus desejassem permanecer fiéis à Lei (e isto era quase universal) eles jamais deixariam de admitir o lugar predominante da família na sociedade".

Prossegue Henri Daniel-Rops:

"A família não era apenas uma entidade social, mas também uma comunidade religiosa, com suas festas particulares, em que o pai era o celebrante enquanto os demais membros participavam. Algumas das importantes cerimônias exigidas na Lei tinham um forte caráter familiar – a Páscoa, por exemplo, tinha de ser celebrada em família. O elo religioso familiar era tão vigoroso que nos evangelhos e no livro de Atos vemos que os pais que aceitavam os ensinamentos de Cristo levavam com eles a família inteira".

1. Casamento. Os israelitas do Antigo Testamento nem sempre alcançaram o ideal traçado pelo Senhor. A monogamia, por exemplo, não era encarada com seriedade. Haja vista que homens piedosos como Abraão, Jacó e Davi, eram polígamos. O que dizer de Salomão que possuía 700 mulheres e 300 concubinas?

A poligamia, entretanto, tinha os seus limites. Um hebreu não podia tomar como esposas duas mulheres que fossem irmãs ou mãe e filha. Se tal ocorresse, os infratores seriam apedrejados. A devassidão e a promiscuidade eram severamente reprimidas. O adultério não era tolerado.

Com o exílio babilônico, os israelitas foram se curando da poligamia. No Novo Testamento, já não encontramos nenhum caso declarado de poligamia. O Senhor Jesus exaltou o ideal monogâmico e condenou qualquer casamento fora do padrão estabelecido no capítulo dois de Gênesis.

Devido à esterilidade das esposas legítimas, o casal optava às vezes por ter filhos por intermédio de uma concubina. Temos um exemplo no caso de Abraão e Agar, através da qual veio Ismael.

O casamento misto era condenado pela Lei de Moisés: "Quando o Senhor teu Deus te tiver introduzido na terra, a qual vais a possuir, e tiver lançado fora muitas gentes de diante de ti, os heteus, e os girgaseus, e os amorreus, e os cananeus, e os ferezeus, e os heveus, e os jebuseus, sete gentes mais numerosas e mais poderosas do que tu; e o Senhor teu Deus as tiver dado diante de ti, para as ferir, totalmente as destruirás; não farás com elas concerto, nem terás piedade delas; nem te aparentarás com elas: não darás tuas filhas a seus filhos, e não tomarás suas filhas para teus filhos. Pois fariam desviar teus filhos de mim, para que servissem a outros deuses; e a ira do Senhor se acenderia contra vós, e depressa vos consumiria" (Dt 7.1-4).

Havia ainda o casamento por levirato. Quando um homem morria sem deixar descendência, seu irmão era obrigado a casar-se com a viúva. Por intermédio dos filhos da nova união, a memória do falecido era preservada. Assim prescreve a Lei: "Quando alguns irmãos morarem juntos, e algum deles morrer, e não tiver filho, então a mulher do defunto não se casará com homem estranho de fora; seu cunhado entrará a ela, e a tomará por mulher, e fará obrigação de cunhado para com ela. E será que o primogênito que ela der à luz estará em nome de seu irmão defunto; para que o seu nome se não apague em Israel" (Dt 25.5,6).

2. Contrato de casamento. O contrato de casamento em Israel era feito pelo pai do noivo, pelo irmão mais velho ou por um parente próximo. Excepcionalmente, podiam atuar também a mãe ou um amigo da família. Às vezes, o próprio rapaz encarregava-se da concretização do matrimônio. No entanto, as negociações sobre o dote e outras formalidades ficavam a cargo de terceiros.

Antes da realização do matrimônio, eram feitas exaustivas consultas sobre os bens de ambos. Também eram tomados especiais cuidados quanto à segurança da noiva e ao enfraquecimento da tribo. Finalmente, o noivo pagava um dote ao pai da futura esposa, que oscilava entre 30 e 50 siclos de prata. Dessa forma, o pai da moça era recompensado pela perda da filha. O pagamento podia ser ainda em forma de trabalho, como ocorreu com Jacó.

A endogamia, ou seja, o casamento entre irmãos, era proibida pela Lei de Moisés.

3. Noivado. Entre os povos ocidentais, o noivado não tem qualquer consistência. Pode ser dissolvido sem maiores traumas. Infelizmente, isso ocorre até mesmo entre os que se dizem filhos de Deus. Jocosamente declara Leon Eliachar: "O noivado é o período de desajustamento antes do casamento". Entre os hebreus, contudo, o noivado era um compromisso sério. Somente a morte poderia dissolvê-lo.

Quando começava o noivado? A partir do momento em que o moço entregava à sua escolhida uma moeda com esta inscrição: "Seja consagrada a mim". A cerimônia, bastante singela, era celebrada na presença de duas ou mais testemunhas. Com essa solenidade, ambos eram considerados marido e mulher. O relacionamento sexual, porém, somente seria iniciado após as núpcias que, segundo a tradição judaica, variava de um mês a sete anos.

Os rapazes, durante o noivado, estavam desobrigados do serviço militar.

4. Núpcias. As festas nupciais eram celebradas, via de regra, em sete dias, Não raro, chegavam a durar até duas semanas. Variavam de acordo com o poder aquisitivo dos noivos.

Segundo o Novo Dicionário da Bíblia, as celebrações eram assinaladas por música e por brincadeiras como o enigma apresentado por Sansão. A mesma obra esclarece-nos: "Alguns interpretam o livro de Cantares à luz de certo costume que havia entre os aldeões sírios, de chamar o noivo e a noiva de rei e rainha durante as festividades depois da cerimônia de casamento, e de louvá-los com cânticos".

5. Divórcio. O divórcio foi introduzido na Lei Mosaica por causa da dura cerviz dos varões israelitas. Aproveitando-se da liberalidade dessa legislação, os hebreus rompiam os laços do matrimônio por quaisquer motivos. Alguns, por exemplo, repudiavam sua esposa por não achá-la mais graciosa. O Senhor, entretanto, não aprovava tal comportamento.

Com uma carta de divórcio, concretizava-se o rompimento dos laços conjugais (Dt 24.3). De posse do documento, podia a mulher contrair novas núpcias. Caso, porém, viesse a separar-se do segundo marido, não podia voltar ao primeiro. Por quê? – Esclarece-nos Moisés: "Então seu primeiro marido, que a despediu não poderá tornar a tomá-la, para que seja sua mulher, depois que foi contaminada, pois é abominação perante o Senhor; assim não farás pecar a terra que o Senhor teu Deus te dá por herança" (Dt 24.4).

Jesus, entretanto, repudiou energicamente o divórcio, exceto em caso de adultério: "Moisés por causa da dureza dos vossos corações vos permitiu repudiar vossas mulheres; mas no princípio não foi assim. Eu vos digo, porém, que qualquer que repudiar sua mulher, não sendo por causa de prostituição, e casar com outra, comete adultério; e o que casar com a repudiada também comete adultério" (Mt 19.8, 9).

6. Filhos. Uma herança divina. Assim os hebreus viam os filhos, principalmente os homens. Salmodiou o rei Salomão: "Eis que os filhos são herança do Senhor, e o fruto do ventre o seu galardão. Como frechas na mão do valente, assim são os filhos da mocidade. Bem-aventurado o homem que enche deles a sua aljava: não serão confundidos, quando falarem com os seus inimigos" (Sl 127.3-5).

Em Israel, a esterilidade era considerada opróbrio. Não poucas mulheres afligiam-se por não terem filhos. Raquel e Ana, por exemplo, rogaram a Deus que lhes concedesse o dom da maternidade. Para as hebréias, não havia privilégio tão grande como o de gerar filhos.

O direito da primogenitura era respeitadíssimo entre os israelitas. Ao filho mais velho cabia a porção dobrada dos bens paternos. Com a morte do pai, assumia a responsabilidade da casa e as funções sacerdotais da família.

As filhas apenas recebiam a herança paterna se não houvesse nenhum filho varão. Elas eram sustentadas pelos irmãos que se encarregavam inclusive de seu casamento. As israelitas não podiam casar-se com jovens de outra tribo.

Cabia ao pai, também, ensinar aos filhos as primeiras letras e uma profissão. A ociosidade não era tolerada na sociedade hebréia.

II. A VIDA SOCIAL HEBRAICA

A vida social dos hebreus girava em torno de sua religião. Todos os acontecimentos sociais lembravam-lhes quão presente estava o Todo-Poderoso. Ao contrário de outros povos, não admitiam eles extravagância nem libertinagens em suas reuniões. A vida social era um apêndice da religião.

1. O lugar da mulher na sociedade hebraica. Os israelitas honravam suas mães, irmãs, esposas e filhas. Concediam-lhes direitos que os outros povos jamais sonharam em conferir às suas mulheres. Se prejudicadas, podiam elas recorrer aos juízes.

Muitas vezes louvadas, chegaram a ocupar lugares de honra e de distinção. Débora, por exemplo, exerceu grande influência sobre os seus contemporâneos. Não fossem suas confortadoras palavras, Baraque não teria desbaratado os inimigos do povo de Deus. E o que dizer de Sara, Rebeca, Raquel, Ana, Rute e Hulda?

Submissas, suas principais preocupações eram domésticas. Todavia, encontramo-las a pastorear, a trabalhar a terra e a exercer atividades tidas como próprias de homens.

Noutros países orientais, entretanto, a mulher era tratada como se fora mero objeto.

2. Saudações. Inclinando o corpo um pouco para frente, com a mão direita sobre o lado esquerdo do peito. Assim era a saudação dos hebreus dos tempos bíblicos. Por causa de tão demorados rituais, ordenou Jesus aos seus discípulos: "... e a ninguém saudeis pelo caminho" (Lc 10.4).

Perante os magistrados e outras autoridades, era costume inclinar-se até à terra. Eis as expressões mais usadas nas saudações hebréias: "Paz!" "Paz seja convosco!" e "Paz seja sobre esta casa!"

3. Sepultamento e luto. Constatado o óbito, o corpo era rigorosamente lavado e enrolado em lençóis impregnados de perfume. Por causa do clima quente (que provocava rápida decomposição do cadáver) e das exigências da lei mosaica, o sepultamento era feito no mesmo dia.

O féretro era realizado desta forma: as carpideiras iam à frente, enchendo a cidade com os seus lamentos; atrás delas, o defunto, e, logo após, os parentes do falecido, os amigos e o povo.

Os túmulos dos pobres eram cavados no chão. Os dos ricos, escavados nas rochas. Raramente usados, os esquifes eram quase desnecessários. O embalsamamento não se constituía um hábito entre os israelitas. Jacó e José, a propósito, foram embalsamados no Egito, por profissionais da corte faraônica.

Sete dias. Era o quanto durava o luto entre os filhos de Israel.

III. MORADIA

Na Antigüidade, havia em Israel casas simples e também imponentes habitações. Tudo dependia das posses do morador. Em Samaria, por exemplo, algumas residências eram feitas de marfim.

1. Tendas. Em Ur dos Caldeus, Abraão habitava numa casa confortável que, segundo alguns estudiosos, possuía até água quente nos canos e bicas. Ao deixar sua cidade, passou a residir em tendas, a mais antiga forma de moradia no Médio Oriente.

As tendas eram feitas de peles de cabra. Com o passar dos séculos, fizeram-se mais sofisticadas. Algumas possuíam várias dependências. Muitos eram os judeus que se dedicavam à fabricação de tendas. Haja vista o apóstolo Paulo.

2. Cabanas. Construídas com estacas e cobertas de folhagens, eram usadas com freqüência pelos israelitas. No Monte da Transfiguração, Pedro, embevecido pela glória de Nosso Senhor, dispôs-se a construir três cabanas: uma para Jesus, outra para Moisés e a terceira para Elias.

3. Tabernáculo. Era o templo peregrino dos israelitas. Acompanhou-os durante seus 40 anos de jornada pelo deserto do Sinai. Nessa tenda, a glória do Senhor manifestava-se constantemente a Moisés. Tão singelo lugar de adoração seria substituído, mais tarde, pelo Templo, construído por volta do ano 1000 a.C., pelo rei Salomão. Tabernáculo significa também habitação.

4. Casas. Nos tempos bíblicos, as casas eram feitas de pedra, de tijolos e de madeira. Geralmente eram pequenas; possuíam apenas um cômodo. As residências dos ricos, entretanto, tinham vários compartimentos.

Nas localidades mais quentes, os telhados eram planos e podiam ser transformados em terraços. No auge do verão, serviam de dormitório. Nas regiões mais frias, os telhados, em forma de meia-água, facilitavam o deslizamento da neve.

As portas das casas hebréias eram estreitas e baixas. As janelas, poucas e sem vidros.

5. Torres de vigia. Com quase três metros de altura, as torres de vigia eram construídas para proteger os pomares e as lavouras. As provisórias eram feitas de madeira; as permanentes, de pedras. Estas últimas serviam, também, de residência.

6. Palácios. Construídos com esmero, constituíam-se nas residências dos reis. O mais importante deles foi erguido pelo rei Salomão. Segundo alguns estudiosos, a casa do sábio rei de Israel era mais suntuosa do que o Templo.

IV. MOBÍLIA

Poucas eram as mobílias de uma casa hebréia. Além do leito, havia apenas uma mesa baixa. As cadeiras raramente eram usadas, porque os hebreus, à semelhança dos outros orientais, sentavam-se no chão com as pernas cruzadas. Não raro, as almofadas serviam como assentos. Nas residências dos mais abastados, o mobiliário era sofisticado.

V. ALIMENTAÇÃO

Basicamente, esta era a dieta alimentar dos hebreus nos tempos bíblicos: pão, azeite, vinho, legumes, frutas, leite, mel e farinha. Nas ocasiões festivas, a carne era largamente consumida. O peixe, por outro lado, era mais usado no litoral e nas imediações dos rios e do Mar da Galiléia. A manteiga e o queijo eram feitos de leite de cabra. O leite de vaca raramente era usado.

VI. INDUMENTÁRIA

A indumentária dos israelitas nos tempos bíblicos era confeccionada em algodão, lã, linho e seda.

1. Vestuário masculino. A principal peça do vestuário masculino constituía-se de uma túnica tecida de algodão. Parecia mais uma camisola sem mangas. A túnica dos ricos, porém, ostentava mangas compridas e largas. Os homens usavam, ainda, uma capa de algodão. O cinto era de couro. O bastão e o anel-sinete serviam também como ornamentos.

O turbante completava o vestuário masculino. O sumo sacerdote e os demais ministros do altar vestiam-se com mais esmero. Suas vestes tipificavam a glória e a santidade divina. Sob a dominação romana, os paramentos sacerdotais ficavam sob custódia do representante imperial, e só eram liberados nas ocasiões solenes.

2. Vestuário feminino. As mulheres também usavam túnicas, só que mais longas e ornamentadas. Quando apareciam em público, cobriam o rosto com um véu. As hebréias apreciavam pulseiras, anéis, pendentes e diademas. As mais extravagantes, pintavam-se. Os profetas, contudo, condenavam tais excessos. De uma maneira geral, as israelitas eram elogiadas por sua modéstia, simplicidade e recato.

VII. DINHEIRO DA TERRA SANTA

A primeira moeda citada nas Sagradas Escrituras é o darico. Proveniente da Pérsia, era muito usada nos tempos de Esdras e Neemias. Mais tarde, começou a ser cunhada uma moeda inteiramente judaica conhecida como shekel. Aliás, no início dos anos de 1980, o governo israelense adotou-a como unidade monetária.

Eis mais algumas moedas mencionadas na Bíblia: dracma, estáter e ceitil. A primeira é grega e a segunda e a terceira, romanas.

VIII. A POPULAÇÃO DO ESTADO DE ISRAEL NO SÉCULO XXI

Dos mais de seis milhões de habitantes do Estado de Israel, cerca de 79,8% são judeus (metade nascida no país e os demais provindos de setenta países em todo o mundo), 16,8% são árabes (quase todos muçulmanos), o 1,7% restante é composto de drusos, circassianos e outras etnias não classificadas.

Nação relativamente jovem, Israel caracteriza-se pelo engajamento social, religioso e político-ideológico. Outro fator que impressiona é a engenhosidade econômica e a criatividade cultural dos israelenses. Tais fatores fazem de Israel o lar de uma grande e dinâmica nação. Um país em contínuo desenvolvimento.

Expulsos de sua terra há cerca de 2000 anos, os judeus espalharam-se pelo mundo; suas peregrinações foram mais intensas na Europa, Norte da África e Oriente Médio.

Durante essa longa jornada, fundaram renomadas comunidades e centros de cultura, experimentaram períodos de intensa prosperidade e crescimento, mas sofreram grandes perseguições, discriminação e massacres. Não obstante, alimentavam a fé de um dia voltarem à sua terra para reconstruir o seu lar nacional. Sua esperança não foi malograda. Em maio de 1948, o Estado de Israel era proclamado solenemente na Organização das Nações Unidas.

A GEOGRAFIA POLÍTICA DA TERRA SANTA

SUMÁRIO: *Introdução; I. O que é a Geografia Política; II. Os primeiros habitantes da Terra Santa; III. A origem dos hebreus; IV. Os povos vizinhos da Terra Santa; V. A Terra Santa no tempo de Josué e dos juízes; VI. O Reino Unido; VII. O cisma israelita; VIII. Os cativeiros assírio e babilônico; IX. A restauração de Israel.*

INTRODUÇÃO

Ao longo da história, a geografia política de Israel passou por inúmeras alterações. É um dos países que mais sofreram mudanças em suas fronteiras. Haja vista a sua história atual. Em seus 52 anos como estado soberano, teve Israel seus limites diversas vezes alterados em conseqüência das guerras que foi obrigado a travar com seus vizinhos. Em todas as suas vicissitudes, porém, vislumbramos a mão de Deus guiando-lhe o destino e preservando-lhe a existência.

Dos dias bíblicos aos atuais, Israel é um milagre que o Todo-Poderoso Deus faz questão de preservar.

I. O QUE É A GEOGRAFIA POLÍTICA

É o ramo da Geografia que estuda as relações entre as nações e regiões do Globo, compreendendo também o meio físico, humano e econômico.

II. OS PRIMEIROS HABITANTES DA TERRA SANTA

Antes de Josué conquistar a Terra Prometida, habitavam-na diversos povos cananeus. Enumera-os Moisés: "Quando o Senhor teu Deus te tiver introduzido na terra, a qual vais a possuir, e tiver lançado fora muitas gentes de diante de ti: os heteus, e os girgaseus, e os amorreus, e os cananeus, e os fereseus, e os heveus, e os jebuseus, sete gentes mais numerosas e mais poderosas do que tu" (Dt 7.1).

De origem camita, essas nações eram renomadas por sua belicosidade. Eram conhecidas também devido às suas iniqüidades e grosseiros pecados. Adoravam os mais abjetos ídolos, e a estes chegavam até a sacrificar seus filhinhos.

No entanto, foram todas elas vencidas pelos exércitos de Josué. Não resistiram ao ímpeto do povo de Deus.

III. A ORIGEM DOS HEBREUS

Descendentes de Sem, os hebreus sempre identificaram-se com este seu ilustre ancestral. Haja vista que o anti-semitismo é voltado apenas contra os judeus, apesar de os árabes serem também filhos do primogênito de Noé.

A nação hebréia começou com um caldeu chamado Abrão. Nascido por volta do ano 2000 a.C., tem ele, aos 75 anos de idade, uma profunda experiência espiritual. Aparece-lhe Deus, e dirige-lhe estas palavras: "Sai-te da tua terra, e da tua parentela e da casa de teu pai, para a terra que eu te mostrarei. E far-te-ei uma grande nação, e abençoar-te-ei, e engrandecerei o teu nome e tu serás uma bênção. E abençoarei os que te abençoarem e amaldiço-

A Geografia Política da Terra Santa

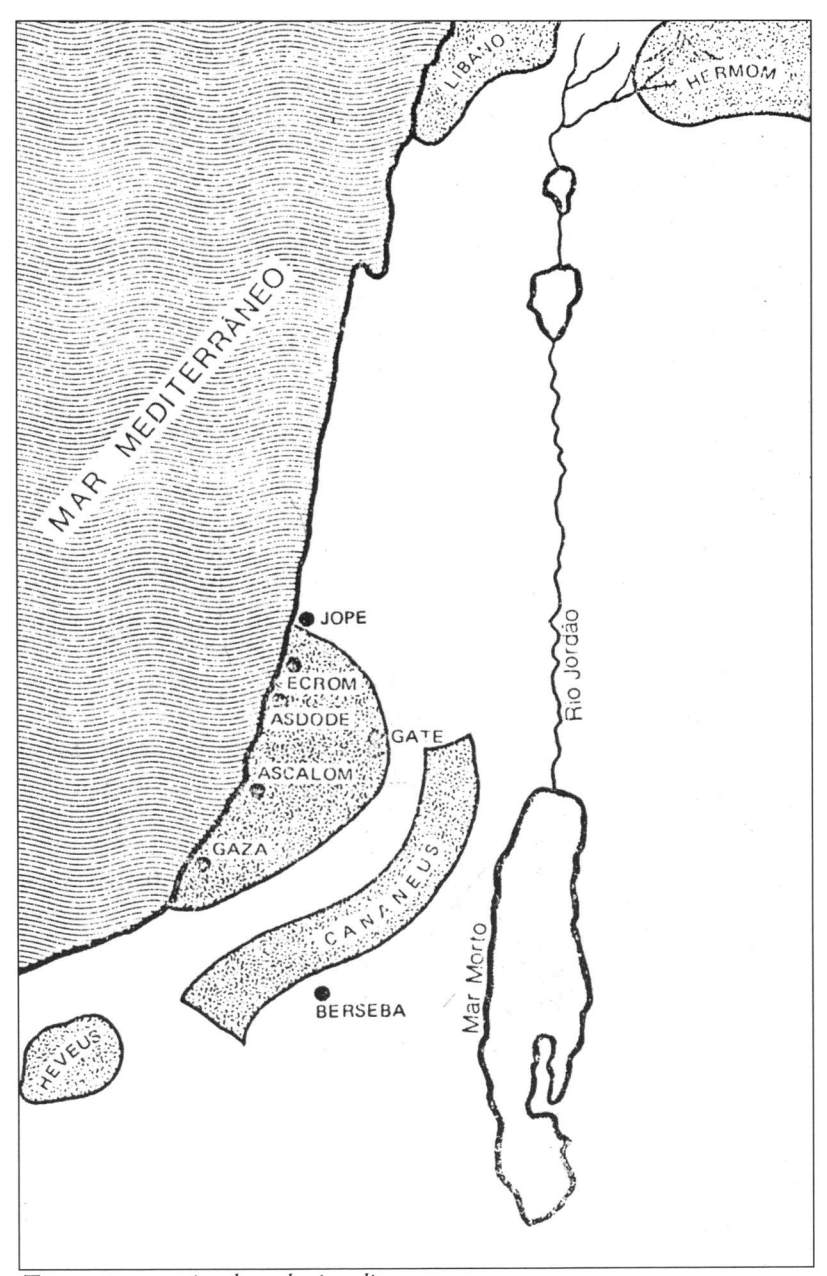

Terras não conquistadas pelos israelistas

arei os que te amaldiçoarem; e em ti serão benditas todas as famílias da terra" (Gn 12.1-3).

Assim nasceu a nação israelita. Nasceu nas peregrinações dos patriarcas. Nasceu no deserto e entre espinhos. Nasceu em terras estrangeiras. Hoje, floresce como a palmeira!

IV. OS POVOS VIZINHOS DA TERRA SANTA

Além das sete nações cananéias já mencionadas, Israel foi obrigado a conviver com outros povos igualmente aguerridos, idólatras e belicistas. Tais gentes causaram muitos transtornos à progênie de Abraão. De quando em quando, violavam-lhe as fronteiras e escravizavam-lhe tribos inteiras.

Eis os principais povos que sobreviveram às investidas dos exércitos de Josué: filisteus, amalequitas, midianitas, moabitas, amonitas, edomitas, fenícios e sírios. Escreve o pastor Enéas Tognini: "Estas nações e povos, que rodeavam Israel, serviam de termômetro para regular a temperatura espiritual dos filhos de Jacó: quanto mais perto de Deus andavam, mais poder tinham e seus territórios eram dilatados; afastavam-se do seu Senhor, Deus os abandonava: ficavam sem proteção: chegavam os inimigos e subjugavam o povo e, conseqüentemente, se apossavam de seus territórios".

V. A TERRA SANTA NO TEMPO DE JOSUÉ E DOS JUÍZES

Moisés morreu aos 120 anos, sem haver introduzido os israelitas em Canaã. Essa incumbência seria entregue a um bravo e destemido general chamado Josué. Destacando-se sempre em todas as suas missões, era o sucessor natural do grande legislador.

Sob o seu comando, os exércitos de Israel conquistaram a terra que mana leite e mel. A guerra pela posse da mais formosa das heranças durou 14 anos: de 1404 a 1390 a.C. Durante esse período, os batalhões cananeus foram caindo um após outro diante de Josué. Nenhuma força militar era capaz de conter os israelitas.

A Geografia Política da Terra Santa

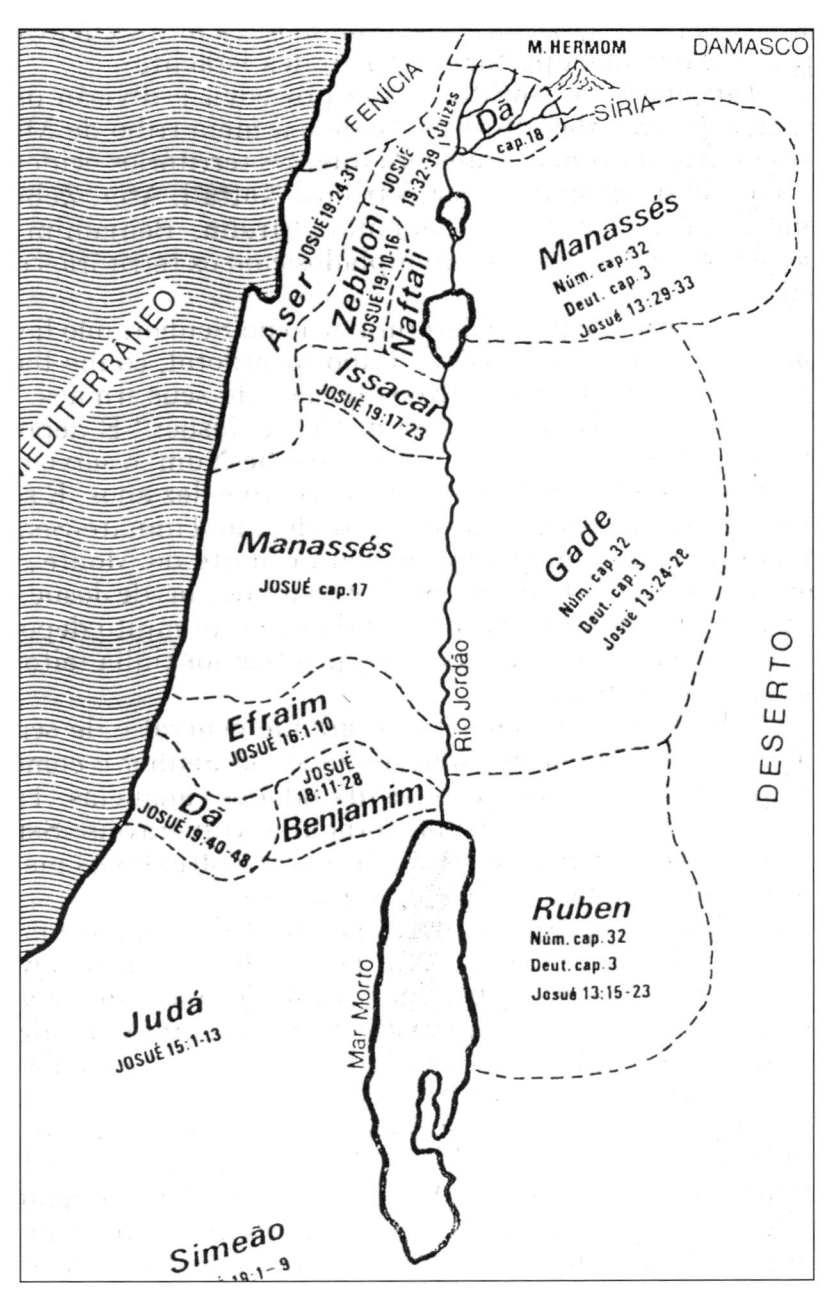

Limite bíblico das 12 tribos

Terminado o conflito, Josué procedeu à divisão das terras conquistadas. Rubem, Gade e a meia tribo de Manassés ficaram com a Transjordânia. Os territórios ocidentais foram distribuídos a estas tribos: Naftali, Aser, Zebulom, Issacar, Manassés Ocidental, Efraim, Benjamim e Dã. Judá e Simeão são contemplados com os territórios do Sul.

Os levitas, segundo determinara o Senhor, não herdaram quaisquer possessões. Tribo sacerdotal, coube-lhes 48 cidades espalhadas entre os termos de seus irmãos.

Registra a Bíblia o término da carreira de Josué: "E depois destas coisas sucedeu que Josué, filho de Num, o servo do Senhor, faleceu, sendo da idade de cento e dez anos. E sepultaram-no no termo da sua herdade, em Timnate-Sera, que está no monte de Efraim, para o norte do Monte de Gaás. Serviu pois Israel ao Senhor todos os dias de Josué, e todos os dias dos anciãos que ainda viveram muito depois de Josué, e sabiam toda a obra que o Senhor tinha feito a Israel" (Js 24.29-31).

Com a morte de Josué e de toda a sua geração, os israelitas esqueceram-se do Senhor, e começaram a curvar-se ante as divindades e abominações cananéias. Tamanha decadência espiritual torna-os vulneráveis. Sem mais contarem com a proteção de Jeová, sofreram ataques de quase todos os seus vizinhos.

O período dos juízes é um dos mais tristes da história hebréia. Nos termos de Israel, reinava grande anarquia. As tribos, por causa de suas diferenças internas, dificilmente se uniam para enfrentar o inimigo comum. Em não poucas vezes, porém, os israelitas, acossados por seus algozes, clamaram ao Senhor, que jamais os deixou de ouvir.

Infinito em suas misericórdias, o Senhor dos Exércitos suscitava-lhes juízes que os libertavam de seus verdugos. Morrendo, porém, o libertador, tornavam eles a cair na apostasia. E novamente eram dominados por seus adversários. O círculo vicioso duraria até à monarquia.

No período dos juízes, que durou aproximadamente 330 anos, estas quatro palavras caracterizaram a história do povo eleito: pecado, opressão, arrependimento e livramento.

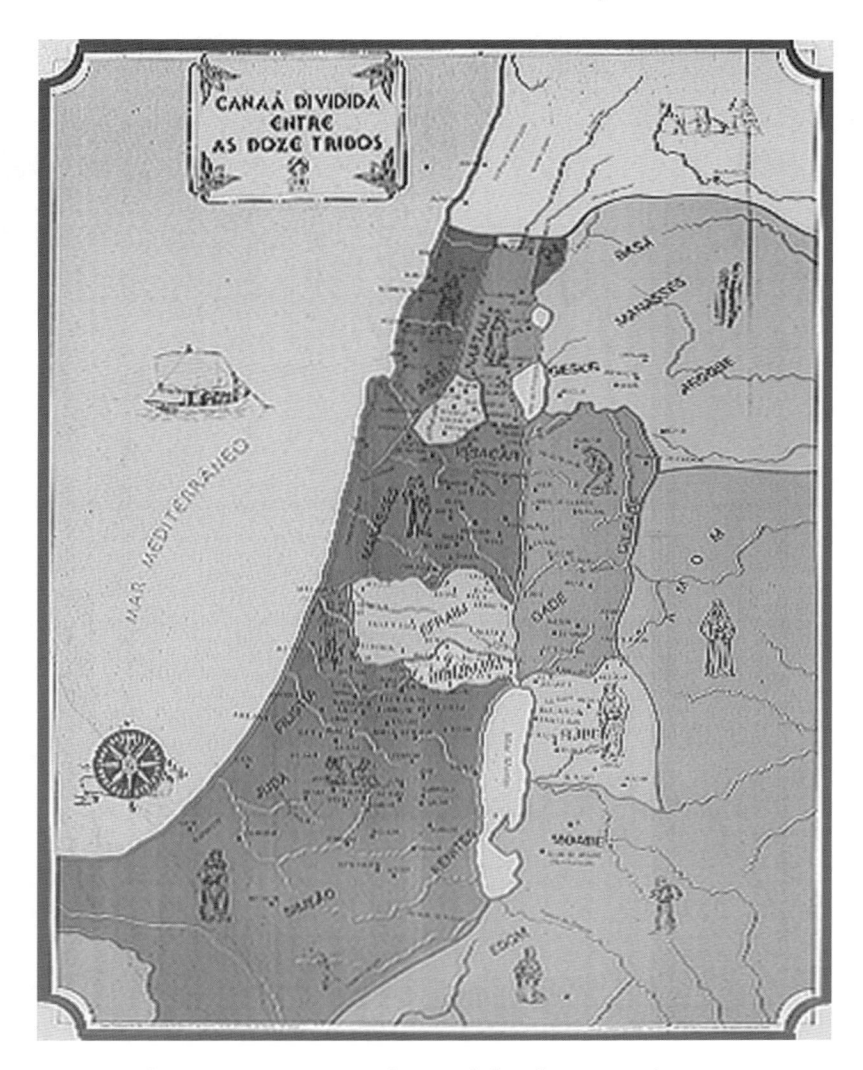

Israel teve 13 juízes. O último deles foi Samuel. Nessa época, havia muita terra a ser conquistada. Os hebreus, todavia, não completaram a tarefa iniciada por Josué.

VI. O REINO UNIDO

Samuel é chamado, com justa razão, de o fazedor de reis. Representa ele a transição entre a judicatura e a monarquia. Por seu

Geografia Bíblica

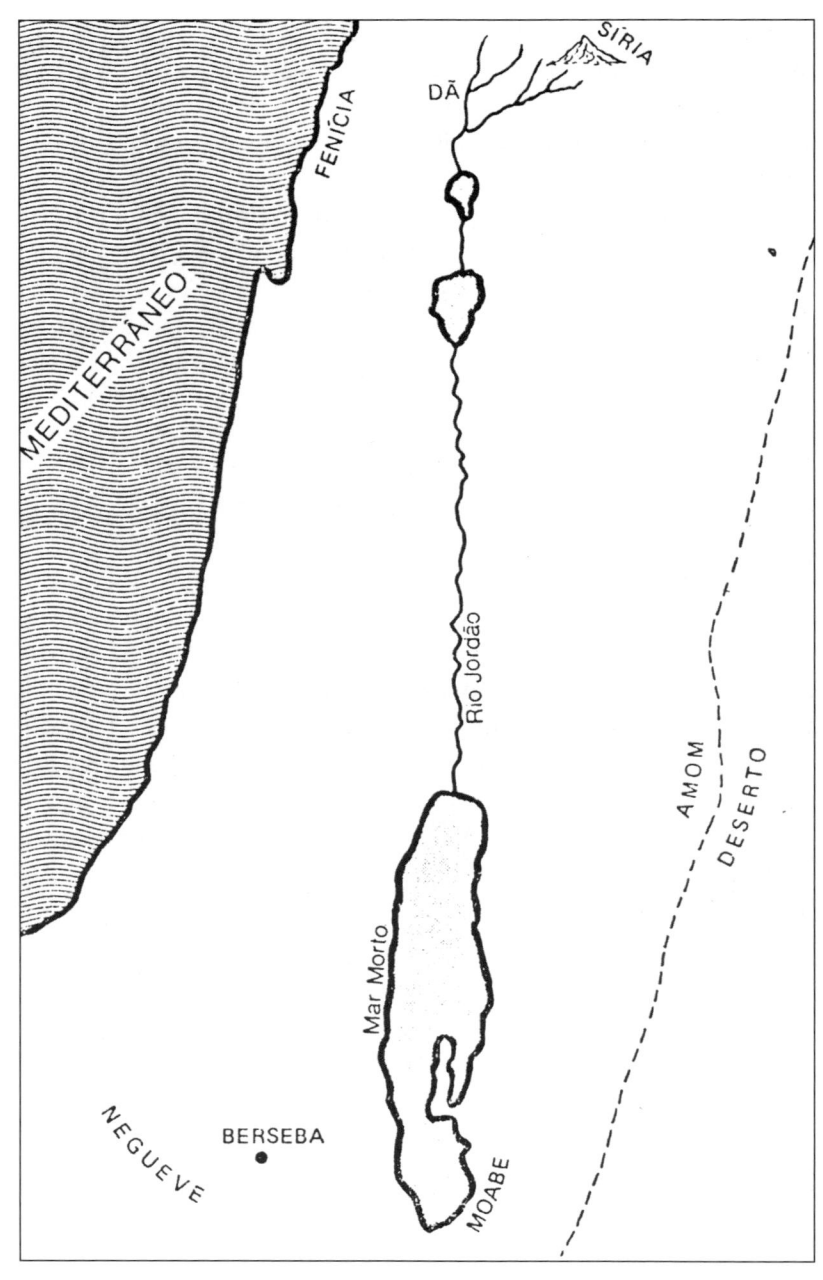

Mapa das fronteiras da antiga Palestina

intermédio, foram escolhidos os dois primeiros reis de Israel. Sua influência é tão grande que, mesmo depois de morto, seus ideais continuaram a dirigir a história israelita.

Samuel foi o iniciador do Reino Unido que durou 120 anos – de 1044 a 924 a.C.

1. O reino de Saul. Ungido pelo piedoso profeta, Saul unifica as doze tribos, e inicia a guerra de libertação. Seu objetivo: dilatar as fronteiras de Israel e destruir os temíveis filisteus. No princípio, obtém sucessos. Contudo, por causa de suas ambições escandalosamente seculares, começa a quebrantar os mandamentos do Senhor.

Saul é rejeitado por Deus. Em seu lugar é ungido Davi, filho de Jessé. O humilde pastorzinho de Judá, após derrotar o gigante Golias, alcança grande popularidade. Suas façanhas, porém, angariam-lhe o ódio e o desafeto do rei.

2. O reino de Davi. Depois de haver Saul tombado no campo de batalha, Davi assenta-se no trono de Israel. Nos primeiros oito anos de seu governo, reina somente sobre Judá. As outras tribos, já cansadas da casa dinástica de Benjamim, acabariam por se submeter ao cetro da família de Jessé.

Davi amplia as fronteiras de Israel e derrota todos os inimigos de seu povo. Em seus 40 anos de reinado, dedica-se completamente à guerra. No final da vida, intenta construir um templo ao Deus de Israel, mas é desaconselhado pelo profeta Natã. A incumbência seria entregue ao seu sucessor.

3. O reino de Salomão. O reinado de Salomão, filho de Davi, foi marcado por uma singularíssima paz. A prosperidade era a tônica de seu governo. Com proverbial e inigualável sabedoria, transforma Israel na maior potência do Oriente Médio. As nações vizinhas submetem-se ao cetro davídico.

Mas em conseqüência de sua política expansionista e perdulária, o filho de Davi empobrece a nação, principalmente as tribos setentrionais. Tanto o Templo, como os palácios particulares do rei, exigiam vultosos impostos de um povo que já estava enfadado com os faustos de seu rei. E o que dizer de seu harém que, segundo alguns estudiosos, possuía 30 mil mulheres? Isto porque cada uma de suas 700 mulheres e 300 concubinas podia ter até 30 damas de companhia.

O final de Salomão foi lamentavelmente triste. Não obstante sua grande sabedoria e inimitável glória, desaparece entre as brumas de sua idolatria e formidáveis excessos.

VII. O CISMA ISRAELITA

Salomão é sucedido por seu filho Roboão. Moço folgazão e tolo, não atende às reivindicações do povo. Despreza o conselho dos assessores do pai; oprime ainda mais a combalida e já amarga nação hebraica. Numa demente demonstração de força, não baixa os impostos nem melhora as condições de vida de seus irmãos do Norte.

Aproveitando-se dessa situação caótica, Jeroboão assume a liderança das tribos descontentes. E, assim, em 931 a.C., o Reino de Israel divide-se. As tribos de Judá e Benjamim permanecem fiéis à dinastia davídica. As do Norte, porém, encabeçadas por Efraim, formam um novo reino.

As duas facções, a partir de então, ficaram conhecidas como Israel e Judá. Acerca do cisma israelita, escreve Antônio Neves de Mesquita: "O império, que Salomão tinha erigido com tanto gáudio, estava à beira do abismo. Não só o desprezo de Roboão às aspirações do povo constituía motivo relevante para modificação na política fiscal, mas também as sementes de discórdia interna deviam ser contornadas. A união entre as tribos fora mais fictícia que real. Havia entre o Norte e o Sul profundas desinteligências geradas pela situação favorável que os sulistas gozavam por sua proximidade com a capital política e religiosa, como também por motivo puramente geográfico. Os nortistas eram meio internacionalistas, mais frios para a religião, menos patriotas e pouco afeiçoados aos reis. Em contato direto com os fenícios, os sírios e outros povos do norte, sentiam menos as influências centralistas. Enquanto ocupava o trono um homem como Salomão, era natural que a união persistisse; depois seria difícil manter esta união e solidariedade política. Seria preciso que um grande e hábil político subisse ao poder, para manter unidos os elementos desintegralizadores. Este homem não era Roboão".

Com grande precisão, Mesquita fala, agora, sobre as pretensões dos efraimitas: "A tribo de Efraim era a tribo líder do Norte, enquanto a de Judá era líder do Sul. Estas rivalidades, tanto tribais como geográficas, foram sopitadas, enquanto o trono foi ocupado por monarcas da envergadura de Davi e de Salomão. Depois tudo se definiu e as diferenças apareceram. Às ambições destas tribos, acrescentem-se as circunstâncias, tanto geográficas como culturais, que determinavam as diferenças entre o povo, e teremos a explicação do panorama conhecido pelos leitores da Bíblia. Dentro deste pequeno território encontravam-se quase todas as variedades de clima, flora e fauna. A população variava na proporção das diferenças climatéricas. A leste do Jordão ficava a terra dos pastores, onde continuavam a dominar os beduínos. Nos vales, a oeste do mesmo Jordão, ficavam os agricultores, enquanto que nas cidades das fronteiras do Oeste, junto às grandes estradas, havia um princípio de comércio bem desenvolvido. Enquanto isso, em volta do mar da Galiléia, alinhavam-se as vilas de pescadores. Havia, pois, todos os tipos de civilização, desde o tipo pastoril nomádico, o agricultural e o comercial, até o de pescadores. A população era uma mistura de interesses variados, e somente a sua topografia, exposta a todos os perigos, podia realizar o milagre de sua unidade, constituindo Israel um regime centralizado e militar. Quando acontecia que uma dinastia se tornava fraca, um homem forte e valente tomava o trono. Daí ter sido a história de Israel do Norte de sangue e de rebeliões, com assassinatos, em que aventureiros, saídos tanto do exército como de outras camadas, assaltavam o trono e estabeleciam precárias dinastias. Com tal heterogeneidade, era de se esperar que uma oportunidade espreitasse a ruptura dos laços que uniam o Norte ao Sul".

VIII. OS CATIVEIROS ASSÍRIO E BABILÔNICO

A cisão enfraqueceu ambos os reinos, principalmente o setentrional. As relações entre Israel e Judá nem sempre foram amistosas.

Geografia Bíblica

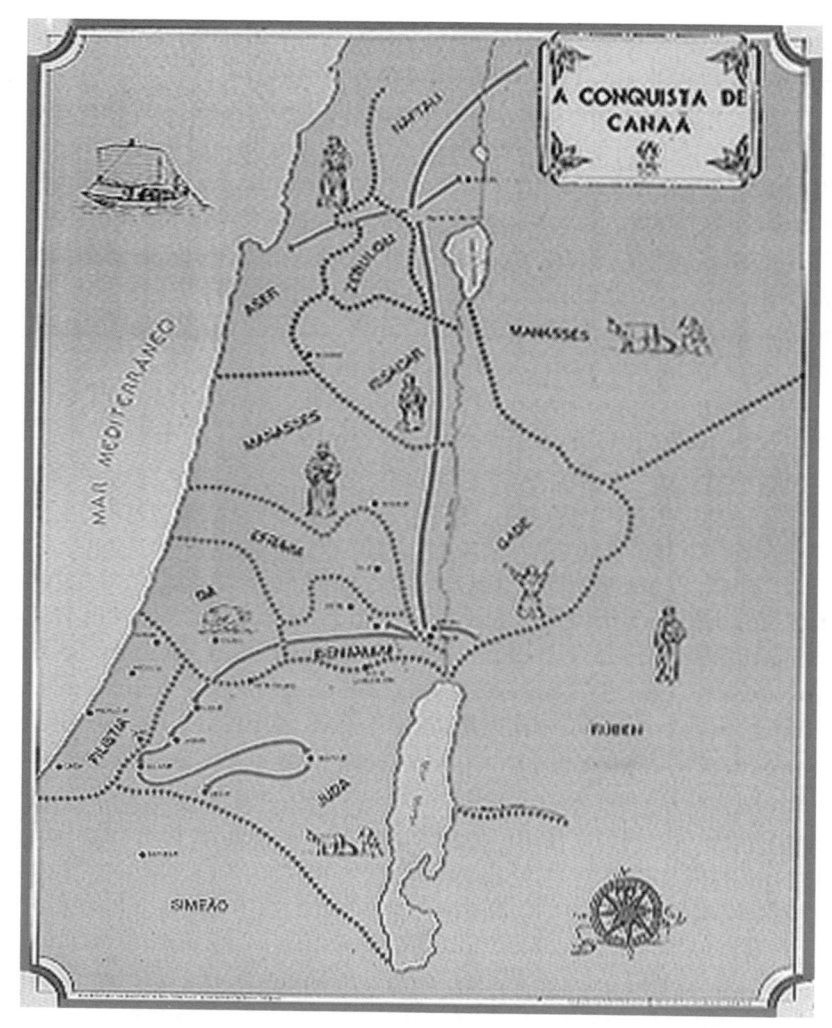

Este mapa mostra como se deu a conquista de Canaã pelos israelitas

De quando em quando uniam-se para combater um inimigo comum. Na maioria das vezes, contudo, estavam em guerra entre si.

A identidade nacional e religiosa entre israelitas e judaítas torna-se cada vez mais fraca. Seguindo a orientação do idólatra e inescrupuloso Jeroboão, os moradores do Israel setentrional já não desciam a Jerusalém para adorar ao Único e Verdadeiro Deus. O arbitrário e ímpio soberano, temendo perder os súditos para o filho de Davi, fechou as fronteiras entre Israel e Judá. A fim de lhes conquistar o respeito e a fidelidade, fundiu-lhes dois bezerros de ouro. A partir de então, fica ele conhecido como "o rei que fez Israel pecar".

Depois de Jeroboão, teve Israel mais 18 reis. Todos eles trilharam os caminhos da idolatria e da impiedade. Com o culto a Baal, introduzido por uma meretriz chamada Jezabel, o povo corrompeu-se por completo.

Não podendo mais suportar tanta apostasia, o Senhor entrega as tribos do Norte aos inumanos e sanguinários assírios. No ano 722 a.C., as forças de Nínive invadem Israel, e levam cativos os filhos de Jacó. Inicia-se o cativeiro israelita, que deixaria profundas seqüelas na alma hebréia.

Depois da destruição do Reino de Israel, Judá sobreviveu ainda por mais 135 anos. Na maior parte desse tempo, contudo, viu-se obrigado a pagar tributos à Assíria. Com a ascensão de Babilônia, começa a ruína do Reino do Sul.

Em 605 a.C., tropas babilônicas invadem Judá. Tem início o Cativeiro Babilônico que, segundo Jeremias, duraria 70 anos. O Templo é destruído pelos exércitos de Nabucodonozor em 586 a.C. Em Babilônia, os judeus progridem. Alcançam elevados postos na administração iniciada por Nabopolassar. Daniel, por exemplo, tornou-se o mais influente conselheiro da realeza caldaica.

Terminado o período de 70 anos, parte dos filhos de Judá retorna à Terra Santa. Centenas de milhares, todavia, resolvem permanecer no exílio. Vagando de nação em nação, sofrendo perseguições e preconceitos, fazem-se errantes no Oriente, e no Ocidente tornam-se peregrinos. Sua diáspora já dura 25 séculos.

IX. A RESTAURAÇÃO DE ISRAEL

O advento de Roma marca o fim da restauração nacional iniciada por Esdras, Neemias, Zorobabel e pelos profetas Ageu e Zacarias. Ao tentarem sacudir o jugo romano, são os judeus dispersos por todas as nações do mundo, onde sofreram e ainda sofrem todos os opróbrios descritos por Moisés no capítulo 28 de Deuteronômio:

"O Senhor levantará contra ti uma nação de longe, da extremidade da terra, que voa como a águia, nação cuja língua não entenderás. Nação feroz de rosto, que não atentará para o rosto do

Foi no período de Davi e Salomão que Israel alcançou sua maior expressão territorial

velho, nem se apiedará do moço. E comerá o fruto dos teus animais, e o fruto da tua terra, até que sejas destruído; e não te deixará grão, mosto, nem azeite, criação das tuas vacas, nem rebanhos das tuas ovelhas, até que tenha consumido; e te angustiará em todas as tuas portas, até que venham cair os teus altos e fortes muros, em que confiavas em toda a tua terra; e te angustiará em toda a tua terra que te tem dado o Senhor teu Deus; e comerás o fruto do teu ventre, a carne de teus filhos e de tuas filhas, que te der o Senhor teu Deus, no cerco e no aperto com que os teus inimigos te apertarão.

"Quanto ao homem mais mimoso e mui delicado entre ti, o seu olho será maligno contra o seu irmão, e contra a mulher de seu regaço, e contra os demais de seus filhos que ainda lhe ficarem; de sorte que não dará a nenhum deles da carne de seus filhos, que ele comer; porquanto nada lhe ficou de resto no cerco e no aperto com que o teu inimigo te apertará em todas as tuas portas. E quanto à mulher mais mimosa e delicada entre ti, que de mimo e delicada nunca tentou por a planta de seu pé sobre a terra, será maligno o seu olho contra o homem de seu regaço, e contra seu filho, e contra sua filha; e isto por causa de suas páreas, que saíram dentre os seus pés, e por causa de seus filhos que tiver; porque os comerá às escondidas pela falta de tudo, no cerco e no aperto com que o teu inimigo te apertará na tuas portas" (Dt 28.49-57).

Prossegue o grande profeta, prevendo os sofrimentos dos judeus em suas diásporas: "E será que, assim como o Senhor se deleitava em vós, em fazer-vos bem e multiplicar-vos, assim o Senhor se deleitará em destruir-vos e consumir-vos; e desarraigados sereis da terra da qual tu passas a possuir. E o Senhor vos espalhará entre todos os povos, desde uma extremidade da terra até a outra extremidade da terra: e ali servirás a outros deuses que não conheceste, nem tu nem teus pais: ao pau e à pedra. E nem ainda entre as mesmas gentes descansarás, nem a planta de teu pé terá repouso: porquanto o Senhor ali te dará coração tremente e desfalecimento dos olhos, e desmaio da alma.

"E a tua vida como suspensa estará diante de ti; e estremecerás de noite e de dia, e não crerás na tua própria vida. Pela manhã dirás: Ah! quem me dera ver a noite! E à tarde dirás: Ah! quem me dera ver a manhã! pelo pasmo de teu coração, com que pasmarás, e pelo que verás com os teus olhos. E o Senhor te fará voltar ao Egito em navios, pelo caminho de que te tenho dito: Nunca jamais o verás: e ali sereis vendidos por servos e servas aos vossos inimigos; mas não haverá quem vos compre" (Dt 28.63-68).

Durante a sua peregrinação, Israel viu-se obrigado a suportar os mais duros revezes. Judeus foram massacrados em todas as partes do mundo. Como esquecer as arbitrariedades gregas? Ou as selvagerias romanas? Como não lembrar a Inquisição? Ou a matança de seis milhões de homens, mulheres e crianças levada a efeito pelos alemães durante a ditadura de Hitler? A cultíssima e civilizada Alemanha tornou-se culpada do mais bárbaro crime da história da civilização.

Entretanto, no final da Segunda Guerra Mundial, a nação judaica põe-se a renascer. Somente uma pátria na terra de seus ancestrais, daria a necessária segurança à sua sobrevivência. E, assim, após muitas batalhas diplomáticas, o Estado de Israel começa a existir oficialmente a partir de 12 de maio de 1948.

Cumpria-se a profecia de Isaías: "Antes que estivesse de parto, deu à luz; ante que lhe viessem as dores, deu à luz um filho. Quem jamais ouviu tal cousa? quem viu cousas semelhantes? Poder-se-ia fazer nascer uma terra num só dia? nasceria uma nação de uma só vez? mas Sião esteve de parto e já deu à luz seus filhos" (Is 66.7,8).

Desde a proclamação de sua independência, Israel tem enfrentado diversos conflitos: em 1948, a Guerra da Independência; em 1956, a Guerra de Suez; em 1967, a Guerra dos Seis Dias; em 1973, a Guerra do Yom Kippur; e, em 1982, a Guerra do Líbano. Em todos essas guerras, as forças judaicas têm obtido singulares vitórias; o Senhor dos Exércitos está ao seu lado.

Cumpre-se à risca o vaticínio de Amós: "E os plantarei na sua terra, e não serão mais arrancados da sua terra que lhes dei, diz o Senhor teu Deus" (Am 9.15).

A Geografia Política da Terra Santa

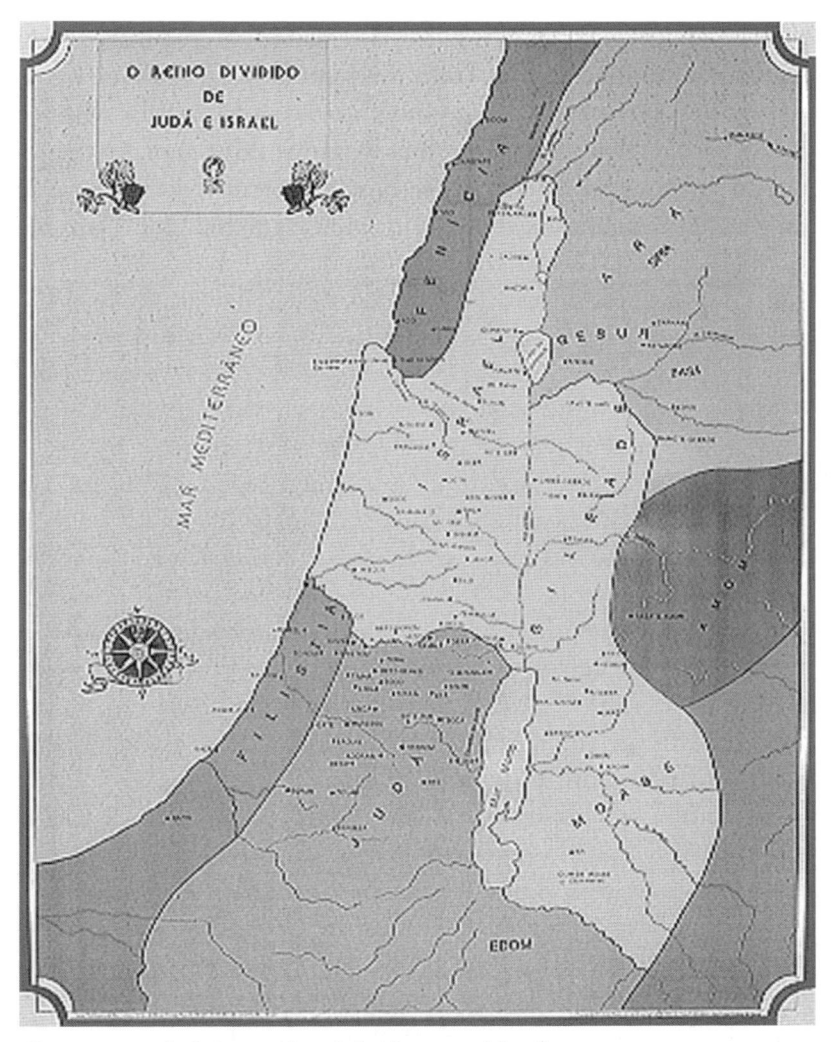

Com a morte de Salomão, Israel divide-se em dois reinos

A nação israelense, com o seu renascimento e progresso, tem um grande significado para todos nós. O pastor Abraão de Almeida, um dos maiores especialistas em assuntos judaicos, escreve: "Com o cumprimento das profecias, Deus nos está mostrando sua fidelidade a Israel, e à Igreja, fidelidade que deve induzir todos os povos a temê-lo. Por isso, o salmista registrou: 'Tema toda a terra ao Senhor, temam-no todos os moradores da Terra, proque falou, e tudo se fez; mandou, e logo tudo apareceu. O Senhor desfaz o conselho das nações, quebranta os intentos dos povos. O conselho do Senhor permanece para sempre; os intentos do seu coração de geração em geração. Bem aventurada é a nação cujo Deus é o

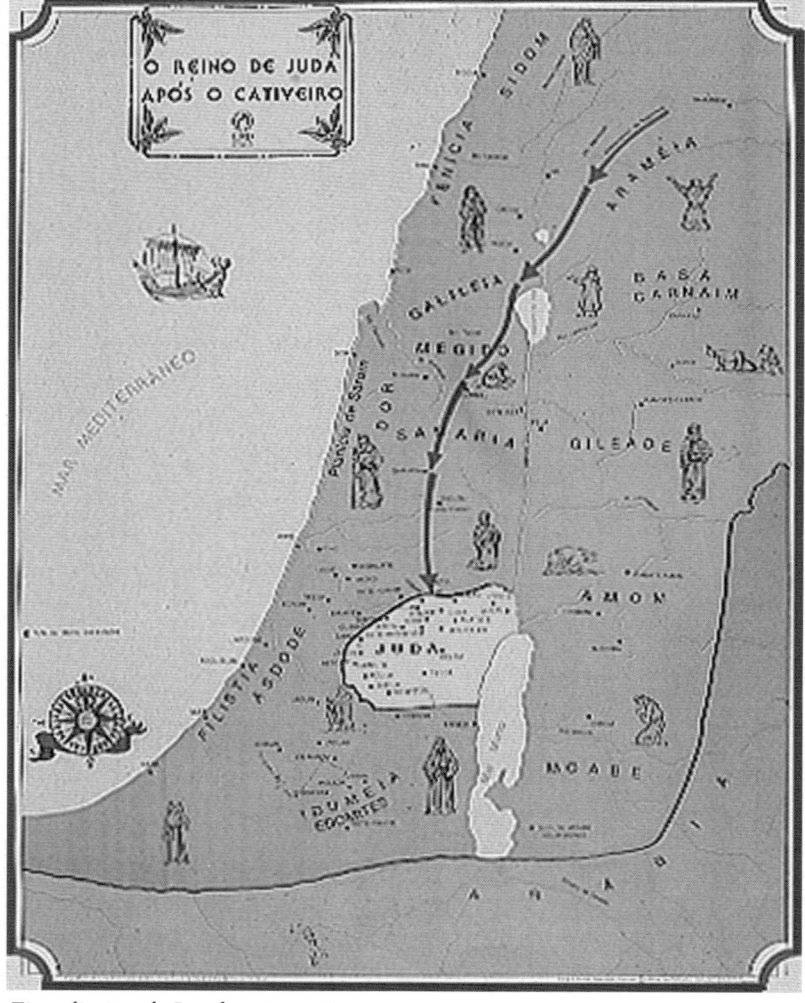

Eis os limites de Israel após o cativeiro

Senhor, e o povo que ele escolheu para sua herança.' Notem que o Senhor desfaz o conselho das nações, quebranta o intento dos povos. Nenhuma das muitas resoluções do Conselho de Segurança das Nações Unidas contra Israel prosperou ou prosperará, pois o Senhor frustra todas as decisões que contrariem sua Palavra. Também têm sido quebrantados os maus intentos dos inimigos

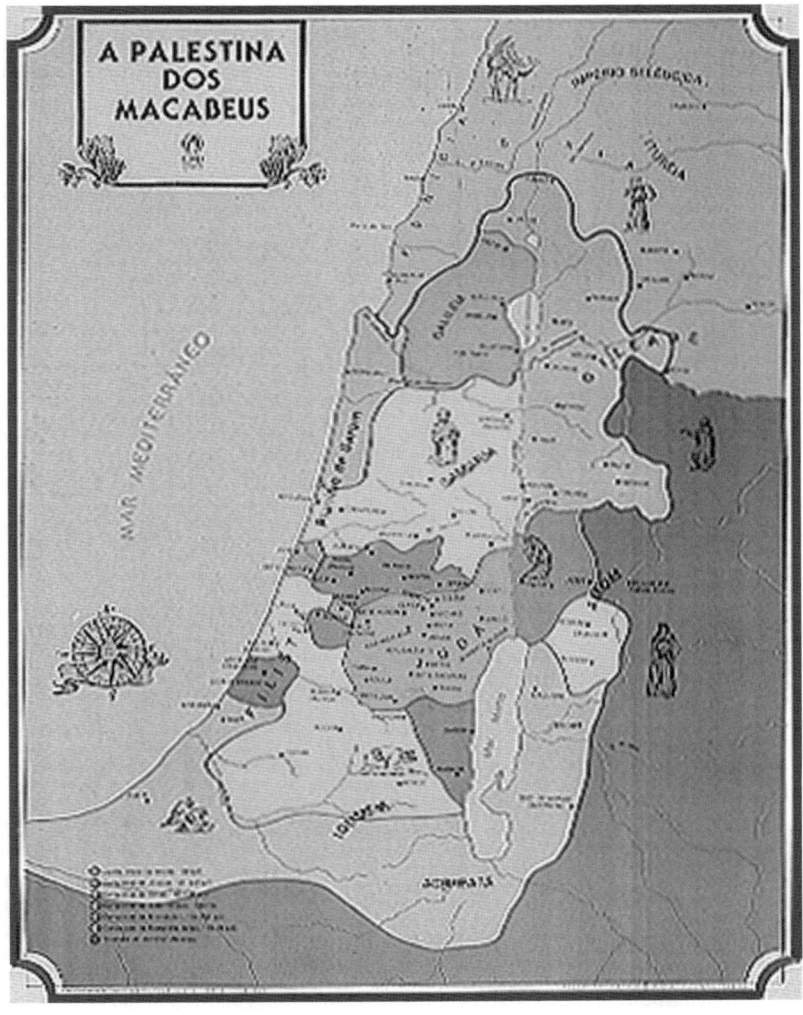

Sob a liderança dos macabeus, os filhos de Israel obtiveram significativas vitórias

de Israel, como o Egito de Nasser, a União Soviética, a OLP (Organização para a Libertação da Palestina) etc".

Prossegue o pastor Abraão de Almeida: "O retorno final de Israel, a reconstrução das suas cidades antigas e o reflorestamento do país indicam que estamos vivendo nos últimos tempos. A Bí-

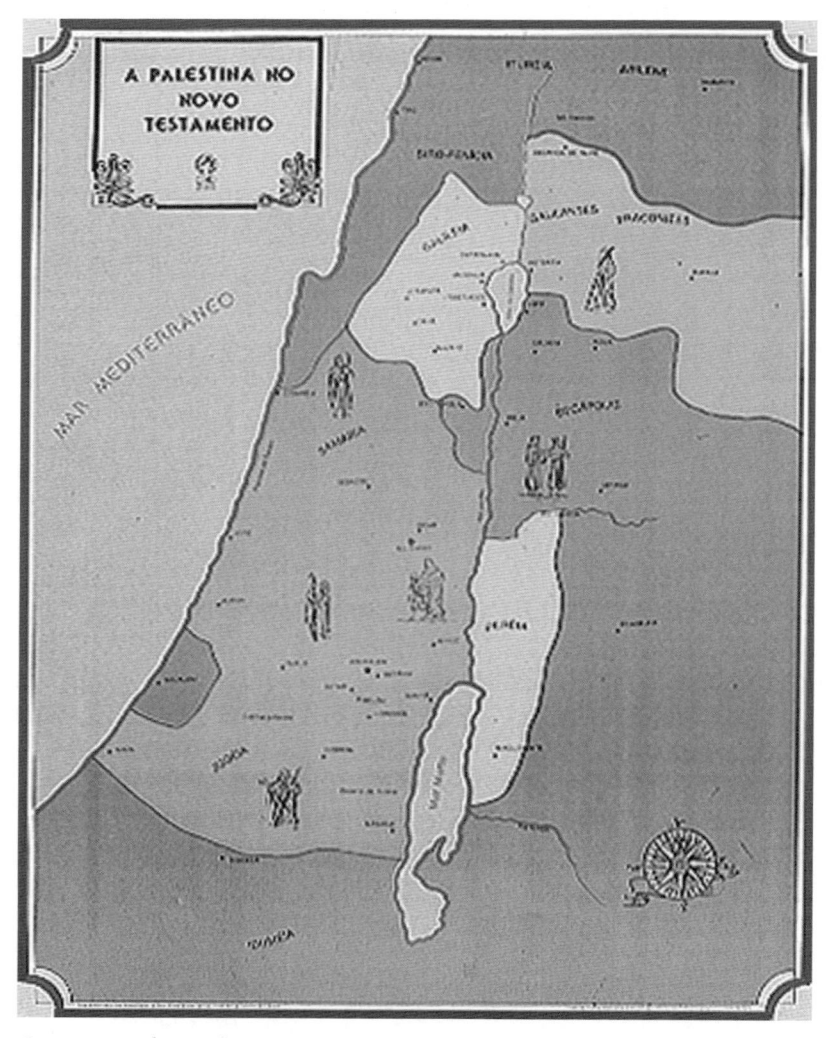

O território de Israel, no Novo Testamento, além de inexpressivo, achava-se sob a tutela de Roma

blia diz que a Palestina seria assolada até o fim (Dn 9.26), mas que, ao término do cativeiro, os israelitas reedificariam as cidades assoladas e nelas habitariam, plantariam vinhas, beberiam o seu vinho e fariam pomares e lhes comeriam os frutos (Am 9.14)."

Portanto, estejamos vigilantes, porque a volta de Cristo concretiza-se dia após dia. Que a nossa oração seja: "Paz sobre Israel!"

JERUSALÉM –
A CAPITAL ETERNA E INDIVISÍVEL DE ISRAEL

SUMÁRIO: *Introdução; I. Jerusalém, um nome sempre bendito; II. A arqueologia de Jerusalém; III. Geografia de Jerusalém; IV. Jerusalém, a cidade de Davi; V. A grandeza de Jerusalém; VI. A glória do Templo de Jerusalém; VII. Jerusalém e sua história.*

INTRODUÇÃO

Em julho de 1980, o Knesset – parlamento israelense – aprovou um decreto-lei, elaborado pelo então primeiro-ministro Menachen Begin, transformando Jerusalém na capital eterna e indivisível do Estado de Israel.

Como era de se esperar, os países árabes protestaram veementemente contra a iniciativa israelense. Dias antes, a propósito, o prémier judeu, respondendo a uma objeção do governo inglês, afirmou que antes mesmo da existência de Londres, Jerusalém já era a capital de Israel.

O aiatolá Khomeini, ferrenho inimigo dos israelitas, ao saber da anexação legal e definitiva de Jerusalém, proclamou, de imediato, uma guerra para reconquistar a Cidade Santa. Enquanto isso, diversas nações ocidentais trataram de mudar suas embaixadas para Tel-Aviv, para não desagradar aos países árabes. Somente os Estados Unidos é que apoiaram a medida israelense, que se constitui no velho e milenar sonho judaico de reconquistar política e espiritualmente a Cidade do Grande Rei.

I. JERUSALÉM, UM NOME SEMPRE BENDITO

Jerusalém significa, em hebraico, *habitação de paz*. Seu nome é mencionado pela primeira vez nas Escrituras em Josué 10.11. Entretanto, em Gênesis 14.18, encontramos uma referência sobre a cidade, que aparece com o nome de Salém. De acordo com a tradição, assim era chamada a capital judaica.

Eis mais alguns nomes bíblicos de Jerusalém: Jebus (Jz 19.10); Sião (Sl 87.2); Ariel (Is 29.1); Lareira de Deus (Is 1.26); Cidade de Justiça (Is 1.26); Santa Cidade (Is 28.2; Mt 4.5); Cidade do Grande Rei (Mt 5.35) e, Cidade de Davi (2 Sm 5.7).

II. A ARQUEOLOGIA DE JERUSALÉM

Há suficientes provas arqueológicas que nos levam a crer que, na área hoje ocupada por Jerusalém, ergueram-se, em eras remotas, importantes civilizações.

A primeira menção que se tem da cidade aparece nas inscrições de Tell-Amarna, em caracteres cuneiformes. Quando o registro foi feito, o rei de Jerusalém era Abd Khida. Nesse tempo, a cidade era conhecida como Urusalim: um nome de origem semita; significa *fundação de Salém*, ou, como opinam alguns eruditos, *fundação de Deus*.

III. GEOGRAFIA DE JERUSALÉM

Jerusalém constitui-se na mais célebre cidade do mundo. É venerada pelas três religiões monoteístas: Judaísmo, Cristianismo e Islamismo. Até mesmo sua localização geográfica é privilegiada.

A Cidade Santa está localizada no Sul da cordilheira central de Israel. Encontra-se a 58 quilômetros do Mediterrâneo. Como símbolo de grandeza e magnitude, acha-se a 760 metros de altitude em relação ao nível do mar. Com o passar dos tempos, seus aspectos primitivos sofreram profundas e diversificadas alterações. Ninguém, contudo, jamais poderá diminuir-lhe a glória ou arrancar-lhe a aura de ser a Cidade do Grande Rei.

Até o ano 70 d.C., Jerusalém era protegida por forte muralha que, durante a Guerra dos Judeus, foi destruída pelo general Tito, de Roma.

IV. JERUSALÉM, A CIDADE DE DAVI

Jerusalém é uma das cidades mais antigas do mundo. Ela já era mencionada em antigos documentos egípcios que remontam a 1900-1800 a.C. Nessa época, encontrava-se ela sob o domínio dos faraós.

Antes de ser tomada por Davi, a Cidade Santa pertencia aos jebuseus. No capítulo cinco do Segundo Livro de Samuel, lemos: "Davi tomou a fortaleza de Sião: esta é a cidade de Davi. Porque Davi disse naquele dia: Qualquer que ferir os jebuseus, e chegar ao canal, e aos coxos e aos cegos, que a alma de Davi aborrece, será cabeça e capitão. Por isso se diz: Nem cego nem coxo entrará nesta casa. Assim habitou na fortaleza, e lhe chamou a cidade de Davi; e Davi foi edificando em redor, desde Milo até dentro" (2 Sm 5.7-9).

A cidade de Jerusalém tornou-se capital de Israel por volta de 1000 a.C. A partir daí, estaria permanentemente ligada à alma hebréia.

O apogeu de Jerusalém deu-se no reinado de Salomão. O sábio monarca embelezou-a, aproveitando-se de seu singular aspecto. Procurando sanar o crônico problema de água, construiu diversos aquedutos.

V. A GRANDEZA DE JERUSALÉM

Que Jerusalém é uma cidade sem igual, ninguém o discute. Mas qual o segredo de toda essa singularidade? No tempo de Salomão, era a mais bela das metrópoles. Todavia, com o passar dos tempos, foi ela perdendo suas feições mais que formosas até achar-se desfigurada e desvestida de graça. Basta ler as Lamentações de Jeremias para nos compenetrarmos de seu opróbrio, vergonha e humilhações, que passaram a caracterizá-la a partir da invasão de Nabucodonosor em 586 a.C.

Sobre o paradoxo da grandeza de Jerusalém, escreve Orlando Boyer: "Qual é o segredo da sua grandeza? Não tinha um porto marítimo, como Alexandria e Roma. Nem estava situada num rio, como Mênfis e Babilônia. E nem tinha a grande vantagem de uma das grandes vias comerciais entre o mar Mediterrâneo e o vale do Jordão, nem das rotas entre a Ásia Menor e o Egito. Contudo, enquanto Roma era o centro político e Atenas, o centro intelectual, Jerusalém era o centro espiritual do mundo, a cidade de maior influência sobre a esperança e o destino do gênero humano. Era a cidade escolhida do único e verdadeiro Deus, o centro de seus cultos, leis e revelação, com a missão de proclamá-lo a todo o mundo."

Todavia, não nos esqueçamos: Jerusalém teve um passado de cobiçadíssimas glórias. Haja vista o Templo de Deus que ela abrigava em seus generosos termos.

VI. A GLÓRIA DO TEMPLO DE JERUSALÉM

O historiador judeu, Flávio Josefo, descreve a Casa do Senhor construída por Salomão:

"O templo tinha sessenta côvados de comprimento e outro tanto de altura; a largura era de vinte côvados. Sobre esse edifício construiu-se outro do mesmo tamanho e assim a altura total do templo era de cento e vinte côvados. Estava voltado para o Oriente e seu pórtico era da mesma altura de cento e vinte côvados por vinte de comprimento e dez de largura. Havia em redor do templo trinta quartos em forma de galeria, que serviam de arcos para o sustentar. Passava-se de um para o outro e cada um tinha vinte e cinco côvados de comprimento por outros tantos de largo e vinte de altura. Havia, por cima desses quartos, dois andares com igual número de quartos, todos semelhantes. Assim, na altura de três andares juntamente, medindo sessenta côvados chegava justamente à altura da parte baixa do edifício do templo de que acabamos de falar e nada mais havia por cima. Todos estes quartos eram cobertos de madeira de cedro e tinham sua cobertura à parte, em forma de pavilhão: mas estavam unidos por traves longas e grossas, a fim de torná-las mais firmes: e, assim, juntas, eram como um único corpo. Seus tetos eram de madeira de cedro bem polido, enriquecido de folhagens douradas, talhadas na madeira. O resto era também adornado de madeira de cedro, tão bem trabalhada e tão reluzente de ouro que seu brilho ofuscava a vista. Toda a estrutura desse soberbo edifício era de pedras tão polidas e tão bem ajustadas que não se podia nem mesmo perceber-lhes as junturas, mas parecia que a natureza as tinha feito um único bloco, sem que a arte nem os instrumentos de que se servem excelentes artífices para embelezar suas obras, para isso tivessem contribuído. Salomão mandou fazer na largura do muro do lado do Oriente, onde não haja nenhum portal grande, mas somente duas portas, um degrau em frente, de sua invenção, para se subir ao alto do templo. Havia dentro e fora dele, pranchas de cedro ligadas com grande e fortes cadeias, para garantir a sua estabilidade".

Prossegue Josefo:

"Salomão mandou também fazer dois querubins de ouro maciço, de cinco côvados de altura cada um; suas asas eram do mesmo comprimento e essas duas figuras estavam colocadas de tal modo no Santo dos Santos, que duas de suas asas estendidas se uniam e cobriam toda a Arca da Aliança e as duas outras asas tocavam, uma do lado norte e outra do lado sul, as paredes desse lugar particularmente consagrado a Deus, que, como dissemos, tinha vinte côvados de largura. Mas, dificilmente se poderia dizer, pois não se poderia nem mesmo imaginar qual a forma desses querubins. Todo o pavimento do templo estava coberto de lâminas de ouro e as portas da grande entrada, que tinha vinte côvados de largura e altura proporcionada, estavam também cobertas de lâminas de ouro. Enfim, numa palavra, Salomão nada deixou, nem dentro nem fora do templo, que não fosse recoberto de ouro. Mandou colocar, sobre a porta do lugar chamado o Santo do templo, um véu semelhante ao de que acabamos de falar, mas a porta do vestíbulo não o tinha".

Complementa Flávio Josefo:

"Eis com que suntuosidade e magnificência Salomão fez construir e ornar o templo e consagrou todas essas coisas à honra de Deus. Mandou fazer em seguida, em redor do templo, um muro de cem côvados de altura, chamado *gison* em hebraico, a fim de impedir a entrada aos leigos, sendo ela somente permitida aos levitas e sacrificadores. Salomão levou sete anos para realizar essas magníficas obras, o que não as tornou menos admiráveis, do que sua grandeza, sua riqueza e sua beleza; ninguém podia imaginar que seria coisa possível realizá-las e terminá-las em tão pouco tempo".

VII. JERUSALÉM E SUA HISTÓRIA

Depois da morte de Salomão, o trono davídico é ocupado por seu filho, Roboão, que jamais deixou de lado a insensatez. No quinto ano de seu reinado, Jerusalém é saqueada por Sisaque, rei do Egito. Mais tarde, filisteus e árabes sitiam-na, causando-lhe muitos danos.

No reinado de Amazias, os israelitas do Norte destroem parte das muralhas da Cidade Santa. Consideráveis riquezas são levadas a Samaria.

A história dos grandes feitos de Deus mostra também que, contra os desígnios do Senhor, não há estratégia nem exércitos. Brilhantes generais fracassam em sua ânsia por tomar Sião. Rezim, rei da Síria, foi um deles. Já no tempo de Ezequias, o soberbo Senaqueribe, da Assíria, é abatido pelo anjo do Senhor. De seu grande exército, caem 185 mil homens.

No tempo de Manassés, a cidade é invadida por tropas babilônicas. O mais perverso rei de Judá é deportado a Babilônia, onde se reconcilia com o Deus de seus pais. Alcançado pelas misericórdias divinas, o monarca judaíta é recambiado à sua terra, onde promove algumas reformas religiosas.

Não há acontecimento tão funéreo e triste para os judeus como a destruição de Jerusalém. Em 586 a.C., Nabucodonosor invade o Reino de Judá, destrói Jerusalém e deita por terra o Santo Templo. Termina, assim, a fase áurea da mais amada e cobiçada das cidades.

Após setenta anos de exílio e de vergonha, Jerusalém é reconstruída por Esdras e Neemias. Ressurge o Santo Templo. No entanto, é apenas uma sombra do imponente santuário erguido por Salomão.

Desde essa época, a Cidade do Grande Rei não mais conheceria momentos de paz. Em 320 a.C., Ptolomeu Soter conquista-a. No segundo século antes de nossa era, Antíoco Epífanes apodera-se dela, profana-lhe o Templo e massacra milhares de judeus.

Em 66 a.C., o general romano Pompeu apossa-se de Jerusalém, transformando-a em mera possessão latina. Dezesseis anos mais tarde, Herodes, o Grande, começa a reinar sobre a cidade, com o apoio de Roma. Para agradar os judeus, o ambicioso monarca reforma e embeleza o santuário de Jeová. Nesse Templo, seria apresentado o menino Jesus.

No ano 70 de nossa era, conheceria Jerusalém uma de suas mais deploráveis tragédias. O general Tito, à testa de um exército de 100 mil homens, sitiou-a durante cinco meses. Em seguida destruiu-a. O que predissera Jesus, aconteceu: não ficou pedra sobre pedra; tudo foi derribado com exceção do Muro das Lamentações.

De acordo com Tácito, historiador romano, morreram, nessa ocasião, um milhão de judeus.

O fervor nacionalista dos judeus, entretanto, não se apaga. Em 131 d.C., Bar Khoba apossa-se da cidade. No ano seguinte, contudo, o imperador Adriano devasta-a literalmente. Séculos mais tarde, em 627, Cosroes II, rei da Pérsia, avança sobre Jerusalém, arrasando-a uma vez mais.

Omar, sucessor de Maomé, ocupa Jerusalém em 637. Duzentos anos depois, os maometanos destroem santuários cristãos. Em 1075, a capital espiritual do judaísmo passa das mãos dos árabes para as dos turcos.

Sob o nome de Cristo, a Igreja Católica Romana, com suas impiedosas cruzadas, começa a atacar Jerusalém. A cidade é sitiada e conquistada em 1099, por Godofredo, chefe da primeira cruzada. Durante a investida, milhares de judeus são assassinados.

Saladino, em 1187, na qualidade de chefe da terceira cruzada, ocupa a cidade. Em 1229, as muralhas de Jerusalém são destruídas. Dez anos mais tarde, Sião rende-se ao comandante da sexta cruzada. Os turcos, em 1547, invadem-na e, de lá, só seriam expulsos, em 1831. A Turquia, entretanto, voltaria a conquistar Jerusalém, dez anos mais tarde.

Na Primeira Guerra Mundial, Jerusalém é "libertada" pelo general britânico, Allemby. No dia 14 de maio de 1948, renasce o Estado de Israel. A parte Leste da cidade, porém, continuaria em poder dos árabes até que, em 1967, durante a Guerra dos Seis Dias, a capital espiritual e histórica dos judeus é reconquistada por seus legítimos donos.

AS CIDADES E ESTRADAS DA TERRA SANTA

SUMÁRIO: *Introdução; I. O que é a cidade; II. Jericó, a cidade das palmeiras; III. Belém, a casa do pão; IV. Betânia, a casa dos figos; V. Betel, a casa de Deus; VI. Cesaréia, a cidade dos imperadores; VII. Emaús, a cidade do inefável encontro: VIII. Hebrom, onde foi Davi coroado rei; IX. Jope, uma cidade de tradição portuária; X. Nazaré, a cidade onde Cristo foi criado; XI. Cafarnaum, a cidade que recusou o Messias; XII. Samaria, a cidade marcada pelo desprezo; XIII. Decápolis, a região das dez cidades; XIV. Estradas da Terra Santa.*

INTRODUÇÃO

A independência do Estado de Israel foi proclamada em 1948. Nesses 52 anos, as cidades foram-se multiplicando sobre o exíguo e aridificado território. Cumpre-se, dessa forma, a maravilhosa profecia:

"Eis que vêm os dias, diz o Senhor, em que o que lavra alcançará ao que sega, e o que pisa as uvas o que lança a semente; e os montes destilarão mosto, e todos os outeiros se derreterão. Também trarei do cativeiro o meu povo Israel; e eles reedificarão as cidades assoladas, e nelas habitarão; plantarão vinhas, e beberão seu vinho; e farão pomares, e lhes comerão o fruto. Assim os plantarei na sua terra, e não serão mais arrancados da sua terra que lhes dei, diz o Senhor teu Deus" (Am 9.13-15).

Neste capítulo, porém, não iremos falar propriamente das metrópoles e das cidades do moderno Israel, mas das principais cidades do Antigo e do Novo Testamento. Incluiremos também neste capítulo um tópico acerca das estradas históricas da Terra Santa.

I. O QUE É A CIDADE

A cidade pode ser definida como um centro populacional permanente, organizado e com funções políticas e urbanas autônomas.

No Brasil, dá-se o nome de cidade a toda a sede de município.

Guardadas as devidas proporções, as cidades bíblicas tinham as mesmas características das metrópoles atuais. Haja vista Jerusalém. A arqueologia mostra ter sido a Cidade Santa uma metrópole altamente organizada.

II. JERICÓ, A CIDADE DAS PALMEIRAS

Localizada no Vale do Jordão, no território entregue à tribo de Benjamim, encontra-se a 28 quilômetros de Jerusalém. O nome da cidade significa lugar de perfumes e fragrâncias.

Jericó, a primeira cidade conquistada pelos filhos de Israel, era famosa por suas fortificações. É considerada uma das metrópoles mais antigas do mundo.

III. BELÉM, A CASA DO PÃO

Encontrando-se a 10 quilômetros a leste de Jerusalém, é a cidade natal do rei Davi. Casa de pão é o que significa Belém na língua hebraica. Por sua posição geográfica, é uma fortaleza natural. Fica a quase 800 metros acima do nível do mar.

Nessa cidade, nasceu também Cristo Jesus o Salvador do mundo. Apesar de sua importância histórica, Belém foi sempre uma aldeia insignificante. Seus campos ainda hoje conservam a mesma fertilidade dos tempos bíblicos.

IV. BETÂNIA, A CASA DOS FIGOS

Na verdade, Betânia não passava de uma aldeia nos tempos de Nosso Senhor. Achava-se localizada a três quilômetros a sudoeste de Jerusalém.

Era Betânia a cidade de Lázaro, Marta e Maria. Foi nesse lugarejo que ocorreu a ascensão de Cristo: "Então, os levou para Betânia e, erguendo as mãos, os abençoou. Aconteceu que, enquanto os abençoava, ia-se retirando deles, sendo elevado para o céu. Então, eles, adorando-o, voltaram para Jerusalém, tomados de grande júbilo; e estavam sempre no templo, louvando a Deus" (Lc 24.50,51).

V. BETEL, A CASA DE DEUS

Mencionada 65 vezes nas Sagradas Escrituras, Betel acha-se no centro da terra de Canaã a 19 km ao norte de Jerusalém. Seu nome foi-lhe dado por Jacó (Gn 28.19; 35.1-15).

No tempo dos juízes, a cidade teve o privilégio de abrigar a arca da aliança; fazia jus ao significado de seu nome; era de fato a casa de Deus (Jz 20.18, 26, 31; 21.2).

Betel já era um conhecido santuário quando da divisão do Reino de Israel em 931 a.C. Infelizmente, aí estabeleceu Jeroboão um centro de culto idolátrico a fim de impedir que seus súditos fossem a Jerusalém adorar o Deus Único e Verdadeiro. Na cidade, colocou um bezerro de ouro e organizou um sacerdócio para neutralizar o ministério levítico (1 Rs 12.28).

Em Betel, Amós exerceu o seu ministério (Am 7.13). Pelo que diz o profeta, foi a cidade um importante centro comercial, onde residiam muitos ricos (Am 8.5). Infelizmente, com o tempo fez-se notória pela iniqüidade de seus moradores.

VI. CESARÉIA, A CIDADE DOS IMPERADORES

Situada na costa do Mar Mediterrâneo, a 33 quilômetros ao sul do Monte Carmelo, chama-se hoje Kaisarich. Ela se acha precisamente acima da linha que demarca os limites entre Samaria e Galiléia, na principal rota que vai de Tiro ao Egito.

Cesaréia foi edificada por Herodes, o Grande. Bela e magnífica, foi dedicada ao César. Em honra ao imperador, foi erguido em Cesaréia um suntuoso templo. Era a capital romana da Judéia, servindo de residência aos reis herodianos, e aos governadores e procuradores romanos. Félix e Festo aí moravam.

Foi em Cesaréia que Herodes Agripa I foi ferido pelo anjo de Deus (At 12.19; 23.23; 25.1,4,6,13; 12.21-23).

Era a terra do evangelista Filipe (At 8.40; 21.8). Cesaréia possuía um esplêndido porto.

VII. EMAUS, A CIDADE DO INEFÁVEL ENCONTRO

Emaús distava 11 quilômetros de Jerusalém. Era na verdade uma vila. Foi aí que o Senhor ressurreto mostrou-se aos dois discípulos quando, tristes, deixaram Jerusalém pensando estar Jesus ainda morto (Lc 24.13-35).

VIII. HEBROM, ONDE FOI DAVI COROADO REI

Eis o primeiro nome dessa cidade: Quiriat Arba. Encontra-se Hebrom a 32 quilômetros ao sul de Jerusalém e a mil metros acima do Mar Mediterrâneo. Abraão morou em suas redondezas. Em Hebrom, foi o filho de Jessé ungido rei sobre Israel. Ela é tida como a primeira cidade de Davi.

Hebrom, atualmente sob a administração da autoridade palestina, é uma cidade com mais de 40 mil habitantes, em sua maioria árabes. Eis suas principais fontes de renda: artesanatos, artefatos de cerâmica e pequenas indústrias. Sua agropecuária não tem muita expressão.

IX. JOPE, UMA CIDADE DE TRADIÇÃO PORTUÁRIA

Na distribuição de Canaã, coube Jope à tribo de Dã. Atacada várias vezes pelos filisteus, a cidade foi libertada por Davi. Mais tarde, Salomão utilizou-se de seu porto para receber os cedros do Líbano, usados na construção do Templo.

Hodiernamente, Jope é um grande porto israelense.

X. NAZARÉ, A CIDADE ONDE CRISTO FOI CRIADO

Situada num monte a 400 metros acima do nível do mar, Nazaré encontra-se a 170 quilômetros de Jerusalém. No tempo das chuvas, as encostas da cidade ficam recobertas por lindas flores. Nazaré significa *florescer*.

Jesus Cristo foi criado nessa cidade. Por isso é Ele chamado de Nazareno. Até 1948, Nazaré era controlada por muçulmanos. Mas, em 16 de julho de 1948, passou ao domínio dos israelenses.

XI. CAFARNAUM, A CIDADE QUE RECUSOU O MESSIAS

Cafarnaum foi escolhida por Jesus para ser o centro de seu ministério. Seu nome significa "aldeia de Naum".

Em Cafarnaum, Jesus passou dezoito meses, realizando grandes milagres, sinais e maravilhas. Seus habitantes, entretanto, recusaram acolher o Cristo de Deus. Conforme as palavras do Senhor, Cafarnaum desceria ao inferno. Foi o que aconteceu. Nunca mais foi ela edificada.

XII. SAMARIA, A CIDADE MARCADA PELO DESPREZO

A cidade, construída por Onri, pai de Acabe, encontra-se a 60 quilômetros ao norte de Jerusalém. Situa-se a 400 metros acima do Mediterrâneo.

Depois do cisma israelita, Samaria passou a ser a capital do Reino de Israel. Para a cidade, foram transportados, após o cativeiro israelita, povos estranhos que, juntamente com alguns hebreus, deram origem aos samaritanos. Mais tarde, estes causaram muitos embaraços a Esdras e a Neemias. No tempo de Jesus, ainda era grande a rivalidade entre as comunidades hebréia e samaritana.

XIII. DECÁPOLIS, A REGIÃO DAS DEZ CIDADES

No grego, Decápolis significa "dez cidades". Esse agregamento estava situado em espaçoso território a leste do Mar da Galiléia. As cidades foram construídas por gregos, na tentativa de helenizar a região. Sofreram, entretanto, grande oposição dos judeus, principalmente da família macabéia.

Eis os nomes das dez cidades, segundo Plínio: Citópolis, Damasco, Rafana, Canata, Gerasa, Diom, Filadélfia, Hipos Gadara, Pela. A confederação desempenhou relevante papel na propagação da cultura helena no Oriente. O evangelho encontrou aí fértil terreno.

Cada cidade possuía seu próprio exército que, em tempo de crise, unia-se às falanges romanas.

XV. ESTRADAS DA TERRA SANTA

Na era patriarcal, já havia estradas cruzando a Terra Santa em todas as direções. No início, eram trilhos. Passados alguns séculos, carros de ferro já trafegavam pelo território israelita sem quaisquer dificuldades. Após a conquista dos romanos, foram construídas muitas estradas pavimentadas para o rápido deslocamento de tropas.

1. **Via Maris**. Ligava Damasco a Tolemaida. Atravessava todo o território israelita, passando por Cafarnaum e Genezaré. Alguns trechos dessa estrada eram pavimentados e, por isso, os romanos cobravam pedágio para a sua manutenção.

2. **Estrada da Costa**. Também conhecida como o Caminho dos Filisteus. Ligava o Egito à Terra Santa. Tinha mais de 120 quilômetros de extensão. Por essa estrada, passaram diversos exércitos conquistadores. Jesus e, mais tarde, Paulo, também a percorreram.

As cidades e estradas da Terra Santa

Fortaleza de Massada

Desenho de Tiberíades (alta) em 1863 e de Haifa em 1880

3. Estrada do Leste. Era uma excelente via de comunicação entre Jerusalém e Betânia. Os judeus que moravam na Galiléia, e iam adorar no Templo, tinham de percorrê-la. Por essa estrada, passaram, provavelmente, Saulo e seus companheiros, quando se dirigiam a Damasco a perseguir os cristãos.

4. Estrada do Centro. Ligava Jerusalém ao Sul do país. Na realidade, tratavam-se de duas estradas que, ao chegar a Hebrom, bifurcavam-se, uma descia em direção a Gaza, e, a outra, a Berserba.

A PRIMEIRA VIAGEM MISSIONÁRIA

SUMÁRIO: *Introdução; I. Antioquia da Síria; II. Selêucia; III. Salamina; IV. Pafos; V. Perge; VI. Antioquia da Pisídia; VII. Icônio; VIII. Listra; IX. Derbe; X. Listra, Icônio e Antioquia; XI. Atalia.*

INTRODUÇÃO

A partir deste capítulo, passaremos a estudar o que chamaremos de geografia missionária. Através das viagens apostólicas de Paulo, conheceremos as cidades do mundo antigo onde se foi instalando a Igreja de Nosso Senhor.

Nesse estudo, não há como evitar a pergunta: como pôde o apóstolo, em tão pouco tempo, evangelizar os principais centros do Império Romano e, finalmente, instalar-se em Roma com a irresistível mensagem do Evangelho? Ou melhor: como pôde um único homem revolucionar toda a sua época?

A resposta não exige muita abstração. Em primeiro lugar, era Paulo um mensageiro extraordinário do Senhor, através do qual foi o evangelho universalizado. Além disso, utilizou-se ele da infraestrutura do império para viajar de cidade em cidade, de província em província e de reino em reino. Providencialmente, não precisava de nenhum passaporte especial; era um cidadão romano. Somente um Deus, que é a mesma sabedoria, haveria de predispor todas as coisas a fim de que a mensagem da cruz chegasse aos confins da terra.

Vejamos, pois, as estações da primeira viagem missionária de Paulo.

I. ANTIOQUIA DA SÍRIA

Havia duas importantes cidades com este nome. Uma delas ficava na Síria. Depois de Jerusalém, era a cidade que mais estreitamente achava-se ligada à história do cristianismo primitivo.

Fundada em 300 a.C., Antioquia logo se tornou uma das primeiras cidades do mundo antigo. Seu nome era uma homenagem a Antíoco que, por ocasião da morte de Alexandre Magno, fun-

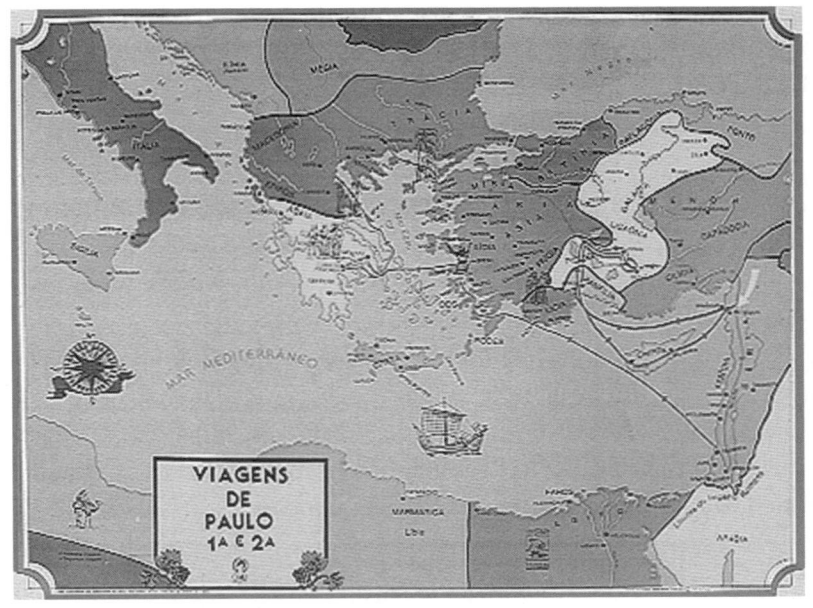

Através desta rota, Paulo começou a espalhar o Evangelho até aos confins da Terra

dou uma truculenta dinastia que muitos transtornos traria aos filhos de Israel. Não obstante, os judeus que, em Antioquia, viviam eram governados por seu próprio chefe, e desfrutavam de muitos privilégios políticos.

Os cristãos, que se viram constrangidos a deixar Jerusalém depois da morte de Estêvão, instalaram-se em Antioquia, onde acabaram por fundar uma vigorosa igreja. Com o tempo, esta passou a distinguir-se por uma maioria de crentes gentios. Foi aqui que, pela primeira vez, receberam os fiéis o epíteto de cristãos (At 11.20,21).

Em Antioquia, o apóstolo Paulo desempenhou uma importante etapa de seu ministério. E daqui, partiu ele para a sua primeira viagem missionária. Após o Concílio de Jerusalém, retornou à cidade com as resoluções tomadas pelos apóstolos e anciãos (At 15.23).

Sua segunda viagem missionária também teria Antioquia como ponto de partida.

Atualmente, Antioquia não passa de uma modesta povoação. Para nós, no entanto, será conhecida sempre como a igreja missionária por excelência.

II. SELÊUCIA

Situada na foz do Orontes, era uma das principais cidades da Síria. Ficava aí um concorrido porto do Mediterrâneo.

Paulo e Barnabé partiram deste porto ao encetarem sua primeira viagem missionária (At 13.4). O nome da cidade era uma homenagem a Seleuco Nicator. Selêucia distava 26 quilômetros de Antioquia. Na era apostólica, desfrutava de grande autonomia política.

III. SALAMINA

Localizada no extremo oriental de Chipre, foi nessa cidade que Paulo desembarcou por ocasião de sua primeira viagem missionária (At 13.5). Não eram poucas as sinagogas de Salamina.

Pois em Chipre, possuía Herodes várias minas de cobre, nas quais empregava milhares de judeus.

Com o tempo, a cidade veio a desaparecer. Suas ruínas acham-se nas proximidades da atual Famagusta.

IV. PAFOS

Acha-se Pafos situada no sudoeste de Chipre. Era um dos maiores santuários de Afrodite. Segundo a mitologia, foi exatamente aí que saíra ela do mar. O culto à deusa era marcado por irrefreável libertinagem.

Até a sua tomada pelos romanos em 58 a.C., a cidade era governada por um sacerdote de Afrodite.

Foi em Pafos que se deu o encontro de Paulo com o mágico Elimas que, repreendido pelo apóstolo, veio a experimentar o quanto pesa a mão de Deus (At 13.6). Tendo em vista o que acontecera ao ilusionista, o procônsul romano Sérgio Paulo passou a crer na mensagem do Evangelho.

A partir de Pafos, Saulo de Tarso passou a ser conhecido como Paulo – apóstolo e doutor dos gentios.

A cidade atualmente chama-se Bafos.

V. PERGE

Era a principal cidade da Panfília na Ásia Menor. Aí o jovem João Marcos veio a separar-se de Paulo e Barnabé, retornando a Jerusalém (At 15.36-41).

VI. ANTIOQUIA DA PISÍDIA

Tudo o que restou de Antioquia da Pisídia são ruínas. Entre estas destacam-se as de um templo, de um teatro, de uma igreja e de um imponente aqueduto.

A pregação de Paulo na sinagoga desta cidade levou muitos gentios a se converterem (At 13.14-19). Os judeus, porém, enciumados, começaram a mover grande perseguição ao apóstolo, que se viu obrigado a dirigir-se a Icônio e depois a Listra. Voltando de Listra, dirigiu-se novamente a Antioquia a fim de confirmar a fé dos novos conversos.

Paulo muito sofreu em Antioquia da Pisídia (Tm 3.10,11).

VII. ICÔNIO

Capital da Licaônia, a cidade foi visitada por Paulo durante a sua primeira viagem missionária (At 13; 14; 16.2; 2 Tm 3.11).

Icônio estava situada no planalto da Licaônia bem no centro da Ásia Menor. Era mui importante por estar na rota que ligava três importantes localidades: Éfeso, Antioquia e o Eufrates. Em virtude de sua localização, foi a cidade utilizada como via de transportes pelas 19 tropas romanas. Era estrategicamente missionária. A cidade hoje chama-se Kônia.

VIII. LISTRA

Cidade da Licaônia localizada na província romana da Galácia, onde Paulo e Barnabé foram venerados como deuses. Em seguida, foram eles apedrejados pelo mesmo povo. Fora dos muros da cidade, achava-se o templo de Júpiter.

Segundo a lenda, Júpiter e Mercúrio haviam, séculos antes, visitado a cidade em forma humana. Ao verem as maravilhas operadas pelos apóstolos, os cidadãos imaginaram estarem mais uma vez a receber a visita dos deuses.

Mais tarde foi fundada uma igreja na mesma povoação.

Timóteo, natural de Listra, sabia muito bem dos sofrimentos e perseguições de Paulo naquela localidade (At 14.6-20; 2 Tm 3.10). Quando o apóstolo tornou a visitar a cidade, Timóteo já havia aceitado a fé (At 16.1-3; 2 Tm 3.10, 11). Listra é identificada com a moderna vila de Khatyn Serai.

IX. DERBE

Embora geograficamente falando pertencesse à Licaônia, Derbe fazia parte da província romana da Galácia. Foi visitada por S. Paulo, como se lê em Atos 14.20 e 16.1.

Gaio, companheiro do apóstolo, era natural de Derbe (At 20.4). O sítio onde estava Derbe é, provavelmente, o da muralha de Gudelissim, a uns 48 quilômetros a sudoeste de Listra.

X. LISTRA, ICÔNIO E ANTIOQUIA

Regressando pela mesma rota, os apóstolos Paulo e Barnabé iam, em cada uma dessas cidades, consolando e confirmando os novos crentes.

XI. ATALIA

Nesta cidade portuária da Panfília, localizada ao sul da Ásia Menor, Paulo e Barnabé regressaram a Antioquia, cuja igreja os comissionara para a grande cruzada missionária (At 14.25).

Em Antioquia, Paulo e Barnabé relataram à igreja tudo o que o Senhor mediante eles operara.

A SEGUNDA VIAGEM MISSIONÁRIA

SUMÁRIO: *Introdução; I. Antioquia da Síria; II. Tarso; III. Derbe, Listra, Icônio e Antioquia; IV. Samotrácia; V. Neápolis; VI. Filipos; VII. Anfípolis; VIII. Apolônia; IX. Tessalônica; X. Beréa; XI. Atenas; XII. Corinto; XIII. Éfeso; XIV. Cesaréa.*

INTRODUÇÃO

Paulo dá continuidade a sua cruzada de evangelização. Nesta segunda empreitada, parte ele novamente de Antioquia que, a estas alturas, já se tornara notória como a mãe de todas as igrejas missionárias.

É interessante observar que, além de missionária, era Antioquia uma autêntica igreja pentecostal. Basta ler os primeiros versículos do capítulo 13 para inteirar-se de quão rica e preparada estava a igreja para fazer missões.

Neste capítulo, estaremos acompanhando o apóstolo Paulo que, partindo novamente de Antioquia, dá prosseguimento à propagação universal do Evangelho de Cristo.

I. ANTIOQUIA DA SÍRIA

Terminado o Concílio Apostólico de Jerusalém, Paulo retorna a Antioquia com as resoluções tomadas pelos apóstolos e anciãos acerca da postura dos gentios diante da Lei Mosaica (At 15.23).

Logo após, inicia o apóstolo a segunda viagem missionária. Neste empreendimento, Paulo faz-se acompanhar de Silas que, na igreja de Antioquia, era notável entre os profetas.

Para maiores informações sobre Antioquia, releia o capítulo anterior.

II. TARSO

Cidade principal da Cilícia, na Ásia Menor, Tarso era a terra natal de Paulo (At 9.11,30; 11.25; 21.39; 22.3). Era famosa por seus centros educacionais; sua universidade era tão procurada quanto à de Atenas e Alexandria.

Pompeu, Júlio César, Antônio e Augusto conferiram aos habitantes de Tarso o status de cidadão romano (At 22.28). Haja vista o apóstolo Paulo. Tarso atualmente não passa de uma aldeia pobre e sem maiores importâncias.

Durante a sua segunda viagem missionária, Paulo aí esteve.

III. DERBE, LISTRA, ICÔNIO E ANTIOQUIA

Nesta altura da viagem, une-se ao apóstolo o jovem Timóteo que, na Igreja Primitiva, tornar-se-ia notável por seu ministério e por suas afeições por Paulo (At 16.1-3).

IV. SAMOTRÁCIA

Pequena ilha situada a noroeste do Mar Egeu. Aqui ancorou o navio de Paulo durante a sua segunda viagem missionária (At 16.11).

Samotrácia acha-se localizada entre Trôade e Neápolis. Ao longo do tempo, recebeu diferentes designações: Dardânia, Leucânia e Samos. Sua principal cidade ficava na parte setentrional da ilha. Apesar de suas pequenas dimensões – 27 quilômetros de perímetro – tinha o status de nação livre e soberana.

Eis o seu nome atual: Samothraki.

V. NEÁPOLIS

Cidade portuária da Macedônia localizada nas proximidades de Filipos (At 16.11). Este foi o primeiro lugar da Europa a ser visitado por Paulo e seus companheiros. Aqui chegou o apóstolo atendendo a um chamado especial de Deus – a visão de Trôade (At 16.8).

VI. FILIPOS

Cidade da Macedônia, cujo nome foi dado em homenagem ao rei Filipe, pai de Alexandre Magno. Em 350 a.C., Filipe reedificou-a, tornando-a uma das mais aprazíveis cidade do mundo antigo. Entre Filipos e o mar havia uma cadeia de montes através dos quais passava a estrada que levava às minas do interior macedônio.

Filipos significa em grego *pertencente a Filipe*.

O Evangelho de Cristo foi aí anunciado pelo apóstolo Paulo durante a sua segunda viagem missionária. Eis as primícias do trabalho apostólico: Lídia e o carcereiro (At 16.12-40; 1 Ts 2.2).

Paulo esteve em Filipos por duas vezes (At 16.12; 20.1-6). A igreja aí estabelecida foi, por muitos anos, pastoreada por Lucas. Pelo menos é o que se infere dos antigos documentos.

Os filipenses sempre manifestaram gratidão ao apóstolo pelo fato de ele lhes haver anunciado o Evangelho de Cristo (Fp 4.16). Quando Paulo esteve na Acaia, mandaram-lhe dinheiro. Mais tarde enviar-lhe-iam, através de Epafrodito, outra oferta de amor ao saberem de sua prisão e encarceramento em Roma (Fp 2.25-30; 4.10-20).

VII. ANFÍPOLIS

Cidade da Macedônia localizada não muito distante de Filipos. Aí esteve o apóstolo durante a sua segunda viagem missionária

(At 17.1). A cidade era um importante centro produtor de azeite, figos e madeiras.

VIII. APOLÔNIA

Cidade da Macedônia localizada a 60 quilômetros a leste de Tessalônia (At 17.1). Por aqui passaram os apóstolos Paulo e Silas quando de sua viagem para Tessalônica.

IX. TESSALÔNICA

Cidade da Macedônia, cujo primeiro nome era Termas: *banhos quentes*, Tessalônica achava-se situada sobre o golfo Termaico. A cidade assim passou a ser designada quando o general macedônio Cassandro propôs-se a homenagear sua esposa que era irmã de Alexandre Magno.

Sob o governo romano, Tessalônica foi guindada a capital de um dos quatro distritos da Macedônia e sede do governo provincial, embora fosse uma cidade livre administrada por politarcas (At 17.6,8). Devido a sua localização estratégica e de seu porto que atraía muitos comerciantes, aí residiam muitos judeus, romanos e gregos. Conhecida hoje como Salônica, é ainda uma florescente cidade comercial.

Em Tessalônica, esteve Paulo durante a sua segunda viagem missionária (At 17.1-13). Enquanto aí permaneceu, recebeu ele dos filipenses um generoso auxílio "não somente uma vez" (Fp 4.16). Atos 17 mostra quão vigorosa foi a pregação do apóstolo nesta cidade. O elevado caráter da igreja aí estabelecida transparece nas duas epístolas que Paulo lhes enviou.

X. BERÉA

Localizada no Sudoeste da Macedônia, aí esteve Paulo durante a sua segunda viagem missionária (At 17.10-14). Em Béréa, o apóstolo encontrou uma comunidade judaica que, ao contrário de Tessalônica, era tida como nobre pois conferia tudo o que ele dizia com as Escrituras.

Beréia distava 80 quilômetros de Tessalônica.

XI. ATENAS

A mais afamada das cidades gregas. Ao retornar da Macedônia, aí esteve Paulo durante a sua segunda viagem missionária (At 17). Nesse tempo, achava-se Atenas isenta de tributos, pois fazia parte da província romana da Acaia.

Localizada numa colina rochosa chamada Acrópolis, recebeu Atenas este nome em homenagem à deusa Atenea. A cidade atualmente é a capital da Grécia.

Durante sua estada em Atenas, proferiu o apóstolo um memorável discurso no Areópago perante os filósofos epicureus e estóicos. Atenas era uma cidade inquiridora, filosófica e ciosa de sua tradição cultural. Ao mesmo tempo, eram os atenienses mui religiosos e tinham até um altar ao Deus Desconhecido.

Segundo a tradição, Dionísio areopagita, que se converteu em decorrência do discurso de Paulo, aí fundou uma igreja, sendo desta o primeiro bispo.

XII. CORINTO

Edificada sobre o istmo que liga o Peloponeso ao continente, a cidade de Corinto desfrutava do concurso de dois portos, o de Cencréia ao oriente, e o de Léquio ao ocidente. De um, recebia as ricas mercadorias da Ásia, e do outro, os produtos da Itália e dos demais países do Ocidente.

Era um grande centro comercial. Corinto era conhecida também como terra de grande luxo e licenciosidade devido ao culto de Vênus que se fazia acompanhar de vergonhosos ritos.

Paulo aí chegou no fim de sua segunda viagem missionária, permanecendo 18 meses na cidade. Nesta, fundou uma vigorosa igreja (At 18.1-18). Em Corinto, escreveu o apóstolo a epístola aos Romanos, na qual faz uma detalhada descrição dos vícios pagãos (Rm 1.21-32).

A Corinto original já não existia quando Paulo aí esteve, pois a cidade fora reedificada por Júlio César para funcionar como a capital da província romana da Acaia.

À cidade retornaria Paulo durante a sua terceira viagem missionária. Atualmente, Corinto não passa de uma simples aldeia.

XIII. ÉFESO

Capital da província romana da Ásia, achava-se localizada nas margens do Mar Egeu. Era uma das três maiores cidades do litoral leste do Mediterrâneo. Além de ser um importante centro comercial, Éfeso tornara-se famosa por abrigar o templo da deusa Diana. Seu teatro comportava 24 mil pessoas sentadas.

Paulo aí chegou durante a sua segunda viagem missionária (At 19.20).

XIV. CESARÉIA

Aí desembarcou o apóstolo Paulo quando retornava de sua segunda viagem missionária (At 18.22; 21.8).

Para maiores informações sobre a cidade, veja o capítulo anterior.

A TERCEIRA VIAGEM MISSIONÁRIA

SUMÁRIO: *Introdução; I. Antioquia da Síria; II. Derbe, Listra, Icônio e Antioquia da Pisídia; III. Éfeso; IV. Macedônia; V. Grécia; VI. Filipos; VII. Troas; VIII. Mileto; IX. Pátara; X. Tiro; XI. Ptolemaida; XII. Cesaréia.*

INTRODUÇÃO

Quando Paulo iniciou sua terceira viagem missionária, o Cristianismo já era conhecido em todo o Império Romano. De inícios humildes em Jerusalém, fez-se missionário em Antioquia, confrontou a cultura helena no Areópago e dentre em pouco estará a desafiar Roma.

E pensar que todo esse trabalho devemo-lo a um único homem: Paulo.

O apóstolo foi poderosamente usado por Deus para cumprir a parte mais difícil da Grande Comissão: levar o Evangelho aos confins da terra.

Neste capítulo, acompanharemos o apóstolo em mais um empreendimento missionário. Desta feita percorrerá ele aproximadamente 4.200 quilômetros.

I. ANTIOQUIA DA SÍRIA

Como das duas vezes anteriores, o apóstolo parte da igreja em Antioquia da Síria. Não é sem razão que esta igreja é conhecida como a igreja missionária por excelência.

Para maiores informações acerca da cidade de Antioquia, sugerimos a leitura do capítulo referente à primeira viagem missionária de Paulo.

II. DERBE, LISTRA, ICÔNIO E ANTIOQUIA DA PISÍDIA

O apóstolo novamente visita estas igrejas a fim de fortalecê-las no Senhor, e confirmar os novos crentes na Palavra.

Para maiores informações acerca dessas cidades, veja o capítulo sobre a primeira viagem missionária de Paulo.

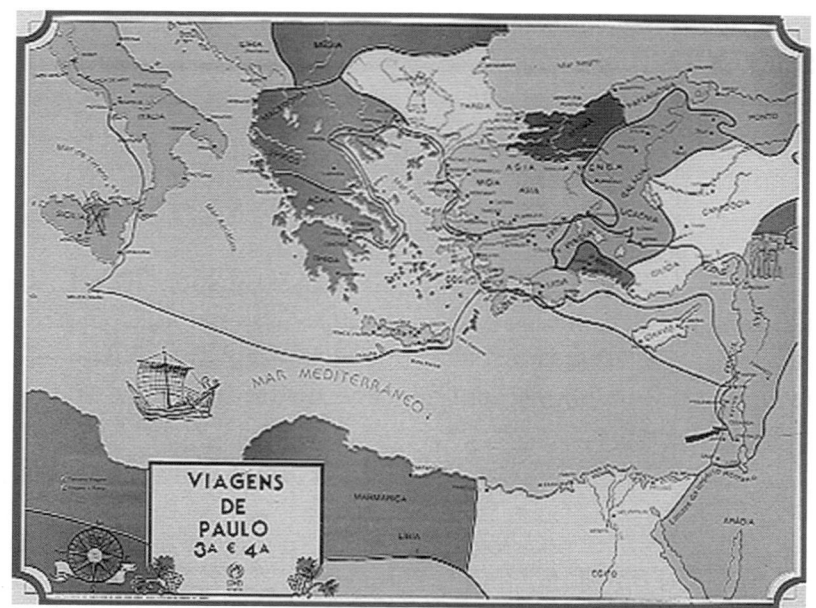

3ª e 4ª viagens missionárias de Paulo

III. ÉFESO

O autor de Atos dos Apóstolos dá uma atenção especial ao ministério de Paulo em Éfeso. Aqui, ficaria ele três anos pregando, ensinando e doutrinando a igreja (At 20.31). Depois de um ensinamento tão completo, vemos que, com razão, era Éfeso conhecida como a igreja das regiões celestiais (Ef 1.3).

Em Éfeso, encontra Paulo doze varões que, embora conhecessem o batismo de João, ignoravam certas verdades básicas como, por exemplo, a existência do Espírito Santo (At 19.1-6). O apóstolo doutrinou-os, orou por eles, e todos foram cheios do Espírito Santo – falaram línguas e profetizaram.

As oposições em Éfeso foram muitas. Haja vista os ourives da deusa Diana. O Evangelho de Cristo, todavia, prevaleceu tanto sobre a idolatria quanto sobre a magia (At 19.19).

IV. MACEDÔNIA

Deixando Éfeso, o apóstolo dirigiu-se à Macedônia, onde consolou as igrejas de Cristo, confirmando cada ovelha na Palavra de Deus (At 20.1).

A Macedônia estava localizada na região montanhosa da península balcânica. No ano 148 a.C., o país foi convertido em província romana. Atualmente, o território macedônio acha-se dividido entre a Grécia, a Iugoslávia e a Bulgária.

Você se lembra da visão que teve o apóstolo acerca da Macedônia?

V. GRÉCIA

Situada no Sudeste da Europa, a Grécia é conhecida com justa razão como a pátria da filosofia.

Durante a sua terceira viagem missionária, o apóstolo aqui esteve para reavivar a evangelização do país (At 20.2).

O trabalho de evangelização na Grécia foi bastante facilitado em virtude de o grego ser a língua franca daquela época.

VI. FILIPOS

Aqui fica o apóstolo por alguns dias até embarcar para Troas (At 20.3-5).

Para maiores informações acerca de Filipos, veja o capítulo referente à primeira viagem missionária de Paulo.

VII. TROAS

Foi em Troas que o apóstolo, antes de seguir viagem, fez um longo discurso, durante o qual o jovem Êutico, que estava na janela, adormeceu, caiu do segundo andar, e foi dado como morto (At 20.9). Paulo, todavia, retornou com ele vivo ao cenáculo para a alegria de todos os presentes.

De acordo com alguns autores, Troas foi erguida no sítio da antiga Tróia.

VIII. MILETO

Cidade jônica costeira localizada a 60 quilômetros ao sul de Éfeso. Durante centenas de anos, foi um importante porto marítimo.

Neste porto, reuniu o apóstolo Paulo os anciãos de Éfeso, e fez-lhes um comovente discurso. Entre outras coisas, disse-lhes que estava indo para Jerusalém onde seria encarcerado pelos judeus. O que mais chocou os anciãos foi o fato de o apóstolo ter-lhes dito que eles nunca mais lhe veriam o rosto (At 20.17-38).

IX. PÁTARA

Localizada na costa da Lícia a 64 km ao ocidente de Mira, Pátara possuía um porto de onde o apóstolo Paulo embarcou quando se dirigia a Jerusalém no final de sua terceira viagem missionária (At 21.1,2).

Nessa cidade, havia um famoso oráculo de Apolo.

Atualmente, Pátara não passa de um lugar onde predominam as ruínas.

X. TIRO

Antigo porto fenício localizado ao sul de Sidom e ao norte do Carmelo. Na Antigüidade, era Tiro um famoso centro comercial. Quando do regresso de sua terceira viagem missionária, Paulo permaneceu em Tiro sete dias (At 21.3-7).

Nessa cidade, procurou reunir-se com os cristãos que aí residiam.

XI. PTOLEMAIDA

Cidade portuária da Palestina, onde Paulo desembarcou quando concluía a sua terceira viagem missionária (At 21.7).

Atualmente, a cidade chama-se Acre.

XII. CESARÉIA

Nesta cidade, ficou Paulo com o evangelista Filipe. Aí foi-lhe predito que, em Jerusalém, seria encarcerado. Resoluto, porém, declarou o apóstolo: "Porque eu estou pronto não só a ser ligado, mas ainda a morrer em Jerusalém pelo nome do Senhor Jesus" (At 21.8-16).

A VIAGEM DE PAULO A ROMA

SUMÁRIO: *Introdução; I. Cesaréia; II. Mirra; III. Bons Portos; IV. Malta; V. Siracusa; VI. Régio; VII. Putéoli; VIII. Roma.*

INTRODUÇÃO

A maioria dos estudiosos não considera a viagem de Paulo a Roma um empreendimento missionário. Outros, porém, encaram essa peregrinação do apóstolo como a sua quarta viagem evangelizadora.

Neste capítulo, veremos os principais estágios de sua viagem a Roma. Nesse trecho, Paulo percorreu 2.700 quilômetros.

Embora prisioneiro, Paulo divulgou o Evangelho de Cristo entre seus companheiros de viagem, nos portos onde desembarcou, e finalmente em Roma.

I. CESARÉIA

No porto de Cesaréia, o apóstolo, juntamente com outros prisioneiros, embarca com destino a Roma, onde será julgado pela principal corte do império (At 26.32).

Cidade portuária, Cesaréia distava 40 quilômetros ao norte de Samaria.

II. MIRRA

Porto localizado na cidade de Lícia, na Ásia Menor (At 27.5). Paulo fez uma pausa aqui em sua viagem a Roma.

III. BONS PORTOS

Enseada na costa meridional de Creta, nas proximidades de Laséia, onde o navio que levava Paulo a Roma viu-se obrigado a ancorar.

O lugar é, ainda hoje, conhecido pelo seu primitivo nome grego: Kaloi Limenes. A embarcação aí permaneceu por causa dos fortes ventos que vinham do noroeste (At 27.8).

IV. MALTA

Ilha do Mediterrâneo, localizada ao sul da Cicília, onde se deu o naufrágio do navio que levava o apóstolo Paulo a Roma (At 28.1). Os habitantes de Malta, por não serem romanos nem gregos, eram tidos por bárbaros; mas a sua generosidade achava-se acima de qualquer nobreza.

A Baía de São Paulo, no nordeste da Ilha, é venerada como o lugar do naufrágio.

V. SIRACUSA

Localizada na costa oriental da Sicília, Siracusa foi a cidade onde Paulo permaneceu três dias em sua viagem a Roma (At 28.12). Antes do advento do Cristianismo, Siracusa era conhecida por sua magnificência; seu porto, afamadíssimo pela beleza.

A viagem de Paulo a Roma

As guerras e as invasões dos piratas acabaram por levar a cidade a experimentar decadência sobre decadência. O seu porto, conquanto usado ainda hoje, já não passa de um singelo ancoradouro em vista de seu primitivo esplendor.

VI. RÉGIO

Cidade localizada no Sul da Itália, onde havia uma considerável colônia grega. No porto de Régio, o navio que levava Paulo a Roma permaneceu um dia até a chegada de ventos favoráveis (At 28.13).

VII. PUTÉOLI

Porto italiano localizado a nordeste da Baía de Nápoles. Aí permaneceu o apóstolo por uma semana em sua viagem para Roma (At 28.13).

O nome atual do porto é Pozzuoli. Antes do advento do Cristianismo, era este muito usado pelos exércitos romanos em suas

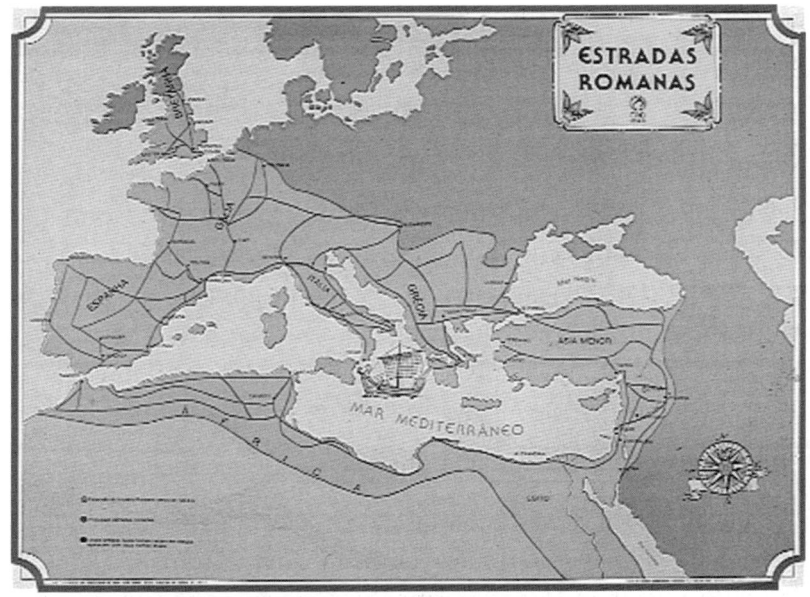

As estradas romanas, por serem de excelente qualidade, muito auxiliaram na propagação do Evangelho

Geografia Bíblica

guerras de conquistas. Devido aos muitos terremotos sofridos, Putéoli hoje pouca importância tem.

VIII. ROMA

Antiga rainha do mundo, acha-se Roma edificada às margens esquerdas do Rio Tibre, sobre sete colinas. A cidade é mencionada nos Atos, na Epístola de Paulo aos Romanos e na Segunda Epístola a Timóteo.

No tempo de Pompeu, muitos foram os judeus levados a Roma como cativos. Para eles, o governo reservara um território na margem direita do Tibre. Apesar de gozarem dos favores de Júlio César e Augusto, foram os judeus perseguidos por Claúdio que resolveu expulsá-los da capital do império (At 18.2).

Muitos todavia conseguiram permanecer em Roma, pois quando Paulo aqui chegou, como prisioneiro do Império, encontrou uma considerável colônia judaica (At 28.17).

Eis como propagou-se o Cristianismo

Em Roma, o apóstolo esteve preso por dois anos, morando numa casa que alugara (At 28.16,30). Durante esse período, conforme o costume romano, Paulo esteve permanentemente algemado ao soldado que o vigiava (At 28.20; Ef 6.20; Fp 1.13). Embora preso, jamais deixou de anunciar livremente o Evangelho (At 28.30,31).

Em Roma, foi o apóstolo executado devido às suas atividades missionárias e evangelísticas. O seu testemunho, porém, sobrevive e sobreviverá por toda a eternidade.

A GEOGRAFIA DO APOCALIPSE

SUMÁRIO: *Introdução; I. Patmos, a ilha da revelação; II. Éfeso; III. Esmirna; IV. Pérgamo; V. Tiatira; VI. Sardes; VII. Filadélfia; VIII. Laodicéia.*

INTRODUÇÃO

Chegamos ao último capítulo desta obra. Agora, entraremos a verificar a geografia do livro do Apocalipse. Em primeiro lugar, veremos como era a Ilha de Patmos para onde João foi enviado como prisioneiro político.

Em seguida, conheceremos as sete igrejas da Ásia Menor.

I. PATMOS – A ILHA DA REVELAÇÃO

Ilha rochosa localizada no Mar Egeu, a sudoeste de Éfeso (Ap 1.9), Patmos tem cerca de 29 quilômetros de circunferência. Por causa de seus contornos tristes e desolados, serviu, durante muito tempo, como prisão para onde eram levados os prisioneiros políticos de Roma.

Para essa ilha foi enviado o apóstolo João por determinação do imperador Domiciano. O seu crime? Anunciar o Evangelho de Cristo Jesus. Em meio a toda essa desolação, porém, o discípulo do amor teve a revelação de como serão os últimos dias da história humana (Ap 1.9-20).

II. ÉFESO

Situada na Ásia Menor, às margens do rio Caístro, Éfeso funcionava, na era apostólica, como centro da administração romana de toda essa região. Aí também viviam muitos judeus.

Em Éfeso, achava-se o templo da deusa Diana, uma das sete maravilhas do mundo.

Na cidade, esteve o apóstolo Paulo em duas oportunidades durante suas viagens missionárias (At 18.19; 19.1). A evangelização de Éfeso foi coroada de êxitos. A igreja aí fundada era uma das mais bem doutrinadas do Novo Testamento.

Segundo a tradição, o apóstolo João viveu em Éfeso nos anos que precederam a sua prisão na Ilha de Patmos.

À igreja de Éfeso enviou o Senhor Jesus uma carta conclamando-a a voltar ao primeiro amor (Ap 2.1).

III. ESMIRNA

Antiga cidade portuária localizada na costa ocidental da Ásia Menor. Distava 65 quilômetros ao norte de Éfeso. A igreja aí instalada sofreu muitas perseguições, jamais porém deixou de se notabilizar pelo amor e pela piedade (Ap 2.8-11).

Em todas as tribulações, o Senhor Jesus sempre esteve ao lado dos santos de Esmirna. Ele é fiel e verdadeiro.

IV. PÉRGAMO

A mais importante cidade da Mísia. Localizada às margens do Caíco, tornou-se célebre por seu pioneirismo em trabalhar o pergaminho como material de escrita. Sua biblioteca, de 200 mil volumes, seria transportada a Alexandria, no Egito.

Muitos eram os palácios e templos de Pérgamo. Diz a lenda ter sido a cidade o berço de Júpiter. Por causa de sua idolatria, era considerada o estrado do trono de Satanás.

Aqui ficava uma igreja que enfrentava problemas internos e externos. Se por um lado, sofria com os promotores da doutrina de Balaão, por outro, era vítima da intolerância dos pagãos (Ap 2.12-17).

V. TIATIRA

Situada entre a Lídia e a Mísia, a cidade de Tiatira achava-se na província romana da Ásia Menor. Era um importante centro comercial.

Aqui ficava uma importante igreja (Ap 1.11; 2.18). Tiatira era uma cidade marcada pela idolatria. O Senhor Jesus censurou duramente esta igreja por sua atitude tolerante em relação a uma certa mulher que, embora se dissesse profetisa, induzia os servos de Cristo ao adultério (Ap 2.20,21).

Eis o nome atual de Tiatira: Akhissar. Como se sabe, o antigo território da Ásia Menor é hoje ocupado pela Turquia.

VI. SARDES

Antiga capital dos reis da Lídia, achava-se localizada às margens do Partolo, um afluente do Rio Hermo. A cidade atualmente é conhecida pelo nome de Start.

Que dura censura endereçou-lhe o Senhor! Ela tinha nome que vivia, mas achava-se morta (Ap 3.1- 4).

A cidade hoje não passa de uma aldeia rodeada por ruínas de um passado outrora glorioso.

VII. FILADÉLFIA

Situada na Ásia Menor, Filadélfia foi arquitetada e construída pelo rei Atalo Filadelfo, de Pérgamo. Seu território hoje é ocupado pela cidade de Alasehir, um importante porto da Turquia.

Filadélfia em grego significa "amor fraternal".

Aqui ficava a sede de uma igreja que se tornou célebre por suas boas obras e pelo amor que devotava ao Senhor Jesus Cristo (Ap 3.7-13).

VIII. LAODICÉIA

Florescente e próspera cidade da Ásia Menor. Localizada às margens do Rio Lico, nas vizinhanças de Colossos, Laodicéia servia de comunicação entre o oriente e o ocidente da Ásia.

Aqui ficava uma igreja que, apesar da prosperidade material, espiritualmente era paupérrima. Eis por que sofreu dura reprimenda do Senhor Jesus (Ap 3.14-22).

Pequeno Dicionário de
Geografia Bíblica

AAVA – [Do hb. *água*] Rio de Babilônia. Nas proximidades deste, o sacerdote Esdras reuniu a segunda expedição de repatriados, que voltou com ele para repovoar Jerusalém (Ed 8.15,31).

ABANA – [Do persa *rochoso*] Principal rio de Damasco, 2 Rs 5.12. Atualmente este é o seu nome Barada. Nascendo nas altas planícies entre o Líbano e o Antilíbano, é o responsável pela vida, beleza e prosperidade de Damasco.

ABARIM – [Do hb. *regiões de além*] Cordilheira localizada ao oriente do Jordão, nas terras de Moabe, onde os israelitas acamparam antes de entrar na Terra Prometida (Nm 33.47). A sua mais alta elevação é o Monte Nebo, de onde Moisés viu a Terra da Promissão antes de morrer (Dt 3.27; 32.49).

ABEL-BETE-MAACA – [Do hb. *prado da casa de Maaca*] Cidade fortificada do extremo norte do antigo Israel (2 Sm 20.15; 1 Rs 15.20). No tempo de Davi, quase foi destruída pelo general Joabe (2 Sm 20). A cidade era conhecida em Israel por sua sabedoria, prudência e conselho.

ABEL-MAIM – [Do hb. *prado das águas*] Cidade assolada pelos exércitos de Bene-Hadade (2 Cr 16.4).

ABEL-MEOLÁ – [Do hb. *prado da dança*] Aldeia perto de Bete-Sita (Jz 7.22; 1 Rs 4.12). Terra natal de Eliseu. Foi aí que ele recebeu o chamamento profético através de Elias (1 Rs 19.16,19).

ABEL-MIZRAIM – [Do hb. *prado do Egito*] Eira de Atade, onde José, seus irmãos e os egípcios choraram a morte de Jacó (Gn 50.9-13).

ABEL-QUERAMIM – [Do hb. *prado de vinhas*] Lugar onde Jefté feriu aos amonitas com grande mortandade (Jz 11.33). A cidade ficava nas imediações de Moabe.

ABEL-SITIM – [Do hb. *prado de acácias*] Último acampamento dos israelitas antes de atravessarem o Rio Jordão para tomar posse de sua herança (Nm 33.49).

ABILENE – [Do gr. *planície*] Tetraquia de Lisânias no tempo de João Batista (Lc 3.1). O nome deste distrito originou-se de sua cidade principal, Abila, que distava quinze quilômetros de Damasco, capital da Síria.

ABISMO – [Do gr. **abyssos**, *lugar sem fundo*] Grande abismo. Em Gn 1.2 a palavra denota as águas primitivas. Assim também os hebreus chamavam o lugar dos mortos (Rm 10.7); prisão dos espíritos maus (Ap 9.1,2,11; 11.7,8; 20.1,3).

ACAIA – Província romana que incluía toda a antiga Grécia, menos a Macedônia. É o território ocupado hoje pela Grécia moderna.

ACMETA – Capital da Média, onde foi encontrado o livro com o decreto real permitindo a reconstrução do Santo Templo em Jerusalém (Ed 6.2). É identificada atualmente como Hamadã, sendo uma das mais importantes cidades do Irã.

ACO – Cidade pertencente a Aser, mas da qual esta tribo israelita não conseguiu tomar posse (Jz 1.31). Posteriormente passou a se chamar Ptolemaida (At 21.7).

ACOR – [Do hb. *perturbação*] Lugar onde Acã foi apedrejado (Js 7.24,26; Is 65.10; Os 2.15).

ACRÓPOLE – Parte mais alta das cidades gregas. Esta palavra porém é empregada para designar a Acrópole de Atenas. Significa às vezes fortaleza e às vezes santuário.

ACZIBE – [Do hb. *enganoso*] Cidade de Judá (Js 15.44). A tribo de Aser também possuía uma cidade com este nome.

ADÃ – Cidade localizada na margem ocidental do Jordão. Foi aí que os israelitas pousaram os pés logo após haverem cruzado o Jordão (Js 3.16).

ADADA – Cidade localizada na extremidade sul de Judá (Js 15.22).

ADAMÁ – Cidade de Naftali (Js 19.36).

ADORAIM – [Do hb. *dois montes*] Uma das cidades de Judá fortificada por Roboão (2 Cr 11.9).

ADRIÁTICO – Designação que, no tempo de Paulo, incluía a parte do Mar Mediterrâneo entre a Sicília e a Grécia (At 27.27).

ADULÃO – [Do hb. *lugar da antigüidade*] Célebre cidade de Judá. Numa de suas cavernas, refugiou-se Davi (1 Sm 22.1).

ADUMIM – [Do hb. *a subida de sangue*] A subida de Adumim, na fronteira de Judá, é o lugar tido como o cenário que o Senhor Jesus usou para a parábola do Bom Samaritano. Ver Josué 15.7.

AFEQUE – [Do hb. *fortaleza*] Cidade fortificada de Canaã, cujo monarca foi derrotado e morto por Josué, Js 12.18. Várias outras cidades de Judá tinham este nome.

ÁFRICA – Um dos cinco continentes do mundo. Várias nações africanas são mencionadas na Bíblia: Líbia, Etiópia, Egito.

AI – [Do hb. *a ruína*] Cidade da tribo de Benjamim localizada ao leste de Betel (Gn 12.8; 13.3). Nessa localidade, os exércitos de Israel sofreram pesada derrota por causa do pecado de Acã (Js 7.2-5). Foi a Segunda cidade conquistada e totalmente destruída por Israel (Js 8.9-28).

AIJALOM – [Do hb. *lugar das gazelas*] Aldeia de Dã designada aos levitas (Js 21.24). Lugar da batalha de Israel, quando Josué ordenou que a lua se detivesse (Js 10.12).

AIM – Cidade localizada na fronteira noroeste de Canaã (Nm 34.11). Também era este o nome de uma cidade de Judá que, posteriormente, passaria a Simeão e finalmente aos levitas (Js 19.7; 21.16).

ALDEIA – Povoação insignificante, que não pode ser considerada vila ou cidade.

ALEXANDRIA – Cidade fundada por Alexandre, o Grande, em 331 a.C. com o objetivo de torná-la a capital de seu império no Ocidente. Localizada no litoral norte do Egito, a 23 quilômetros ao oeste da foz do Nilo, possuía um farol tido como uma das sete maravilhas do mundo.

No Império Romano, Alexandria ocupava o segundo lugar entre as cidades, possuindo uma população heterogênea de 800 mil pessoas. Muitos eram os judeus que aí residiam.

Sua biblioteca era a maior do mundo; possuía 700 mil volumes. Em Alexandria o Antigo Testamento foi traduzido do hebraico para o grego, nascendo assim a Septuaginta, ou Versão dos Setenta.

Era a cidade um dos maiores centros comerciais do mundo. Hoje, embora possua um movimentadíssimo porto, não mais consegue lembrar o seu passado de glórias.

ALMOM – [Do hb. *retiro*] Cidade de Benjamim, dada aos levitas (Js 21.18).

ALMOM-DIBLATAIM – Acampamento de Israel no deserto já nas proximidades do Jordão (Nm 33.46,47).

ALUS – [Do hb. *tumultos de homens*] O lugar do nono acampamento de Israel no deserto, Nm 33.13.

AMÁ – [Do hb. *côvado*] Outeiro junto ao deserto de Gibeão (2 Sm 2.24).

AMÃ – [Do hb. *conjunção*] Cidade do sul de Judá, Js 15.26.

AMADE – Cidade pertencente à tribo de Aser (Js 19.26).

AMANA – Localidade no Anti-Líbano, onde nasce o rio Amana (Ct 4.8).

ANAARATE – [Do hb. *Passagem*] Localidade da tribo de Issacar (Js 19.19).

ANABE – [Do hb. *uvas*] Cidade conquistada aos enaquins e pertencente a Judá (Js 11.21; 15.50).

ANATOTE – [Do hb. *orações respondidas*] Cidade de Benjamim destinada aos levitas (Js 21.18). Aqui morava o sacerdote Abiatar (1 Rs 2.26). Era a terra natal de Jeremias (Jr 1.1).

ANÉM – [Do hb. *duas fontes*] Cidade de Issacar (1 Cr 6.73).

ANFÍPOLIS – [Do gr. *cingida cidade*] Importante cidade da Macedônia, pela qual passaram Paulo e Silas durante a sua segunda viagem missionária (At 17.1).

ANIM – [Do hb. *fontes*] Cidade de Judá (Js 15.50).

ANTI-LÍBANO – Cordilheira da Síria paralela ao Líbano, achando-se deste separada pelo vale do Líbano.

ANTIOQUIA DA PISÍDIA – Cidade fundada por Seleuco Nicanor em honra de seu pai. Situada na Frígia, junto aos limites da Pisídia, possuía uma considerável colônia de judeus (At 13.14). Aí estave Paulo pregando o Evangelho de Cristo.

Além desta, havia pelo menos outras 16 cidades com este nome.

ANTIOQUIA DA SÍRIA – Situada às margens do Rio Oronte, distava 500 quilômetros de Jerusalém. Foi, por quase mil anos, a capital dos governantes gregos e romanos da Síria. Foi desta cidade que Paulo saiu em suas duas primeiras viagens missionárias (At 13.1-5).

ANTIPÁTRIDE – [Do gr. *que pertence a Antípatro*] Situada na estrada militar entre Jerusalém e Cesaréia, a cidade distava 65 quilômetros de Jerusalém e 40 de Cesaréia. À Antipátride Paulo foi conduzido pelos soldados durante a sua prisão que terminaria na capital do Império Romano (At 23.31).

ANTÔNIA, TORRE DE – Parte do complexo da fortaleza de Birá, que se achava unida ao Templo de Jerusalém. Possuía corredores subterrâneos para a fuga dos governantes. Foi nessa torre que Paulo apresentou sua veemente defesa ante seus algozes (At 21.40).

ÁPIO – Cidade de Roma, onde os crentes foram receber a Paulo quando este era conduzido como prisioneiro à capital do império (At 28.15)

APOLÔNIA – [Do gr. *cidade de Apolo*] Cidade da Macedônia, onde Paulo e Silas passaram em sua viagem, de Filipos a Tessalônica (At 17.1).

AR – [Do hb. *cidade*] Principal cidade dos moabitas. Localizada sobre uma pequena elevação, achava-se a apenas alguns quilômetros ao oriente do Mar Morto (Nm 21.15,28).

ARABÁ – [Do hb. *planície deserta*] Compreende toda a região que se estende do Mar da Galiléia, para o sul, além do mar Morto até o golfo de Acaba (Dt 1.1; Js 18.18; 2 Rs 14.25).

ARÁBIA – [Do gr. *região deserta*] Limitado pelo Mar Vermelho, pelo Golfo Pérsico e pelo Oceano Índico, a Arábia constitui-se na maior península do mundo. Na Bíblia, é conhecida como a terra oriental e povo do Oriente (Gn 29.1; Jz 6.3; 7.12; 1 Rs 4.30; Is 11.14; Jr 49.28; Ez 25.4). A região, hoje, é ocupada pela Arábia Saudita e pelo Iemem.

ARADE – [Do hb. *asno montanhês*] Cidade dos cananeus, derrotada por Israel (Nm 21.1).

ARARATE – [Do hb. *terra sagrada*] Região onde pousou a arca de Noé após o dilúvio (Gn 8.4). Fica na atual Armênia, na Ásia ocidental. É o lugar das nascentes dos rios Eufrates, Tigre e Aras.

AREÓPAGO – Conhecido também como a Colina de Marte, estava situado num alto rochoso de Atenas, em frente da Acrópole. Funcionava também como o tribunal supremo da cidade. A este lugar foi o apóstolo Paulo levado a fim de expor as razões de sua fé (At 17.22).

ARIMATÉIA – [Forma grega do hebraico Ramá – *altura*] O local hoje é ignorado. Cidade do nobre judeu, José de Arimatéia, que, apesar dos riscos políticos e sociais, ousou publicamente sepultar o corpo de Jesus (Mt 27.57).

ARMAGEDOM – [Do hb. *Monte de Megido*] Cenário de várias batalhas importantes do povo de Deus no Antigo Testamento, será o palco para o embate escatológico entre as forças do bem e as do adversário.

ARNOM – [Do hb. *rápido*] Rio que deságua no Mar Morto. Situava-se, de início, entre o território de Moabe e o dos amorreus (Nm 21.13). Depois, entre a tribo de Rubem e Moabe (Dt 3.8,16; Js 13.16).

AROER – [Do hb. *ruínas*] Cidade dos amorreus situada à borda do vale de Arnom (Dt 2.36). Havia também outras cidades, no Antigo Testamento, conhecidas por este nome.

ARPADE – [Do hb. *lugar de descanso*] Cidade da Síria citada juntamente com Hamate por Rabsaqué quando afrontava o rei Ezequias (2 Rs 18.34).

ARUBOTE – Uma das dez regiões que forneciam suprimentos alimentícios ao reino de Salomão (1 Rs 4.10).

ARUMÁ – [Do hb. *alto*] Cidade onde passou a residir Abimeleque, filho bastardo de Gideão, ao ser expulso de Siquém (Jz 9.41).

ARVADE – Ilha localizada nas proximidades da Fenícia. Fornecia marinheiros e mercenários ao reino de Tiro (Ez 27.8,11).

ASÃ – [Do hb. *fumaça*] Cidade de Judá que, posteriormente, foi transferida à tribo de Simeão, e que terminaria com os sacerdotes (Js 15.42; 19.7; 1 Cr 6.59).

ASCALOM - Uma das cinco principais cidades dos filisteus (Jz 1.18; 1 Sm 6.17).

ASDODE – [Do hb. *fortaleza*] Uma das cinco cidades dos Filisteus. Embora pertencesse a Judá, não foi possuída por esta tribo (Js 11.22).

ASER – Cidade fronteiriça a Manassés (Js 17.7).

ÁSIA – Um dos cinco continentes do mundo e o berço de nossa civilização. No Novo Testamento, a palavra refere-se à província romana que abrangia a parte ocidental da península da Ásia Menor, da qual Éfeso era a capital.

B

BAALÁ – [Do hb. *senhora*] Cidade de Judá (Js 15.29).

BAALATE – [Do hb. *senhora*] Cidade de Dã (Js 19.44). Com este nome era conhecida também uma cidade-armazém de Salomão (1 Rs 9.18).

BAALATE-BER – [Do hb. *possuidor de um poço*] Cidade pertencente à tribo de Simeão (Js 19.8).

BAAL-GADE – [Do hb, *senhor de fortuna*] Cidade no vale do Líbano, onde Baal era adorado como o deus da fortuna (Js 11.17; Is 65.11).

BAAL-HAMOM – [Do hb. *senhor de multidão*] Lugar onde Salomão teve uma vinha (Ct 8.11).

BAAL-HAZOR – [Do hb. *senhor de Hazor*] Lugar onde Absalão, filho de Davi, tosquiava (2 Sm 13.23).

BAAL-HERMOM – [Do hb. *senhor do Hermom*] Monte situado ao sudoeste do monte Hermom (1 Cr 5.23).

BAAL-MEOM – [Do hb. *senhor de Meom*] Uma das cidades edificadas pela tribo de Rubem (Nm 32.38).

BAAL-PERAZIM – [Do hb. *senhor de Perazim*] Localidade do Vale de Refaim, onde Davi obteve estrondosa vitória sobre os filisteus (2 Sm 5.20).

BAAL-SALISA – [Do hb. *senhor de Salisa*] Aldeia que forneceu pães e cevada ao profeta Eliseu (2 Rs 4.42).

BAAL-TAMAR – [Do hb. *senhor de palmas*] Localidade onde, no tempo dos juízes, eram os ídolos adorados (Jz 20.33).

BAAL-ZEFOM – [Do hb. *senhor de*

Zefom] Lugar onde os filhos de Israel acamparam em sua caminhada à Terra de Promissões (Êx 14.2).

BABEL – [Do hb. *porta de Deus*] Primeira cidade mencionada na Bíblia após o dilúvio. Edificada na planície de Sinear (Gn 11.2-9), foi a sede do governo de Ninrode (Gn 10.8-10). Em Babel, confundiu o Senhor a língua da humanidade (Gn 11.9).

BABILÔNIA – Forma grega do nome hebreu *Babel*. A cidade ganharia, com o passar do tempo, o *status* de capital de um poderoso império. Sua localização: entre os rios Tigre e Eufrates no atual território do Iraque. Para essa região foram transportados os filhos de Judá entre 606 a 586 a.C.

BACTRIANA – País da Antiga Ásia onde residiam os povos iranianos. A região, hoje, compreende partes do Turquestão e do atual Irã.

BALÁ – Localidade pertencente à tribo de Simeão (Js 19.3).

BAMOTE – [Do hb. *lugares altos de Baal*] Um dos acampamentos dos israelitas em sua viagem à Terra de Promissões (Nm 21.19). Assim também era designada uma cidade da tribo de Rúben (Js 13.17).

BASÃ – [Do hb. *solo fértil*] Fértil região que se estendia de Gileade no sul até Hermom no norte; desde o vale do Jordão, no oeste, até à terra dos gesereus e dos maacateus no leste (Js 12.3-5).

A terra era famosa por seu gado, ovelhas e carvalhos. Basã coube em possessão à meia tribo de Manassés (Js 13.29).

BAURIM – [Do hb. *vila de jovens*] Localidade de Benjamim na estrada de Jerusalém a Jericó (2 Sm 16.5).

BEALOTE – [Do hb. *senhora*] Cidade de Judá (Js 15.24).

BEER-LAAI-ROI – [Do hb. *poço daquele que me vê*] Lugar de onde o anjo falou a Hagar, serva de Sara (Gn 16.7-14). Aí também habitou Isaque (Gn 24.62; 25.11).

BEEROTE – [Do hb. *poços*] Cidade pertencente aos gibeonitas (Js 9.17).

BEEROTE-BENE-JACÃ – [Do hb. *poços dos filhos de Jacã*] Um dos acampamentos dos filhos de Israel em sua peregrinação a Israel (Dt 10.6).

BELÉM – [Do hb. *casa de pão*] Cidade montanhosa de Judá localizada a nove quilômetros ao sul de Jerusalém (1 Cr 2.51). Era também chamada de Efrata para distinguí-la de outra.

BÊNÇÃO, VALE DA – Localizado entre Hebrom e Jerusalém, onde Josafá e o povo ajuntaram-se para louvar a Deus depois de haverem derrotado os moabitas e amonitas (2 Cr 20.26).

BENE-BERAQUE – [Do hb. *filho de Beraque*] Cidade pertencente à tribo de Dã (Js 19.45).

BENE-JAACÃ – [Do hb. *filhos da inteligência*] Um dos acampamentos dos filhos de Israel em sua caminhada à Terra Prometida (Nm 33.31).

BERÉIA – Cidade da Macedônia localizada a 80 quilômetros de Tessalônica; era o centro mais populoso da província. Paulo aí esteve durante a sua segunda viagem missionária. Os judeus dessa cidade foram tidos como nobres por conferirem tudo o que dizia Paulo com as Escrituras (At 17.11).

BEROTAI – [Do hb. *poços*] Cidade de Hadadezer, rei de Zobá (2 Sm 8.8).

BERSEBA – [Do hb. *Poço de Juramento*] Na Antiguidade era um lugar mui importante. Em Berseba, havia imensos poços ladeados por bebedouros de pedra para uso do gado. Era o limite meridional da Terra Santa (2 Sm 17.11; 2 Rs 23.8). Aqui, peregrinaram os santos patriarcas (Gn 21.23-32; 26.23,24; 28.10).

BESOR, RIBEIRO DE – Riacho que deságua no Mediterrâneo, ao sul de Gaza. A esse ribeiro chegou Davi quando perseguia os amalequitas (1 Sm 30.9).

BETÂNIA – [Do gr. *Casa de Tâmaras*] Vila localizada a cerca de 15 estádios de Jerusalém (Jo 11.18). Aí pernoitava Jesus (Mt 21.17; Mc 11.11). Foi de Betânia que o Senhor Jesus foi assunto ao céu (Lc 24.50,51). Havia outra cidade com o mesmo nome na margem oposta do Jordão.

BETE-ANATE – [Do hb. *Templo de Anate*] Cidade de Naftali (Js 19.38).

BETE-ARÃ – [Do hb. *lugar alto*] Cidade dos amorreus conquistada pela tribo de Gade (Js 13.27).

BETE-ARABÁ – [Do hb. *casa do deserto*] Cidade de Judá (Js 15.6). Havia também uma cidade em Benjamim com o mesmo nome (Js 18.22).

BETE-ÁVEN – [Do hb. *casa de vaidade*] Localidade situada a leste de Betel nas proximidades de Ai (Js 7.2).

BETE-BARA – [Do hb. *casa do vau*] Aldeia situada às margens do Jordão (Jz 7.24).

BETE-DAGOM – [Do hb. *casa de Dagom*] Cidade de Judá (Js 15.41). Em Aser também havia uma cidade com igual nome (Js 19.27).

BETE-DIBLATAIM – [Do hb. *casa da pasta de figos*] Uma cidade de Moabe (Jr 48.22).

BETE-EMEQUE – [Do hb. *casa do vale*] Cidade de Zebulom (Js 19.27).

BETE-EZEL – [Do hb. *casa ao lado*] Cidade localizada ao norte de Judá (Mq 1.11).

BETE-GAMUL – [Do hb. *casa de perfeição*] Cidade de Moabe (Jr 48.23).

BETE-HAC-CHEREM – [Do hb. *casa da vinha*] Distrito localizado entre Tecoa e Jerusalém (Ne 3.14; Jr 6.1).

BETE-HOGLA – [Do hb. *casa da perdiz*] Aldeia da tribo de Benjamim (Js 15.6)..

BETE-HOROM – [Do hb. *casa da caverna*] Duas cidades que distavam três quilômetros uma da outra, na estrada de Gibeom e Aseca. Aí fez o Senhor cair do céu grandes pedras sobre os amorreus (Js 10.11).

BETE-JESIMOTE – [Do hb. *casa das devastações*] Cidade moabita perto do Mar Morto (Nm 33.49).

BETEL – [Do hb. *casa de Deus*] Cidade que, depois de Jerusalém, é a mais mencionada nas Escrituras. Situada no centro de Canaã, acha-se a 20 km ao norte de Jerusalém. Em Betel, Abraão armou a sua tenda e edificou o seu primeiro altar depois de haver chegado a Canaã (Gn 12.8; 13.3). Foi também o lugar da visão de Jacó (Gn 28.10-17). A arca da aliança estava ali (Jz 20.27). Samuel julgava a Israel em Betel, Gilgal e Mispa (1 Sm 7.16).

BETE-LEBAOTE – [Do hb. *casa de leoa*] Cidade de Simeão (Js 19.6).

BETE-MARCABOTE – [Do hb. *casa de carros*] Cidade confiada como herança à tribo de Simeão (Js 19.5).

BETE-MILO – [Do hb. *casa de Milo*] Localidade de Jerusalém onde Joás foi morto (2 Rs 12.20).

BÉTEN – [Do hb. *vale*] Cidade de Aser (Js 19.25).

BETE-NIMRA – [Do hb. *casa do leopardo*] Cidade da tribo de Gade (Js 13.27).

BETE-PALETE – [Do hb. *casa da fuga*] Cidade entregue à tribo de Judá (Js 15.27).

BETE-PAZES – [Do hb. *casa de dispersão*] Cidade de Issacar (Js 19.21).

BETE-PEOR – [Do hb. *casa de Peor*] Cidade destinada à tribo de Rúben (Js 13.20). No vale defronte de Bete-Peor Moisés proferiu os discursos do Deuteronômio (Dt 3.29).

BETE-REOBE – [Do hb. *casa de uma rua*] Reino da Síria localizado nas proximidades de Laís (Jz 18.28). Seus habitantes eram pagos pelos amonitas para combater Israel (2 Sm 10.6-8).

BETESDA – [Do hb. *casa de misericórdia*] Tanque em Jerusalém localizado junto à porta das ovelhas (Jo 5.2).

BETE-SEÃ – [Do hb. *casa de sossego*] Cidade de Issacar, que caiu por sorte a Manassés, e onde foram fixados os corpos do rei Saul e de seus filhos (2 Sm 21.12).

BETE-SEMES – [Do hb. *casa do sol*] Cidade de Judá, dada aos levitas (Js 21.16), onde ficou a arca sagrada após ser devolvida pelos filisteus (1 Sm 6.9-19).

BETE-SITA – [Do hb. *casa da acácia*] Lugar para onde fugiram os midianitas após serem desbaratados por Gideão (Jz 7.22).

BETE-TAPUA – [Do hb. *casa de maçãs*] Aldeia montanhosa de Judá (Js 15.53).

BETE-ZUR – [Do hb. *casa de pedra*] Cidade de Judá fortificada por Reoboão (Js 15.58).

BETFAGÉ – [Do hb. *casa de figos verdes*] Aldeia no caminho de Jerusalém para Jericó nas proximidades do Monte das Oliveiras (Mt 21.1).

BETONIM – [Do hb. *nozes de pistácia*] Aldeia ao leste do Jordão, no território de Gade (Js 13.26).

BETSAIDA – [Do hb. *casa de pesca*] Cidade construída por Felipe, o tetrarca, às margens do Mar da Galiléia no vale do alto Jordão. Em Betsaida nasceram Pedro, André e Felipe (Jo 1.44).

BEZEQUE – [Do hb. *relâmpago*] Cidade de Judá (Jz 1.4).

BEZER – [Do hb. *fortaleza*] Cidade de refúgio (Js 20.8).

BILEÃ – Cidade de Manassés que passou para os levitas (1 Cr 6.70).

BITÍNIA – Província romana da Ásia Menor. Era desejo de Paulo visitá-la durante a sua segunda viagem missionária (At 16.7). A essa região endereçou Pedro sua primeira epístola (1 Pe 1.1).

BIZIOTIÁ – [Do hb. *desprezo de Jeová*] Cidade de Judá perto de Berseba, Js 15.28.

BOQUIM – [Do hb. *pranteadores*] Lugar perto de Gilgal, onde o povo de Israel muito chorou ao ser repreendido pelo anjo de Deus (Jz 2.1-5).

BOZCATE – [Do hb. *pedregoso*] Terra natal de Jedida, mãe do rei Josias (2 Rs 22.1).

BOZEZ – [Do hb. *brilhante*] Penha íngreme ao norte do desfiladeiro de Micmás [1 Sm 14.4,5].

BOZRA – [Do hb. *aprisco*] Capital de Edom, Gn 36.33. Era afamada pela abundância de seus rebanhos (Mq 2.12).

BRITÂNIA – Nome pelo qual era conhecido o território hoje ocupado pela Inglaterra.

CABOM – [Do hb. *atadura*] Aldeia de Judá (Js 15.40).

CABUL – [Do hb. *sujo*] Cidade de Aser (Js 19.27).

CABZEEL – [Do hb. *Deus traz junto*] Cidade da tribo de Judá (Js 15.21).

CADES-BARNÉA – [Do hb. *consagrado*] Região no deserto ao sul da Palestina, onde Quedorlaomer derrotou os chefes dos amorreus, Gn 14.7. Foi aqui que o anjo encontrou-se com Hagar (Gn 16.14). Aqui também os israelitas acamparam por muitos dias (Dt 1.46).

CAFARNAUM – [Do hb. *aldeia de Naum*] Cidade localizada ao noroeste do Mar da Galiléia. Centro do ministério de Cristo (Mt 4.13; Jo 2.12).

CAFTOR – Ilha da costa do Mediterrâneo de onde vieram os filisteus (Jr 47.4; Am 9.7).

CALÁ – [Do hb. *firmeza*] Edificada por Ninrode, era uma das mais antigas cidades da Assíria (Gn 10.11,12).

CALDÉIA – Parte sul da Babilônia. Nos dias do Antigo Testamento, era uma região notória por sua fertilidade.

CALEBE-EFRATA – Lugar onde Hezrom morreu (1 Cr 2.24).

CALNÉ – Uma das quatro cidades que compunham o Reino de Ninrode (Gn 10.10).

CALNO – Provavelmente o mesmo que Calné.

CALVÁRIO – [Do lat. **calvaria**, *caveira*] Lugar da crucificação de nosso

Senhor Jesus Cristo (Lc 23.33). Infere-se que não passava de uma pequena elevação. Não se tem certeza onde realmente ficava o lugar. Acredita-se que estivesse fora dos muros de Jerusalém (Hb 13.12).

CAMOM – [Do hb. *lugar permanente*] Cidade de Gileade, onde Jair foi enterrado (Jz 10.5).

CANA – Cidade de Aser, perto de Tiro (Js 19.28).

CANÁ – [Do hb. *lugar de juncos*] Povoação perto de Cafarnaum. Era chamada Caná da Galiléia para distingui-la de Caná na Coelesíria. Foi aqui que o Senhor transformou água em vinho (Jo 2.1-11).

CANAÃ – [Do hb. *baixo, plano*] Assim era designada a terra que o Senhor destinou aos filhos de Israel.

CAPADÓCIA – A maior das províncias da Ásia Menor (At 2.9; 1 Pe 1.1).

CARCA – [Do hb. *andar*] Lugar no limite sul de Judá (Js 15.4).

CARCOR – [Do hb. *fundamento*] Lugar onde Gideão surpreendeu e derrotou os príncipes dos midianitas (Jz 8.10).

CARMELO – [Do hb. *jardim*] Cidade na parte montanhosa de Judá (Js 15.55). Aí Saul ergueu um monumento para comemorar a vitória sobre os amalequitas (1 Sm 15.12). Foi aí também que Elias contendeu com os profetas de Baal (1 Rs 18.30).

CARQUEMIS – Antiga capital dos heteus, situada na margem Ocidental do Rio Eufrates.

CARTÃ – [Do hb. *duas cidades*] Cidade de Zebulom destinada aos levitas (Js 21.34).

CATATE – [Do hb. *pequeno*] Cidade da herança de Zebulom (Js 19.15).

CEFIRA – [Do hb. *vila*] Cidade dos gibeonitas (Js 9.17).

CENCRÉIA – Porto oriental de Corinto (At 18.18; Rm 16.1).

CESARÉIA DE FILIPE – Cidade gentílica situada no sopé do monte Hermom, distante 32 quilômetros do Mar da Galiléia. Ampliada e embelezada pelo tetrarca Felipe, recebeu o nome de Cesaréia em honra de Tibério César.

CESARÉIA DA PALESTINA – Suntuosa cidade romana situada na costa do Mar Mediterrâneo a 100 quilômetros ao noroeste de Jerusalém. Foi construída por Herodes, o Grande, para homenagear César Augusto. Acha-se estreitamente ligada à história do Novo Testamento.

CHIPRE – Ilha do Mediterrâneo, ao sul da Ásia Menor. Terra natal de Barnabé (At 4.36). Visitada por Paulo e Barnabé (At 13.4-13). O apóstolo Paulo voltaria à ilha em duas outras ocasiões (At 15.39; 21.3; 27.4).

CILÍCIA – Província romana do sudoeste da Ásia Menor. Sua principal cidade era Tarso, pátria do apóstolo Paulo (At 21.39; 22.3; 23.24).

CIRENE – Cidade da Líbia, ao norte da África. Viviam aí muitos judeus.

CÍTIA – Região da Europa habitada na Antigüidade pelos citas, dos quais vieram parte das nações eslavas.

CNIDO – [Do gr. *urtiga*] Porto da Ásia Menor (At 27.7).

CÔA – [Do hb. *garanhão*] Lugar mencionado em Ezequiel 23.23.

COLISEU – O maior anfiteatro romano localizado na capital do império. Este lugar, que serviu de palco a tantos espetáculos sangrentos, e onde tantos servos de Cristo foram martirizados, não passa hoje de ruínas.

COLOSSOS – Grande cidade da Frígia, na Ásia Menor, situada a 150 quilômetros ao leste de Éfeso, sobre o Rio Licos, afluente do Meandro. À igreja aí instalada destinou Paulo uma de suas mais belas epístolas.

CORAZIM – Cidade localizada perto de Cafarnaum, e condenada por Cristo por causa da impenitência de seus moradores (Mt 11.21).

CORINTO – Cidade grega afamada por sua vida devassa e intemperada. À igreja de Corinto endereçou o apóstolo Paulo três cartas, das quais duas encontram-se no Novo Testamento.

CRETA – Ilha do Mediterrâneo localizada a 96 quilômetros sul da Grécia (At 27.12).

D

DABERATE – [Do hb. *pasto*] Cidade de Issacar dada aos levitas (Js 21.28).

DABESETE – [Do hb. *corcova de camelos*] Cidade de Issacar (Js 19.11).

DALMÁCIA – Região romana na costa oriental do mar Adriático (2 Tm 4.10).

DAMASCO – Capital da Síria. Dista de Jerusalém 215 quilômetros. Foi fundada, segunda a tradição, por Uz, um neto de Sem e bisneto de Noé (Gn 6.10; 10.23).

DANÁ – [Do hb. *terra baixa*] Cidade na região montanhosa de Judá (Js 15.49).

DECÀPOLIS – [Do gr. *dez cidades*] Confederação de 10 cidades gregas situadas de ambos os lados do Jordão e ao sul do Mar da Galiléia (Mt 4.25; Mc 5.20; 7.31).

DERBE – Cidade da província romana da Galácia. Foi evangelizada pelo apóstolo Paulo em sua primeira viagem missionária (At 14.20). Durante a sua segunda viagem, o apóstolo encontrou ali o jovem Timóteo (At 16.1).

DIMNA – Uma cidade dos levitas (Js 21.35).

DINABÁ – Cidade real de Bela, filho de Beor, rei dos filhos de Edom (Gn 36.32).

DI-ZAABE – [Do hb. *abundante em ouro*] Lugar na planície do Jordão, nas proximidades de onde Moisés proferiu seu primeiro discurso de despedida a Israel (Dt 1.1).

DOTÃ – [Do hb. *Dois poços*] Cidade próxima a Siquém, onde venderam José aos israelitas, Gn 37.17.

EBAL – Situado a 52 quilômetros ao norte de Jerusalém e a 10 a sudeste de Samaria, o Monte Ebal foi onde Israel armou o seu primeiro altar depois de haver entrado na Terra das Promissões (Dt 27.2-8; Js 8.30-32). Do Ebal eram proferidas as maldições conforme a Lei de Moisés (Dt 11.29; 27.11-26)

EBENÉZER – (Do hb. *pedra de auxílio*). Lugar onde os filisteus venceram a Israel mas, que, posteriormente, marcaria para sempre os grandes feitos de Deus entre o seu povo (1 Sm 4.1; 1 Sm 7.12).

ECBATANA – Capital do Império Medo-Persa. Desta cidade, o rei Ciro expediu seu benevolente decreto, autorizando a reconstrução do Santo Templo em Jerusalém.

ECROM – [Do hb. *extirpação*] A mais setentrional das cinco cidades filistinas (Js 13.3). Aqui ficou a arca da aliança depois de ser capturada pelos filisteus (1 Sm 5.10).

ÉDEN, JARDIM DO – [Do hb. *delícia*] Plantado no Oriente Médio, nas proximidades dos rios Tigre e Eufrates, nele o Senhor Deus colocou o homem para que, em meio a todas as benesses, pudesse este desenvolver-se plenamente para a glória do Criador.

EDER – [Do hb. *rebanho*] Localidade entre Belém e Hebrom (Gn 35.19,21).

EDREI – [Do hb. *fortaleza*] Cidade pertencente a Ogue, rei de Basã, nas proximidades de Astarote (Js 12.4).

EFES-DAMIM – Localidade entre

Socó e Azeca, onde os filisteus acamparam por ocasião da luta entre Davi e Golias (1 Sm 17.1).

ÉFESO – Capital da província romana da Ásia. A cidade era afamadíssima devido ao templo que seus habitantes haviam dedicado a Diana. Aqui foi implantada uma forte e bem estruturada igreja que, com o tempo, passaria a ser conhecida como uma das sete igrejas da Ásia.

EFRATA – [Do hb. *terra frutífera*] Antigo nome de Belém de Judá (Rt 4.11), onde faleceu Raquel (Gn 35.16,19; 48.7). O mesmo que Belém, onde nasceu Davi e Nosso Senhor.

EGITO – Localizado no nordeste da África, o Egito foi o primeiro dos grandes impérios mundiais. Segundo diria Heródoto, o Egito de fato é o grande presente do Nilo. É uma das nações mais citadas na História Sagrada.

EGLAIM – Cidade pertencente ao antigo reino de Moabe (Is 15.8).

ELÁ, O VALE DE – Vale de Judá onde Davi matou Golias (1 Sm 17.2).

ELASAR – Cidade nos domínios de Arioque rei de Babilônia (Gn 14.1).

ELATE – Porto de Edom, no Mar Vermelho (Dt 2.8).

EL-BETEL – [Do hb. *Deus de Betel*] Nome que Jacó deu ao lugar onde tivera a visão (Gn 35.7). Este lugar chamava-se, anteriormente, Luz.

ELEAL – Cidade edificada pelos rubenitas (Nm 32.37).

ELEFE – [Do hb. *boi*] Cidade pertencente à tribo de Benjamim (Js 18.28).

ELTECOM – [Do hb. *Deus é firmeza*] Cidade de Judá (Js 15.59).

ELTEQUE – [Do hb. *Deus é terror*] Localidade pertencente à tribo de Dã (Js 19.11).

ELTOLADE – [Do hb. *raça*] Cidade de Judá (Js 15.30).

EMEQUE-QUEZIZ – [Do hb. *Vale de Queziz*] Cidade da tribo de Benjamim (Js 18.21).

ENAIM – [Do hb. *duas fontes*] Cidade entre Adulã e Timma (Gn 38.14).

EN-DOR – [Do hb. *fonte de dor*] Vila a seis quilômetros ao sudeste de Nazaré em Manassés (Js 17.11). Aqui morava a médium que o rei Saul consultou (1 Sm 28.7).

EN-EGLAIM – [Do hb. *fonte de bezerros*] Lugar perto do Mar Morto nas imediações de En-Gedi (Ez 47.10).

EN-GANIM – [Do hb. *fontes dos jardins*] Cidade de Judá (Js 15.34). Em Issacar havia outra cidade com igual nome (Js 19.21).

EN-GEDI – [Do hb. *fonte de cabrito*] Cidade de Judá localizada na margem ocidental do Mar Morto (Js 15.62; Ez 47.10). Na região, há inumeráveis cavernas nas quais Davi e seus valentes refugiaram-se (1 Sm 23.29; 24.1). Suas fontes de águas térmicas geraram um belíssimo e poético oásis (Ct 1.14).

EN-HACORÉ – [Do hb. *fonte do que clama*] Localidade em Lei, onde o Senhor Deus fendeu uma rocha, e desta saiu água para Sansão (Jz 15.19).

EN-HADÁ – [Do hb. *fonte de veemência*] Cidade da tribo de Issacar (Js 19.21).

EN-HAZOR – [Do hb. *fonte do recinto*] Cidade de Naftali (Js 19.37).

EN-SEMES – [Do hb. *fonte do sol*] Marco divisório entre Judá e Benjamim (Js 15.7). O seu nome atual é Fonte dos Apóstolos, e fica no caminho Jericó.

EN-TAPUA – [Do hb. *fonte de maçã*] Esta localidade pertencia a Manassés (Js 17.7), mas era contada como herança de Efraim (Js 17.8).

EREQUE – Segunda das quatro cidades fundadas por Ninrode, bisneto de Noé (Gn 10.10). Ficava ao sul de Babilônia, ao oriente do Eufrates, na planície de Sinear.

ESDRELOM – Linda e fertilíssima planície. Estende-se desde o Monte Tabor, perto de Nazaré, até ao Monte Carmelo. É conhecida desde tempos remotos como campo de batalha. Israel aqui travou grandes batalhas.

ESEQUE – [Do hb. *luta*] Poço que os servos de Isaque cavaram, e que foi motivo de contenda com os pastores de Gerar (Gn 26.20).

ESMIRNA – [Do lat. *mirra*] Antiga e fluorescente cidade na costa ocidental da Ásia Menor. Era a sede de uma das sete igreja mencionadas no Apocalipse (Ap 1.11; 2.8).

ESPANHA - País ao sudoeste da Europa. Era intenção do apóstolo Paulo evangelizar a outrora e afamada província romana (Rm 15.24,28.)

ETIÓPIA – [Do gr. *sol abrasador*] País ao sul do Egito. No hebraico, chamava-se Cuxe, porque fundado por Cuxe, um dos filhos de Cam (Gn 10.6-8). Uma grande potência militar. Um dos extremos dos domínios da Pérsia (Et 1.1; 8.9).

EUFRATES – Rio da Mesopotâmia com um curso de 2.165 km. Nascendo nas montanhas da Armênia, forma dois ramos: o Eufrates do Leste e o Eufrates do Oeste. Ambos reúnem-se ao Tigre para formar o Chatt-el-Arab. Era um dos quatro rios do Éden (Gn 2.14).

EZEL – [Do hb. *partida*] Pedra onde Davi se escondeu quando se preparava para fugir de Saul (1 Sm 20.19).

EZÉM – [Do hb. *osso*] Cidade no extremo sul de Judá destinada à tribo de Simão (Js 15.29; 19.3).

EZIOM-GEBER – [Do hb. *espinha dorsal de gigante*] Um dos acampamentos dos israelitas em sua caminhada para a terra de promissões (1 Rs 9.26). Foi neste lugar que Deus destroçou os navios de Josafá (1 Rs 22.49).

FARFAR – [Do hb. *rápido*] Rio de Damasco muito afamado pela qualidade de suas águas (2 Rs 5.12).

FENICE – [Do gr. *terra das palmeiras*] Cidade portuária na costa sudoeste de Creta (At 27.12).

FENÍCIA – [Do gr. *terra das tamareiras*] País mediterrâneo localizado ao norte de Israel. Eis suas principais cidades: Tiro e Sidom. Foram os fenícios os grandes fornecedores de madeira nobre para a construção do Santo Templo.

FILADÉLFIA – [Do gr. *amor fraternal*] Cidade da Lídia distante 45 quilômetros de Sardis. Chama-se atualmente Alasehir – importante porto da Turquia. Aqui se achava uma das sete igrejas da Ásia (Ap 3.7-13).

FILIPOS – Capital da Macedônia. Situada na importante estrada entre Roma e a Ásia, era notória por sua beleza. Seu nome deriva-se de Filipe, rei da Macedônia, pai de Alexandre o Grande, que a reedificou.

Foi em Filipos que, pela primeira vez, se pregou o Evangelho na Europa por ocasião da segunda viagem missionária de Paulo (At 16.9-40).

FILÍSTIA – País situado à beira do Mediterrâneo. Media 80 km de comprimento por 25 km de largura, estendendo-se de Jope até ao sul de Gaza. Era conhecido também como a Terra dos filisteus (Gn 21.32,34). Suas principais cidades eram Gaza, Asdode, Ascalom, Gate, Ecrom. A Filístia era uma tradicional inimiga de Israel.

FRÍGIA – Região central da Ásia Menor, ao sul da Bitínia. Laodicéia, Hierápolis, Colossos e Antioquia eram cidades frígias. O apóstolo Paulo percorreu a Frígia na segunda viagem missionária (At 16.6), atravessando-a novamente em sua terceira viagem (At 18.23).

GÁBATA – [Do hb. *pavimento*] Espaço aberto fronteiriço ao palácio de Herodes (Jo 19.13).

GADARA – Cidade a 10 quilômetros a sudeste do Mar da Galiléia. Era a principal cidade da região conhecida como "a terra dos gadarenos" (Mt 8.28). Aí residia o homem que tinha a legião de demônios.

GALÁCIA – Região da Ásia Menor ocupada pelos gaulezes em 270 a.C., e transformada em província romana em 26 a.C. O apóstolo Paulo percorreu a região durante a sua segunda viagem missionária (At 16.1; 18.23). Às igrejas aí instaladas Paulo enviou a sua mais enérgica epístola (Gl 1.2).

GÁLIA – Região que, na Antigüidade, compreendia o território ocupado hoje pela França.

GALILÉIA – [Do hb. *circuito*] Província judaica que compreendia todo o norte da Palestina, repartida entre as tribos de Issacar, Zebulom, Aser e Naftali. Foi aí que Jesus exerceu boa parte de seu ministério.

GALIM – [Do hb. *fontes*] Cidade situada nas proximidades de Jerusalém (Is 10.30).

GATE-HEFER – [Do hb. *lagar da cova*] Cidade na divisa de Zebulom (Js 19.13), terra natal do profeta Jonas (2 Rs 14.25).

GATE-RIMOM – [Do hb. *lagar de Rimom*] Cidade de Dã, perto de Jope (Js 19.45). Outra cidade havia com este nome no território de Manassés (Js 21.25).

GAZA – [Do hb. *forte*] Uma das cinco principais cidades dos filisteus (Js

13.3). Posteriormente foi conquistada por Judá (Jz 1.18). Atualmente encontra-se em poder da Autoridade Nacional Palestina.

GEBA – Uma das cidades entregues aos levitas (Js 21.17).

GEBAL – [Do hb. *confim*] Cidade na costa da Fenícia conquistada pelos israelitas (Js 13.5). Seus habitantes eram afamados como pedreiros e construtores de navios (1 Rs 5.18; Ez 27.9).

GEBIM – Vila ao nordeste de Jerusalém (Is 10.31).

GEDER – Cidade real conquistada por Josué (Js 12.13).

GEDERA – Uma das cidades de Judá (Js 15.36).

GEDEROTAIM – Cidade de Judá (Js 15.36).

GEDEROTE – Cidade localizada na parte baixa de Judá (Js 15.41).

GEDOR – Cidade serrana de Judá (Js 15.58). Em Simeão havia uma cidade com igual nome (1 Cr 4.39).

GEDRÓSIA – Região da antiga Pérsia atualmente chamada Mekran.

GELILOTE – Lugar na divisa entre Judá e Benjamim (Js 18.17).

GENESARÉ – Antigo nome de uma cidade (Js 19.35) e de uma fértil Planície na margem ocidental do Mar da Galiléia. A cidade está estreitamente ligada ao ministério de Jesus (Lc 5.1; Mt 14.34; Mc 6.53).

GERIZIM – [Do hb. *terra estéril*] Monte situado ao lado da cidade de Siquém onde eram proclamadas as bênçãos para os filhos de Israel. As maldições eram pronunciadas no Monte Ebal. Para os samaritanos, o Gerizim era lugar sagrado.

GETSÊMANI – [*Do hb. lagar de azeite*] Jardim situado no sopé do Monte das Oliveiras nas proximidades de Jerusalém. Foi o lugar da agonia de Jesus (Mt 26.36).

GEZER – [Do hb. *lugar separado*] Importante cidade dos cananeus, na estrada de Jope a Jerusalém. Foi conquistada por Josué (Js 12.12).

GIA – [Do hb. *fonte*] Aldeia entre Gideão e um vau do Jordão nas proximidades do Jaboque (2 Sm 2.24).

GIBEATE-ARALOTE – Território entre Jericó e o rio Jordão, onde Josué circuncidou os filhos de Israel (Js 5.3).

GIBEOM – [Do hb. *que pertence a um monte*] Cidade de Benjamim dada aos levitas (Js 18.25; 21.17). Em Gibeom apareceu o Senhor a Salomão (1 Rs 3.5).

GIBETOM – [Do hb. *altura*] Cidade de Dã dada aos levitas da família de Coate (Js 21.23).

GILBOA – [Do hb. *fonte*] Cordilheira em Issacar a 647 metros sobre o nível do mar (1 Sm 28.4; 31.1; 2 Sm 1.6,21; 21.12).

GILGAL – [Do hb. *círculo*] Primeiro acampamento de Israel depois de passar o Jordão (Js 4.19). Aí Josué circuncidou a todos os homens que nasceram durante os 40 anos no deserto (Js 5.1-9).

GILO – [Do hb. *exílio*] Cidade da região montanhosa de Judá (Js 15.51). Terra natal de Aitofel (2 Sm 15.12; 23.34).

GINZO – [Do hb. *abundante em sicômoros*] Cidade de Judá na divisa da Filístia (2 Cr 28.18).

GIOM – [Do hb. *rio, corrente*] Um dos quatros rios do Éden (Gn 2.13).

GITAIM – [Do hb. *dois lugares*] Aldeia de Benjamim onde se refugiaram os beerotitas (2 Sm 4.3).

GOA – [Do hb. *mugido*] Localidade que fica nos arredores de Jerusalém (Jr 31.39).

GOBE – [Do hb. *cisterna*] Campo de batalha entre as forças de Davi e as dos filisteus (2 Sm 21.18,19).

GOLÃ – [Do hb. *exílio*] Território cedido à meia tribo oriental de Manassés, mais tarde designada como cidade de refúgio (Dt 4.43; Js 20.8; 21.27).

GÓLGOTA – Lugar da crucificação de nosso Senhor Jesus Cristo (Mt 27.33). O mesmo que Calvário.

GOMORRA – Localizada nas outrora fertilíssimas campinas do Jordão, foi uma das cidades destruídas pelo Senhor em conseqüência de suas abominações.

GÓSEN – Território fértil da parte oriental do Baixo-Egito, onde Jacó e seus filhos habitaram durante sua peregrinação no Egito (Gn 45.10; 47.11).

GOZÃ – Lugar para onde os assírios transportaram os israelitas de Samaria (2 Rs 17.6).

GRANDE MAR – Assim era conhecido o Mar Mediterrâneo nas Sagradas Escrituras (Js 9.1).

GRÉCIA – Península montanhosa da Europa oriental localizada na extremidade meridional da península dos Balcãs. É banhada ao leste pelo Mar Egeu, ao sul pelo Mediterrâneo e ao oeste pelo Mar Jônio. No Novo Testamento é conhecida como Acaia. No Antigo Testamento é mencionada pelo profeta Daniel (Dn 10.20).

GUDGODÁ – Um dos acampamentos dos israelitas em sua peregrinação à Terra de Promissões (Dt 10.7).

GUR – [Do hb. *residência*] Subida junto a Jibleão, onde Jeú feriu Acazias, rei de Judá (2 Rs 9.27)

GUR-BAAL – Lugar habitado pelos árabes atacados por Uzias (2 Cr 26.7).

H

Hã – Cidade do lado oriental do Jordão, cujos habitantes, os zuzins, foram feridos por Quedorlaomer, na época patriarcal (Gn 14.5).

HABOR – Rio da Mesopotânia, que banhava o território para onde os israelitas foram deportados pelos assírios (2 Rs 17.6; 18.11).

HADRAQUE – Cidade na fronteira norte entre Israel e a Síria (Zc 9.1).

HAFARAIM – [Do hb. *lugar de dois poços*] Uma das cidades de Issacar (Js 19.19).

HAIFA – Cidade atual de Israel localizada junto ao Monte Carmelo, na baía de Acre. O seu porto é o melhor de que dispõe o Estado de Israel.

HALA – Um dos lugares para onde o rei da Assíria deportou as tribos do Norte de Israel (2 Rs 17.6).

HALAQUE – [Do hb. *monte calvo*] Monte que marcava o limite sul das conquistas de Josué (Js 11.17).

HALI – [Do hb. *colar*] Cidade pertencente à tribo de Aser (Js 19.25).

HALUL – [Do hb. *abertura*] Cidade montanhosa de Judá (Js 15.58).

HAMATE – [Do hb. *fortaleza*] Cidade da Síria, no vale de Orontes (Nm 34.8. Js 13.5; Ez 47.16).

HAMATE-DOR – Cidade destinada aos levitas (Js 21.32).

HAMATE-ZOBÁ – [Do hb. *fortaleza de Zoba*] Lugar tomado por Salomão (2 Cr 8.3).

HAMOM – [Do hb. *banho quente*] Lugar nas proximidades de Tiro (Js 19.28).

HANANEL, A TORRE DE – Torre sobre a muralha de Jerusalém entre a porta do gado e a porta do peixe. Assim era chamada em homenagem do homem que a edificou.

HANATOM – [Do hb. *benigno*] Cidade na fronteira norte de Zebulom (Js 19.14).

HAQUILÁ – [Do hb. *escuro*] Outeiro no deserto de Judá (1 Sm 23.19).

HARA – [Do hb. *região montanhosa*] Lugar para onde Tilgate-Pilneser, da Assíria, transportou os rubenitas, os gaditas e a meia tribo de Manassés (1 Cr 5.26).

HARADA – [Do hb. *terror*] Um dos acampamentos dos israelitas no deserto (Nm 33.24).

HARADE - Cidade real dos cananeus (Js 12.14).

HARODE, FONTE DE – Lugar onde Gideão e seu exército acamparam antes de desfecharem seu ataque contra os midianitas (Jz 7.1).

HAROSETE – [Do hb. *escultor*] Lugar para onde Sísera se retirou depois de haver sido derrotado por Baraque (Jz 4.16).

HASMONA – [Do hb. *lugar fértil*] Um dos acampamentos dos israelitas no deserto em sua caminhada à Terra da Promessa (Nm 33.29).

HAURÃ – [Do hb. *terra de cavernas*] Região ao sul de Damasco nos limites de Gileade (Ez 47.16,18).

HAZAR-ADAR – [Do hb. *aldeia de Adar*] Lugar na divisa sul de Judá (Nm 34.4).

HAZAR-ENÃ – [Do hb. *aldeia de fontes*] Aldeia do norte de Israel nos tempos bíblicos (Nm 34.9).

HAZAR-GADA – [Do hb. *aldeia da fortuna*] Aldeia no extremo sul de Judá (Js 15.27).

HAZAR-SUAL – [Do hb *aldeia da raposa*] Cidade do extremo sul de Judá (Js 15.28).

HAZAR-SUSA – [Do hb. *aldeia do cavalo*] Lugar no território de Simeão (Js 19.5).

HAZER-HATICOM – [Do hb. *aldeia do meio*] Aldeia junto ao termo de Haurã (Ez 47.16).

HAZEROTE – Um dos acampamentos dos israelitas no deserto em direção à Terra Prometida (Nm 33.17).

HAZOR – [Do hb. *cerca*] Cidade real de Jabim destruída por Josué (Js 11.11).

HEBROM – [Do hb. *união*] Uma das mais antigas cidades do Oriente Médio na região montanhosa de Judá (Js 15.54). Onde habitaram Abraão, Isaque e Jacó (Gn 13.18; 35.27; 37.14).

HELÃ – Lugar ao oriente do Jordão, onde Davi derrotou Hadadezer (2 Sm 10.16).

HELBA – [Do hb. *fartura*] Localidade no território de Aser (Jz 1.31).

HELBOM – [Do hb. *fértil*] Cidade da Síria da qual Tiro recebia vinho através do mercado de Damasco (Ez 27.18).

HELCATE – [Do hb. *possessão*] Lugar do território da tribo de Aser (Js 19.25).

HERES – [Do hb. *sol*] As montanhas de Heres situavam-se perto de Aijalom, nos confins de Judá e Dã (Jz 1.35).

HESBOM – [Do hb. *razão*] A cidade real de Seom rei dos amorreus (Nm 21.26); ficava na fronteira sul de Gade (Js 13.26). Seria entregue aos levitas.

HESMOM – [Do hb. *solo fértil*] Cidade localizada na extremidade sul de Judá (Js 15.27).

HETLOM – [Do hb. *esconderijo*] Localidade que ficava ao norte do Israel bíblico (Ez 47.15).

HIERÁPOLIS – [Do gr. *cidade sagrada*] Cidade que distava 100 km de Laodicéia, na estrada de Sardis a Apamea (Cl 4.13).

HINOM – Vale de dois quilômetros e meio ao ocidente e ao sul de Jerusalém. Aqui eram as criancinhas oferecidas ao horrendo Moloque (2 Rs 16.3). Finalmente o lugar foi transformado num monturo onde era jogado o lixo; como este queimasse noite e dia, tornou-se o lugar em símbolo do castigo eterno.

HOBÁ – [Do hb. *esconderijo*] Cidade ao norte de Damasco. Abraão perseguiu Quedorlaomer e seus aliados até essa região (Gn 14.15).

HOLOM – [Do hb. *arenoso*] Cidade na região montanhosa de Judá (Js 15.51).

HOR – [Do hb. *a montanha*] Situado na fronteira da terra de Edom, este foi o lugar em que morreu o sumo sacerdote Arão (Nm 20.22; 33.37).

HOREBE – [Do hb. *seco*] O mesmo que Sinai (Êx 3.1; 17.6).

HORÉM – [Do hb. *consagrado*] Cidades fortificada de Naftali (Js 19.38).

HOR-GIDGADE – [Do hb. *montanha de Galaade*] Um dos acampamentos de Israel no deserto (Nm 33.32).

HORMÃ – [Do hb. *lugar devastado*] Cidade real dos cananeus conquistada por Josué (Nm 21.3).

HORONAIM – [Do hb. *cidade de duas cavernas*] Localidade ao sul de Moabe (Is 15.5).

HOSA – [Do. hb. *salva agora*] Uma cidade na fronteira entre Aser e Tiro (Js 19.29).

HUCOQUE – Cidade de Naftali (Js 19.34).

HUNTA – [Do hb. *lugar dos lagartos*] Cidade de Judá (Js 15.54).

I

IBLEÃ – [Do hb. *o povo falha*] Cidade destinada a Manassés (Js 17.11). A tribo, porém, não conseguiu desalojar os cananeus da cidade (Jz 1.27).

ICÔNIO – Capital da Licaônia e dos distritos da administração romana da Ásia Menor. Foi visitada por Paulo em sua primeira e segunda viagens missionárias (At 14.1; 16.2).

IDALA – Cidade da tribo de Zebulom (Js 19.15).

IDUMÉIA – Forma grega de Edom, país que se estendia do Mar Morto até ao Mar Vermelho (Mc 3.2).

IFTÁ – [Do hb. *Ele abre, liberta*] Cidade de Judá (Js 15.43).

IFTÁ-EL – [Do hb. *Deus abre ou liberta*] Vale que marcava a fronteira norte de Zebulom (Js 19.14).

IIM – [Do hb. *ruínas*] Cidade de Judá (Js 15.29).

IJE-ABARIM – [Do hb. *ruínas de Abarim*] Lugar no termo de Moabe (Nm 33.44).

IJOM – [Do hb. *ruína*] Cidade de Naftali conquistada por Ben-Hadade, rei da Síria (1 Rs 15.20).

ILÍRICO – Província romana situada na costa oriental do Mar Adriático, e que separa a Grécia da Itália (Rm 15.19).

ÍNDIA – País do Extremo Oriente mencionado nas Escrituras Sagradas como uma das fronteiras do Reino da Pérsia. No tempo dos reis hebreus, fornecia a Israel: marfim, ébano, cássia, cálamo, etc. (Ez 27.15,19).

IROM – [Do hb. *reverência*] Cidade fortificada de Naftali (Js 19.38).

IRPEEL – [Do hb. *Deus cura*] Cidade pertencente à tribo de Benjamim (Js 28.27).

ISRAEL – País situado no Oriente Médio, nas terras que o Todo-Poderoso Deus legou aos patriarcas hebreus. É a Terra das Promissões; é a Terra que Mana Leite e Mel. O Israel bíblico ía do Ribeiro do Egito ao Eufrates. Segundo as profecias, as tribos hebréias voltarão a possuir plenamente estes territórios.

ITÁLIA – Pais do Sul da Europa; berço do Império Romano. É mencionada no Novo Testamento (At 18.2; 27.1,6; Hb 13.24). Das cidades italianas cinco são citadas na Bíblia: Roma, Régio, Potéoli, Ápio e Três Vendas (At 28.13,15).

ITLA – [Do hb. *lugar alto*] Cidade da herança de Dã (Js 19.42).

ITURÉIA – [Do hb. *terra de Jeter*] Uma pequena província ao nordeste da Palestina (Lc 3.1).

IVA – Uma cidade provavelmente da Síria (2 Rs 18.34).

JABES-GILEADE – Primeira cidade de Gileade de Manassés. Foram os habitantes de Jabes-Gileade que sepultaram os corpos de Saul e de seus filhos após a trágica derrota de Israel diante da Filístia (1 Sm 31.12).

JABNEEL – [Do hb. *Deus edifica*] Cidade na fronteira setentrional de Judá (Js 15.11).

JABOQUE – [Do hb. *efusão*] O mais importante rio de Gileade e um dos afluentes do Jordão. Aí Jacó lutou com o anjo e reconciliou-se com Esaú (Gn 32.22).

JAGUR – [Do hb. *hospedaria*] Cidade de Judá (Js 15.21).

JANIM – [Do hb. *sono*] Cidade da herança de Judá (Js 15.53).

JANOA – [Do hb. *descanso*] Localidade na fronteira leste de Efraim (Js 16.6). Em Naftali também havia uma cidade com igual nome (2 Rs 15.29).

JARMUTE – [Do hb. *altura*] Cidade da herança de Judá (Js 15.35).

JATIR – [Do hb. *excelência*] Cidade de Judá (Js 15.48).

JEARIM – [Do hb. *florestas*] Monte localizado no limite setentrional de Judá (Js 15.10).

JEBUS – [Do hb. *lugar que é pisado*] Nome de Jerusalém quando a cidade pertencia aos Jebuseus (Js 18.28).

JECABZEEL – Cidade de Judá (Ne 11.25).

JERICÓ – [Do hb. *lugar de fragrân-*

cia] Cidade localizada no vale do Jordão perto do Mar Morto a 30 quilômetros ao nordeste de Jerusalém. Foi a primeira cidade a ser conquistada pelos filhos de Israel na herança que lhes concedera o Senhor (Js 6). Jericó é uma das mais antigas cidades do mundo.

JERUAL – [Do hb. *fundado por Deus*] Parte do deserto de Judá onde se deu a batalha entre o rei Josafá e os amonitas, moabitas e edomitas (2 Cr 20.16).

JERUSALÉM – [Do hb. *habitação da paz*] Localizada ao sul do território israelita, é a capital una, indivisível e eterna de Israel. Encontrando-se a 800 metros acima do Mediterrâneo, é conhecida também como a Cidade de Davi.

JEZREEL – [Do hb. *Deus semeia*] Cidade situada na planície de mesmo nome, onde os israelitas acamparam-se antes da batalha de Gilboa (1 Sm 29.1-11; 2 Sm 4.4).

JOCDEÃO – [Do hb. *o povo vem junto*] Cidade de Efraim dada aos levitas da casa de Coate (1 Cr 6.68).

JOCNEÃO – Cidade real dos cananeus conquistada por Josué (Js 12.22).

JOCTEEL – [Do hb. *sujeito a Deus*] Cidade de Judá (Js 15.38).

JOGBEÁ – [Do hb. *elevado*] Uma das cidades edificadas da tribo de Gade (Nm 32.25).

JOPE – [Do hb. *beleza*] Cidade da herança de Dã conhecida também como Jafo (Js 19.46). Este é o seu nome atual: Jafa.

JORDÃO – [Do hb. *o que desce*] Rio de Israel. Apesar de sua extensão – 260 quilômetros – é inviável para a navegação comercial. Todavia, acha-se ligado estreitamente à História Sagrada.

JUDÉIA –*Terra dos judeus*. Uma das três divisões da Palestina ocidental no período do Novo Testamento. Tinha 88 quilômetros de comprimento e quase a mesma extensão de largura. Era a terra natal de Nosso Senhor (Mt 2.1). Em seu deserto pregou João Batista (Mt 3.1).

JUTÁ – [Do hb. *estendido*] Cidade de Judá (Js 15.55).

LAAMÁS – Cidade da tribo de Judá (Js 15.40).

LACUM – [Do hb. *obstrução*] Cidade na fronteira de Naftali (Js 19.33).

LAGO DE GENEZARÉ – É conhecido também como o Mar da Galiléia.

LAÍS – [Do hb. *leão*] Cidade dos sidônios localizada na extremidade norte da antiga Palestina (Jz 18.7).

LAODICÉIA – [Do gr. *que pertence a Laodice*] Cidade localizada nas imediações do Rio Lico na Ásia Menor. Aqui ficava uma igreja a qual enviou o Senhor Jesus uma duríssima reprimenda.

LAQUIS – [Do hb. *tenaz*] Fortaleza dos amorreus conquistada por Josué, e que seria entregue a Judá (Js 10.5,23; 15.39).

LASA – [Do hb. *fenda*] Lugar mencionado com Gomorra, e situado ao sul de Canaã (Gn 10.19).

LASAROM – Cidade real de Canaã conquistada por Josué (Js 12.18).

LÍBANO – [Do hb. *branco*] País localizado ao norte de Israel e que, nos tempos bíblicos, era notório por suas belezas naturais. Suas montanhas chegam a alcançar mais de três mil metros de altura.

LIBNA – [Do hb. *alvura*] Lugar de um dos acampamentos dos israelitas em sua peregrinação à Terra das Promissões (Nm 33.21).

LICAÔNIA – [Do gr. *que pertence ao rei Licaom*] Distrito da Ásia Menor localizado ao noroeste da Cilícia. Nesta região, atuou Paulo durante a sua primeira viagem missionária (At 13.51; 14.1,19; 6.2; 2 Tm 3.11).

LÍCIA – Território ao sul da Ásia Menor visitado pelo apóstolo Paulo quando voltava de sua segunda viagem missionária, e também quando se dirigia à Itália (At 21.1).

LIDA – Povoação perto de Jope, onde Pedro curou o paralítico Enéias (At 8.32).

LÍDIA – [Vocábulo derivado de Lydos, seu fundador] Reino antigo e poderoso localizado na costa ocidental da Ásia Menor. Várias foram as igrejas instaladas na Lídia, entre as quais podemos citar Éfeso e Esmirna.

LISTRA – Cidade da Licaônia visitada pelos apóstolos Paulo e Barnabé (At 14.12).

LODE – A mesma Lida do Novo Testamento.

LO-DEBAR – [Do hb. *sem pasto*] Cidade de Gileade ao oriente do Jordão.

LUZ – [Do hb. *amendoeira*] Antigo nome de Betel (Gn 28.19; 35.6; 48.3; Jz 1.23).

M

MAANAIM – [Do hb. *dois acampamentos*] Nome dado por Jacó a um lugar, ao oriente do Jordão e ao sul do Jaboque, onde encontrou-se ele com os anjos de Deus (Gn 32.1,2).

MAANE-DÃ – [Do hb. *acampamento de Dã*] Lugar onde o Espírito do Senhor começou a incitar Sansão contra os filisteus (Jz 13.25).

MAARATE – [Do hb. *lugar sem árvores*] Cidade da herança de Judá (Js 15.59).

MACEDÔNIA – Província romana ao norte da Grécia. Foi a partir da Macedônia que o Evangelho, através de Paulo, irradiou-se por toda a Europa (Fp 4.15).

MACTÉS – [Do hb. *cavidade*] Bairro de Jerusalém (Sf 1.11).

MADMANA – [Do hb. *monturo*] Cidade da herança de Judá (Js 15.31).

MADMÉM – [Do hb. *monturo*] Cidade de Moabe (Jr 48.2).

MADMENA – [Do hb. *monturo*] Cidade de Benjamim (Is 10.31).

MADOM – [Do hb. *contenda*] Cidade real de Canaã conquistada por Josué (Js 12.19).

MAGADÃ – Cidade a cinco quilômetros ao norte de Tiberíades na margem ocidental do Mar da Galiléia (Mt 15.39). Possivelmente, a cidade natal de Maria Madalena.

MALTA – Ilha do Mediterrâneo, ao sul da Sicília, onde se deu o naufrágio de Paulo (At 28.1).

Geografia Bíblica

MAOM – [Do hb. *habitação*] Cidade de Judá (Js 15.55) onde morava o perverso Nabal (1 Sm 25.2).

MAQUEDÁ – [Do hb. *lugar de pastores*] Cidade da herança de Judá (Js 15.41).

MAQUELOTE – [Do hb. *assembléia*] Um dos acampamentos de Israel no deserto (Nm 33.25).

MAR DA GALILÉIA – Lago de Israel atravessado pelo Rio Jordão a 210 metros abaixo do nível do mar. Com 20 quilômetros de comprimento, tem uma profundidade máxima de 50 metros.

MAR DE QUINERETE – O mesmo que Mar da Galiléia.

MAR DOS FILISTEUS – O mesmo que Mar Mediterrâneo.

MAR MEDITERRÂNEO – Situado entre a Europa e a África, o Mar Mediterrâneo comunica-se com o Oceano Atlântico pelo estreito de Gibraltar e com o Mar Vermelho pelo canal de Suez. Na Bíblia é conhecido como o Mar, o Grande Mar e o Mar Ocidental.

MAR SALGADO – Assim também era conhecido o Mar Morto por causa de seu alto grau de salinidade.

MAR VERMELHO – Situa-se entre os continentes africanos e asiático. Foi por este mar que Israel, de forma sobrenatural, passou da escravidão à liberdade.

MARALÁ – [Do hb. *tremor*] Aldeia nos limites de Zebulom (Js 19.11).

MARESSA – [Do hb. *na frente*] Cidade da herança de Judá fortificada por Roboão (Js 15.44).

MASRECA – [Do hb. *vinha*] Cidade dos edomeus (Gn 36.36).

MECONÁ – [Do hb. *fundação*] Cidade perto de Ziclague (Ne 11.28).

MEFAATE – [Do hb. *beleza*] Cidade da tribo de Rúben (Js 13.18).

MEGIDO – [Do hb. *lugar de tropas*] Cidade do território de Issacar, mas cedida a Manassés (Js 12.21). Aí foi Sísera morto e também aí morreu o bom rei Josias (2 Rs 23.29,30).

MEROZ – [Do hb. *lugar de refúgio*] Cidade amaldiçoada por não ter vindo ao socorro de Israel no dia de batalha (Js 5.23).

MESOPOTÂMIA – [Do gr. *país entre rios*] Região entre o Eufrates e o Tigre. Era aí que, segundo se depreende do Gênesis, ficava o Jardim do Éden. Foi da Mesopotâmia que saiu Abraão a fim de peregrinar na Terra das Promissões.

MICMÁS – [Do hb. *escondido longe*] Cidade de Benjamim ao oriente de Betel e a 11 quilômetros ao norte de Jerusalém onde se reuniram certa vez os filisteus para pelejarem contra Israel (1 Sm 13.5).

MICMETÁ – Cidade fronteira de Efraim (Js 16.6).

MIDIM – [Do hb. *extensão*] Cidade da herança de Judá (Js 15.61).

MIGDAL-EL – [Do hb. *torre de Deus*] Cidade fortificada de Judá (Js 19.38).

MIGDAL-GADE – [Do hb. *torre da fortuna*] Cidade de Judá (Js 15.37).

MIGDOL – [Do hb. *torre*] Acampamento de Israel antes da travessia do Mar Vermelho (Êx 14.2).

MIGROM – [Do hb. *precipício*] Cidade de Gibeá por onde passou Senaqueribe no seu caminho para Jerusalém (1 Sm 14.2; Is 10.28).

MILETO – Cidade da Ásia Menor, porto do Mar Egeu a 66 quilômetros ao sul de Éfeso. Foi visitada duas vezes pelo apóstolo Paulo (At 20.15—21.1; 2 Tm 4.20).

MITCA – [Do hb. *doçura*] Um dos acampamentos de Israel no deserto (Nm 33.28).

MITILENE – Capital da ilha de Lesbos, no Mar Egeu, onde Paulo aportou quando retornava de sua terceira viagem missionária (At 20.14). A cidade ainda conserva o mesmo nome.

MOLADÁ – Cidade da herança de Judá (Js 15.26).

MONTE DAS OLIVEIRAS – Monte localizado ao leste de Jerusalém com mais de um quilômetro de comprimento e aproximadamente cem metros mais alto do que o Monte do Templo. Acha-se separado de Jerusalém pelo estreito vale do Cedrom. Foi aqui que o Senhor Jesus pronunciou o seu Sermão Profético (Mt 24). Aqui também esteve em outras ocasiões.

MORÉ - Lugar nas imediações do Monte Gerizim e do Ebal, onde Abraão acampou ao chegar na Terra das Promissões (Gn 12.6).

MORESETE-GATE – [Do hb. *possessão de Gate*] Cidade das terras baixas de Judá e terra natal do profeta Miquéias (Mq 1.1).

MORIÁ – Região para onde foi Abraão oferecer seu filho, Isaque, em holocausto (Gn 22.2).

MOSERÁ – Lugar onde Arão morreu e foi sepultado (Dt 10.6).

MOSEROTE – Um dos acampamentos de Israel no deserto (Nm 33.30).

MOZA – Cidade da herança de Benjamim.

NAALAL – [Do hb. *pastagem*] Cidade da herança de Zebulom (Js 19.15).

NAALIEL – [Do hb. *vale e ribeiro de Deus*] Um dos acampamentos de Israel no deserto (Nm 21.19).

NAAMÁ – [Do hb. *doce*] Cidade da herança de Judá (Js 15.41).

NAARÃ – Cidade da tribo de Efraim (1 Cr 7.28).

NAARATE – Cidade da tribo de Efraim (Js 16.7).

NACOM – [Do hb. *pronto*] Eira onde Uzá estendeu a mão para segurar a arca, sendo por seu gesto castigado por Deus (2 Sm 6.6).

NAIM – Cidade a noroeste do Pequeno Hermom a nove quilômetros a sudeste de Nazaré. Foi aí que Jesus ressuscitou o filho de uma viúva (Lc 7.11).

NAIOTE – Lugar nas proximidades de Ramá onde Samuel e Davi refugiaram-se, fugindo de Saul (1 Sm 19.18-23; 20.1). Ai ficava a escola de profetas dirigida por Samuel.

NAZARÉ – [Do hb. *verdejante*] Cidade da Galiléia, onde moravam José e Maria e onde Jesus passou os primeiros trinta anos de sua vida (Mt 2.23; Mc 1.9; Lc 2.39,51; 4.16).

NEÁPOLIS – [Do gr. *cidade nova*] Cidade da Macedônia onde Paulo pela primeira vez desembarcou na Europa (At 16.11).

NEBALATE – Cidade onde os benjamitas se estabeleceram depois do exílio babilônico (Ne 11.34).

NEGUEBE – [Do hb. *seco*] Deserto localizado ao sul de Judá (Dt 1.7).

NEIEL – Cidade pertencente à tribo de Aser (Js 19.27).

NETOFA – [Do hb. *gotejante*] Cidade de Judá, perto de Belém, e terra natal de dois valentes de Davi (2 Sm 23.28,29).

NEZIBE – [Do hb. *estátua*] Cidade da herança de Judá (Js 15.43).

NICÓPOLIS – [Do gr. *cidade da vitória*] Cidade onde Paulo tencionava invernar (Tt 3.12). Ficava provavelmente no Espiro.

NILO – Rio da África oriental. Até recentemente, era considerado o mais comprido rio do mundo com 6.500 quilômetros. Boa parte do Nilo é navegável. Sem ele, o Egito não seria possível.

NIMRA – [Do hb. *água límpida*] Cidade fortificada pertencente à tribo de Gade (Js 13.27).

NÍNIVE – Capital do império da Assíria. Localizada às margens do Rio Tigre, era uma das cidades mais suntuosas do mundo antigo. Contra Nínive foi enviado o profeta Jonas a fim de lhe denunciar os pecados (Jn 1.2).

NÕ-AMOM – [*Cidade de (deus) Amom*] Nome da antiga Tebas, capital de nove dinastias do Egito. É mencionada pelo profeta Jeremias.

NOBE – [Do hb. *altura*] Cidade dos sacerdotes, para onde Davi de dirigiu quando fugia de Saul (1 Sm 21.1).

NOBE – [Do hb. *exílio*] Terra localizada ao oriente do Éden, para onde Caim fugiu depois de haver assassinado seu irmão, Abel (Gn 4.16).

NUMÍDIA – Região da África antiga localizada entre Cartago e a Mauritânia.

OCIDENTAL, MAR – V. MEDITERRÂNEO, MAR (Dt 11.24).

OCIDENTE – Parte da terra em que o sol se põe (Gn 13.14).

OFEL – [Do hb. *elevação*] Área localizada ao sul de Jerusalém (2 Cr 27.3).

OFIR - Cidade localizada no sudoeste da Arábia. Era notório centro exportador de ouro, prata, marfim, pedras preciosas, madeira, bugios e pavões (1 Rs 9.28; 10.11; 22.49).

OM – [Do antigo egípcio, *sol*] Esta cidade egípcia era também chamada de Heliópolis, por ser o lugar onde o sol era adorado (Gn 41.45).

ORIENTE MÉDIO – Região em que se acha situada Israel e outras localidades citadas na História Sagrada. Compreende os territórios do sudoeste da Ásia e do nordeste da África. Vai desde o Mediterrâneo oriental até os limites do Irã.

PADÃ-ARÃ – [Do hb. *planície de Harã*] Planalto do norte da Mesopotâmia, onde residia Abraão antes de transferir-se à Terra de Canaã (Gn 25.20).

PANFÍLIA – Província romana situada ao sul da Galácia, na Ásia Menor (At 13.13; 14.24).

PAFOS – Capital de Chipre, uma importante província romana. O governador da ilha converteu-se diante da mensagem de Paulo e do milagre operado pelo apóstolo (At 13.6-12).

PARÃ – [Do hb. *região das cavernas*] Deserto montanhoso que atravessa a Península do Sinai (Gn 21.21; Dt 1.1; 33.2).

PATMOS – Ilha do Mar Egeu situada a 45 quilômetros de Samos, e que no tempo de João funcionava como presídio para onde eram enviados os presos políticos de Roma (Ap 1.9).

PATROS – Assim era conhecido o alto Egito. Estendia-se do Sul de Mênfis até à primeira catarata do Nilo (Is 11.11; Jr 44.1,15).

PENIEL – [Do hb. *face de Deus*] Localidade nas vizinhanças de Jaboque, onde Jacó lutou com o anjo do Senhor (Gn 32.30).

PEOR – Monte situado no território de Moabe (Nm 23.28).

PERÉIA – Região localizada "além do Jordão". Ou seja: do lado oriental do rio (Jo 3.26).

PÉRGAMO – Cidade da Mísia, na Ásia Menor (Ap 2.12-17).

PERGE – Cidade da Panfília, de onde Marcos, abandonando Paulo e Barnabé, retornou a Jerusalém (At 13.13; 14.24-25). Havia aí um concorrido centro de adoração de Diana.

PÉRSIA – Império citado nas Sagradas Escrituras, cujo território é ocupado hoje pelo Irã (Et 1.18). Foram os persas, ancestrais dos iranianos, que destruíram a Babilônia.

PISGA – Monte localizado ao nordeste do Mar Morto (Nm 23.14; Dt 3.27).

PISÍDIA – Distrito pertencente à província romana da Galácia. A região foi visitada por Paulo em sua primeira viagem missionária (At 13.14).

PISOM – Um dos rios citados em Gênesis, e que circundava o Jardim do Éden (Gn 2.11). Sua localização, hoje, é desconhecida.

PITOM – Cidade do Egito, onde era adorado o deus Atom. Aqui, foram os israelitas submetidos a trabalhos forçados (Êx 1.11).

PONTO – Província romana situada no Norte da Ásia Menor (At 2.9; 18.2; 1 Pe 1.1). A região, hoje, é ocupada pela Turquia.

PTOLEMAIDA – Porto situado entre o Monte Carmelo e a cidade de Tiro (At 21.7). No Antigo Testamento, era chamado de Aco (Jz 1.31).

PUL – Na Antigüidade, achava-se esta nação localizada no atual território da Líbia (2 Rs 15.19).

PUTÉOLI – Localizado na Baía de Nápoles, este porto italiano, onde desembarcou Paulo em sua viagem a Roma, é conhecido atualmente como Pozuoli (At 28.13).

Q

QUEILA – Cidade pertencente à tribo de Judá, e que foi libertada por Davi (1 Sm 23.1-13).

QUINERETE, MAR DE – Assim também é conhecido o Mar da Galiléia (Nm 34.11).

QUIOS - Ilha localizada a noroeste de Éfeso (At 20.15).

QUIR – [Do hb. *cidade forte*] Desta localidade de Moabe, os sírios imigraram para Damasco (Am 9.7).

QUIRIATAIM – [Do hb. *cidade dupla*] Cidade moabita que foi conquistada e reedificada pela tribo de Rubem (Nm 32.27).

QUIRIATE-ARBA – [Do hb. *cidade de Arba*] Este era o outro nome de Hebron, cidade pertencente à tribo de Judá (Js 18.28).

QUIRIATE-BAAL – [Do hb. *cidade de Baal*] A cidade foi herdada pela tribo de Judá (Nm 15.60).

QUIRIATE-HUZOTE – [Do hb. *cidade de ruas*] Esta cidade era também conhecida, provavelmente, como Quir de Moabe.

QUIRIATE-JEARIM – [Do hb. *cidade dos bosques*] Cidade cananéia, onde ficava um centro de adoração a Baal (Js 9.17; 15.9; 1 Sm 7.1).

QUIRIATE-SANA – Cidade pertencente à tribo de Judá (Js 15.25).

QUIRIATE-SETER – Assim também era conhecida Debir (Js 15.15).

QUIRIOTE – [Do hb. *cidades*] Uma das cidades de Judá (Js 15.25).

QUIRIOTE-HEZRON – Cidade da tribo de Judá (Js 15.25).

QUISIOM – [Do hb. *dureza*] Depois do Jordão, este é o maior rio de Israel; tem a sua desembocadura no Mar Mediterrâneo ao norte do Monte Carmelo (1 Rs 18.40).

QUITIM – Assim também era conhecida a ilha de Chipre no Antigo Testamento (Is 23.1,12, RC).

QUITLIS – Cidade que coube em herança à tribo de Judá (Js 15.40).

QUITRON – Cidade de Zebulom, que deixou de ser totalmente conquistada por Israel, por não ter a referida tribo expulsado de lá os cananeus (Jz 1.30).

QUMRÃ – Situado a dois quilômetros a oeste do extremo norte do Mar Morto, neste lugar viviam os essênios. Em 1947, foram encontrados, em onze cavernas dessa região, os Manuscritos do Mar Morto, com várias passagens do Antigo Testamento hebraico.

R

RABÁ – [Do hb. *capital*] Cidade que pertencia à tribo de Judá (Js 15.60). Os amonitas também tinham uma cidade com igual nome (2 Sm 11.1).

RACATE – [Do hb. *praia*] Cidade fortificada de Naftali (Js 19.35).

RAMÁ – [Do hb. *lugar alto*] Cidade fortificada localizada no território de Benjamim (1 Rs 15.17; Jr 31.15; 40.1; Mt 2.18).

RAMATE-LEÍ – [Do hb. *lugar do alto da queixada*] Nome que Sansão deu ao lugar onde, com uma queixada de jumento, feriu a mil filisteus (Jz 15.17).

RAMATE-MISPÁ – [Do hb. *monte da torre*] Localidade do território de Gade (Js 13.26).

RAMESSÉS – Cidade-armazém edificada pelos israelitas na terra do Egito (Êx 1.11).

RAMOTE-GILEADE – Cidade de refúgio situada no território da tribo de Gade (1 Rs 22).

REFIDIM – Lugar onde as tribos hebréias acamparam e batalharam antes de chegarem ao Monte Sinai (Êx 17; 19.2).

REOBE – [Do hb. *espaço aberto*] Lugar do extremo norte visitado pelos espias (Nm 13.21).

REOBOTE – [Do hb. *espaços largos*] Cidade localizada às margens do Eufrates, onde residia Saul rei de Edom (Gn 36.37).

REQUÉM – [Do hb. *variejado*] Cidade pertencente à tribo de Benjamin (Js 18.27).

RIBLA – [Do hb. *fertilidade*] Cidade localizada às margens do Rio Orontes a 80 quilômetros ao sul de Hamate (2 Rs 23.33; 25.6; Jr 52.26-27).

RIMOM – [Do hb. *trovejador*] Cidade localizada no Negueve, e pertencente à tribo de Judá (Js 15.32).

ROGEL – Fonte que servia de divisa entre as tribos de Judá e Benjamim nas proximidades de Jerusalém (Js 15.7).

ROMA – Capital do Império Romano. Fundada pelo lendário Rômulo, em 753 a.C., achava-se edificada sobre sete colinas. Aí esteve preso o apóstolo Paulo (At 28.11-31; 2 Tm 1.16,17; cap. 4).

SAALBIM – [Do hb. *rapozas*] Cidade pertencente à tribo de Dã (Jz 1.35).

SABÁ – [Do hb. *juramento*] Situado no Sul da Arábia, este reino achava-se precisamente entre o Mar Vermelho e o Golfo Pérsico. Nos tempos bíblicos, ocupava o território do atual lêmen (1 Rs 10.1; Jó 6.19).

SALAMINA – Porto da Ilha de Chipre, onde os apóstolos Paulo e Barnabé proclamaram o Evangelho de Cristo (At 13.5).

SALÉM – Nome antigo da cidade de Jerusalém (Gn 14.18; Sl 76.2; Hb 7.1,2).

SALGADO, MAR – Assim também era conhecido o Mar Morto (Js 3.16).

SALIM – [Do hb. *pacífico*] Lugar perto de Enon onde, de acordo com o relato bíblico, havia muitas águas (Jo 3.23).

SALISA – [Do hb. *terça parte*] Distrito da região montanhosa de Judá (1 Sm 9.4).

SALMOM – [Do hb. *lugar de sombra*] Monte do qual o usurpador Abimeleque foi buscar ramos e gravetos para queimar a Torre de Siloé (Jz 9.48).

SALMONA – Cabo da ilha de Creta. Por este lugar, passou o apóstolo Paulo em sua viagem a Roma (At 27.7).

SAMARIA – [Do hb. *torre de guarda*] Monte situado a 12 quilômetros a nordeste de Siquém, na região central da Terra Santa (Am 6.1). Neste monte, foi construída, por Onri, a capital do Reino do Norte (1 Rs 16.24). Seu nome atual é Sebastieh.

SAMOS – Ilha localizada no Mar Egeu (At 20.15).

SAMOTRÁCIA – Ilha do Mar Egeu (At 16.11).

SANTO MONTE – Assim também era conhecido o Monte Sião (Sl 3.4).

SARDES – Cidade principal da Lídia, na Ásia Menor (Ap 3.1).

SAREPTA – Cidade fenícia situada a 13 quilômetros ao norte de Sidom (1 Rs 17.9,10).

SAROM – Fértil planície de Israel que costeia o Mediterrâneo por uns 80 quilômetros. Vai de Jope a Cesaréia. Sua largura varia entre sete e 20 quilômetros (Is 33.9).

SEFARVAIM – Cidade de onde os assírios trouxeram deportados para viverem em Samaria (2 Rs 17.24-31). Estes deportados misturar-se-iam aos israelitas locais, dando origem aos samaritanos, que ainda vivem em Israel.

SEIR – Região ocupada pelos edomitas. Com 160 quilômetros de extensão, achava-se situada ao sul de Moabe (Gn 36.9).

SENIR – [Do hb. *montanha de neve*] Assim os amorreus chamavam o Monte Hermom (Dt 3.9).

SEVENE – Nome hebraico da cidade egípcia de Assuã, localizada na primeira catarata do Rio Nilo (Ez 29.10).

SIÃO – Antiga fortaleza dos jebuseus transformada por Davi na cidade hebréia por excelência. Aí fica o Monte do Templo.

SICAR – Cidade samaritana localizada ao leste do Monte Ebal na estrada que descia de Jerusalém à Galiléia (Jo 4.5).

SICUTE – Um dos nomes de Saturno, adorado pelos antigos assírios (Am 5.26).

SIDIM – [Do hb. *lados*] Vale situado ao sul do Mar Morto, onde se achavam as cidades de Sodoma, Gomorra, Zoar, Admá e Zeboim. A região, outrora fertilíssima, encontra-se hoje coberta pelas águas do Mar Morto (Gn 14.3; 13.10).

SIDOM – Cidade ilhéu situada entre Beirute e Tiro, na antiga Fenícia. Era um centro de fabricação de vidros (Ez 28.20-23). Jesus visitou a cidade de Sidom (Mc 7.24).

SILÓ – Cidade de Efraim localizada a 16 quilômetros a nordeste de Betel. Em Siló, permaneceu o Tabernáculo 300 anos (1 Sm 1-4; 1 Rs 14.2).

SILOÉ – [Do hb. *enviado*] Situado em Jerusalém, este reservatório recebia água da fonte de Giom através de um túnel de 530 m (2 Rs 20.20; Jo 9.7).

SINAI – [Do hb. *rochedo*] Situado entre os golfos de Suez e de Ácaba, acha-se atualmente em território egípcio. Foi nesse monte que Moisés recebeu as Leis de Deus (Êx 19.20-20.26).

SINEAR – Região que abrangia a Babilônia (Gn 10.10). Foi aí que os descendentes de Noé ergueram a Torre de Babel.

SINIM – Mui provavelmente era a cidade egípcia de Assuã (Is 49.12).

SIQUÉM – [Do hb. *ombro*] A cidade estava situada em Samaria entre os montes Gerizim e Ebal a 64 quilômetros ao norte de Jerusalém (Gn 12.6; 33.18-20). Neste local, hoje, acha-se a moderna Nablus.

SÍRIA – País localizado ao norte da Galiléia, em Israel, entre o Eufrates, a Arábia e o Mediterrâneo. É um país fértil e grande se comparado aos vizinhos imediatos. Desde os tempos bíblicos, a Síria sempre esteve em guerra com Israel.

SIRIOM – [Do hb. *cota de malha*] Assim os sidônios chamavam o Monte Hermom (Dt 3.9).

SITIM – [Do hb. *acácias*] Situado em Moabe, foi a última parada dos israelitas antes de atravessarem o Jordão (Nm 25.1; Js 2.1; 3.1).

SODOMA – [Do hb. *lugar de cal*] Uma das cinco cidades impenitentes do vale de Sidim destruída pelo Senhor (Gn 18.16–19.29; Jd 7).

SUCOTE – [Do hb. *tendas*] Localidade a leste do Jordão, onde Jacó levantou suas tendas (Gn 33.17; Js 13.27; Jz 8.5-16).

SUFE, MAR DE – Assim também era conhecido o Mar Vermelho (Dt 1.1).

SUNÉM – [Do hb. *lugar de repouso*] Cidade pertencente à tribo de Issacar (Js 19.18). Foi aí que Eliseu ressuscitou um jovem (2 Rs 4.8).

SUSÃ – Cidade babilônica transformada pelos medos e persas na capital de seu império (Et 3.15; Dn 8.2).

T

TAANAQUE – Cidade situada a oito quilômetros a sudeste de Megido. Conquistada por Josué, foi entregue à tribo de Manassés (Js 17.11). Posteriormente foi destinada aos levitas da família de Coate (Js 21.25).

TAANATE-SILÓ – [Do hb. *próximo a Siló*] Cidade fronteiriça de Efraim, localizada entre Siquém e o Jordão (Js 16.6).

TABOR – [Do hb. *altura*] Monte situado no Sul da Galiléia (Jz 4.6-16; 8.18-21). Fica a oito quilômetros a leste de Nazaré e a 19 do Mar da Galiléia.

TAFNES – Cidade-fortaleza localizada no delta do Nilo, na região nordeste do Egito. Para esta cidade fugiram muitos judeus com medo dos babilônios. Consigo, levaram o profeta Jeremias (Jr 43).

TARSO – Capital da província romana da Cilícia. Foi aí que nasceu o apóstolo Paulo. Era um importante centro comercial e cultural (At 9.11).

TECOA – Cidade de Judá situada a 20 quilômetros ao sul de Jerusalém. Foi aí que nasceu o profeta Amós (Am 1.1).

TEL-ABIBE – [Do hb. *monte de trigo verde*] Cidade da Babilônia onde moravam os judeus levados para o cativeiro (Ez 3.15). No meio dos exilados, vivia também o profeta Ezequiel.

TELASSAR – [Do hb. *monte de Assur*] Cidade dos edenitas conquistada pelos assírios no tempo de Senaqueribe (2 Rs 19.12).

TEMÃ – [Do hb. *meridional*] Cidade de Edom que se tornara conhecida pela sabedoria e argúcia de seus habitantes (Jr 49.7).

TESSALÔNICA – [Do gr. *conquista de Tessália*] Capital da província romana da Macedônia, onde Paulo pregou o evangelho (At 17.1-9).

TIATIRA – Cidade da província romana da Ásia (At 16.14). À igreja desta cidade foi destinada uma das sete cartas do Apocalipse (2.18-29). Tiatira era famosa por suas riquezas e florescente comércio.

TIBERÍADES, MAR DE – Assim também era conhecido o Mar da Galiléia (Jo 21.1).

TIGRE – Um dos dois grandes rios que formam a Mesopotâmia. De conformidade com o relato bíblico, ficava aí o Jardim do Éden (Gn 2.14). O Rio Tigre tem a sua nascente na Armênia.

TIMNA – [Do hb. *porção destinada*] Cidade situada na fronteira de Judá, nas proximidades de Bete-Semes (Jz 14.2).

TIRO – Porto da Fenícia situado numa ilha ao norte do Carmelo e ao sul de Sidom (1 Rs 9.10-14). O nome de Tiro, hoje, é Sur, e acha-se ligado ao continente.

TIRZA – [Do hb. *delícia*] Cidade situada a 10 quilômetros a leste de Samaria. Funcionou como capital do Reino do Norte até ao tempo de Onri (1 Rs 16.6).

TOFETE – [Do hb. *crematório*] Lugar no vale de Hinom, onde se realizavam sacrifícios a Moloque. O bom rei Josias foi quem despoluiu o local (2 Rs 23.10).

TRACONITES – Região situada ao sul da cidade de Damasco, atual capital da Síria (Lc 3.1).

TRANSJORDÂNIA – Planície situada a leste do Rio Jordão. Nos dias do Antigo Testamento, a região compreendia Basã, Gileade, Amom e Moabe. E, no Novo Testamento, abarcava a Peréia e Decápolis. Hoje, o território pertence à Jordânia.

TRÔADE – Porto localizado na Mísia, um distrito da província romana da Ásia a 16 quilômetros da antiga Tróia. Foi em Trôade que Paulo teve a visão que o levou a evangelizar a Europa (At 16.8-12).

UFAZ – Centro produtor de ouro muito famoso nos dias do Antigo Testamento (Jr 10.9; Dn 10.5). Seria o mesmo que Ofir?

ULAI – Rio que atravessa a cidade de Susã, em Elão (Dn 8.2,16).

UR – [Do hb. *luz*] - Cidade da Caldéia de onde saiu o patriarca Abraão a fim de peregrinar em direção à Terra das Promissões (Gn 11.28-31).

UZ – [Do hb. *firmeza*] Terra onde viveu o piedoso e paciente Jó (1.1). Achava-se situada no deserto sírio, entre Damasco e Edom (Jr 25.20).

VALE – [Do lat. *valle*] Depressão alongada entre montes ou colinas (Is 40.4).

VAU – [Do lat. *vadu*] Trecho raso do rio ou do mar, onde se pode atravessar a pé ou a cavalo (Gn 32.22).

VERMELHO, MAR – Golfo de mais de 2000 quilômetros de extensão. Vai desde o Oceano Índico até o Golfo de Suez (Êx 23.31).

Z

ZAFOM – [Do hb. *o norte*] Cidade pertencente à tribo de Gade (Js 13.27).

ZALMONA – [Do hb. *sombrio*] Um dos acampamentos de Israel em sua peregrinação rumo à Terra de Promissões (Nm 33.41).

ZANOA – [Do hb. *água suja*] Cidade de Judá (Js 15.56).

ZEBOIM – [Do hb. *hienas*] Uma das cidades impenitentes do vale de Sidim que o Senhor Deus destruiu juntamente com Sodoma e Gomorra (Dt 29.23).

ZEDADE – Cidade localizada na fronteira setentrional da Terra Santa (Nm 34.8).

ZEFATÁ – [Do hb. *torre de vigia*] Vale perto de Maressa, lugar de célebre batalha (2 Cr 14.10).

ZELZA – Cidade localizada na fronteira de Benjamim, perto do sepulcro de Raquel (1 Sm 10.2).

ZEMARIM – [Do hb. *dois cortes*] Cidade de Benjamim (Js 18.22).

ZER – [Do hb. *pederneira*] Cidade de Naftali (Js 19.38).

ZEREDA – [Do hb. *refrigerante*] Terra natal de Jeroboão, primeiro monarca do Reino do Norte (1 Rs 11.26).

ZEREDE – Ribeiro junto ao qual acamparam os filhos de Israel antes de haverem entrado na terra dos amorreus (Nm 21.12).

ZICLAGUE – Cidade de Judá (Js 15.31).

ZIDIM – Cidade de Naftali (Js 19.35).

ZIFE – Uma cidade ao sul de Judá (Js 15.24).

ZIOR – [Do hb. *pequenez*] Cidade localizada nas montanhas de Judá (Js 15.24).

ZOÃ – Cidade do baixo Egito, que servia de residência a Faraó.

ZOAR – [Pequena] Cidade dos cananeus que, por intercessão de Ló, não foi destruída juntamente com Sodoma e Gomorra (Gn 19.20-22).

ZOBÁ – Reino sírio situado a nordeste de Damasco. Os reis de Zobá fizeram guerra contra Saul e Davi (1 Sm 14.47; 2 Sm 8.3-8; 10.6-8; 1 Rs 11.23; Sl 60, título).

ZOFIM – [Do hb. *vigiar*] Localidade no topo do Monte Pisga, de onde Balaão observou, pela segunda vez, o acampamento dos filhos de Israel (Nm 23.14).

ZORÁ – [Do hb. *lugar de vespões*] Cidade de Judá (Js 15.33), onde foram sepultados Manoá e seu filho, Sansão (Jz 13.2; 16.31).